D1458657

JIJ IK

Vertaald door Frans Reusink

Maggie O'Farrell

JIJ & IK

2004 Prometheus Amsterdam

Voor Will

Oorspronkelijke titel *The Distance Between Us*
© 2004 Maggie O'Farrell
© 2004 Nederlandse vertaling Uitgeverij Prometheus en Frans Reusink
Omslagontwerp Mariska Cock
Foto omslag Image Store/Photonica
Foto auteur Jan Michael
www.uitgeverijprometheus.nl
ISBN 90 446 0402 3

Ik weet dat een leven van de ene op de andere dag kan ver-anderen, maar meestal neemt het veel meer tijd in beslag om te doorgronden wat er gebeurd is, te begrijpen dat we een andere richting zijn opgegaan.

JAY MCINERNEY

Ik ben op die plekken geweest... om vertrouwd met ze te raken, om me door ze te laten leiden...

GEOFF DYER

Ze was mijn vazal, mijn alter ego, mijn dubbelgangster. We konden niet zonder elkaar

SIMONE DE BEAUVOIR, OVER HAAR ZUSTER

I

HIJ WORDT WAKKER EN STELT VAST DAT HIJ ALS EEN ZEESTER OP het bed ligt uitgespreid en dat zijn geest op volle kracht maalt. Aan de andere kant van de kamer draait de ventilator zich naar hem toe en dan weer van hem af, alsof het ding beledigd is. Ergens naast hem ligt een boek waarvan de bladzijden ritselen. Het appartement is inktzwart; af en toe flitst er een neonlicht tegen het plafond. Het einde van de avond.

'Verdomme,' zegt hij, zijn hoofd met een ruk oprichtend. Iets zachts en stevigs tussen zijn schouderbladen spant zich en trekt als nat papier. Jake vloekt en probeert de pijnlijke plek aan te raken. Hij staat moeizaam op en glijdt op zijn sokken over de parketvloer naar de badkamer.

Hij schrikt van zijn gezicht in de spiegel. De vouwen en plooien in het laken hebben rode strepen achtergelaten op zijn wang en slaap, waardoor zijn huid er vreemd en ruw uitziet. Zijn haar staat recht overeind, alsof hij is geëlektrocuteerd, en bovendien lijkt het gegroeid. Hoe kwam het dat hij in slaap was gevallen? Hij had gelezen, met zijn hoofd op zijn handen. Het laatste wat hij zich herinnerde, was dat de man in het boek via een touwladder in een in onbruik geraakte bron afdaalde. Jake kijkt op zijn horloge. Tien over tien. Hij is al te laat.

Een nachtvlinder vliegt tegen zijn gezicht en fladdert dan tegen de spiegel aan, het fijne poeder van zijn vleugels laat op het glas een vlek achter – een geest van zichzelf. Jake doet een stap naar achteren. Hij kijkt ingespannen, probeert de koers van het dier in de lucht te volgen en het in zijn tot een kom samengevouwen handen te vangen. Mis. De vlinder voelt het gevaar en vliegt spiraalsgewijs in de richting van het licht. Maar Jake waagt een nieuwe poging en ditmaal vangt hij het insect. Hij voelt het tere, verwarde lichaampje tegen de binnenkant van zijn handen botsen.

Met zijn elleboog drukt hij het handvat omhoog en duwt het raam een stukje open. Het lawaai van de straat, negentien verdiepingen lager, stijgt op naar boven. Jake buigt zich over de waslijnen heen, vouwt zijn handen open en werpt de vlinder de lucht in. Even valt het dier gedesoriënteerd ondersteboven naar beneden, maar dan herstelt het zich en op de warme luchtstroom uit een airconditioninginstallatie fladdert de vlinder de duistere nacht in.

Jake sluit het raam. Hij rent door zijn flat en pakt zijn portemonnee, sleutels en jas. Dan trekt hij zijn schoenen aan, die slordig bij de deur liggen. Het duurt een eeuwigheid voordat de lift komt en als die eindelijk arriveert, stinkt het hokje naar zweet. In de hal zit de portier op een kruk naast de deur. Boven hem hangen de fraaie rode en gouden versieringen ter ere van het Chinese nieuwjaar: een kindje met dikke wangen en gitzwart haar dat schrijlings op een roze varken zit.

'Gung hei fat choi,' zegt Jake terwijl hij langsloopt.

Er verschijnt een grijns op het gezicht van de man, waardoor de spleten tussen zijn tanden zichtbaar worden. 'Gung hei fat choi, Jik-ah!' Hij slaat Jake op zijn schouder, waardoor diens vel begint te tintelen en te schrijnen alsof het door de zon verbrand is.

Buiten weerkaatsen de koplampen van de auto's in de regenplassen en een metro doet het wegdek trillen. Jake kijkt omhoog naar de gebouwen. Het jaar van de Os gaat over in het jaar van de Tijger. Toen hij nog een kind was, stelde hij zich het jaar klokslag middernacht voor als een vreemdsoortig schepsel, onderhevig aan een gedeeltelijke metamorfose.

Hij loopt weg van het flatgebouw en botst bijna tegen een klein, oud vrouwtje op dat een karretje voortduwt, volgeladen met opgevouwen kartonnen dozen. Jake haalt haar in en loopt verder in zuidelijke richting, langs de basketbalveldjes, een klein rood altaartje op het trottoir dat de geur van wierook verspreidt, mannen die in een *yum chai*-winkel de mahjongstenen op de tafels tussen hen in laten klikken, rijen motoren die dicht opeen geparkeerd staan, ingewikkelde stellages van bamboehout, voor restaurants geplaatste aquariums waarin verdoemde vissen in het troebele water hunkeren naar een beetje zuurstof, hun kieuwen opengesperd.

Maar Jake ziet niets van dit alles. Hij kijkt omhoog naar de donkere wolken en neuriet in zichzelf, terwijl hij op zijn gympies over het trottoir wandelt. De lucht zindert van de wierook en van de geur van vuurwerk, met een zweem van zout die uit de haven opstijgt.

Er komt geen bus. Stella trekt haar sjaal wat steviger rond haar hals en staat op haar tenen om het naderende verkeer beter te kunnen zien. Auto's, auto's, taxi's, motorfietsen, een rare fietser, auto's, en nog meer auto's. Maar geen bus. Ze kijkt naar het bord waarop vermeld zou moeten staan hoe lang ze nog moet wachten. Het is leeg.

Ze trekt de mouw van haar jas uit haar handschoen om op haar horloge te kijken. Ze heeft vandaag middagdienst en zal te laat komen als ze nog langer moet wachten. ~~Stella~~ denkt een ogenblik na. *Ze* Is het slimmer om te blijven wachten tot er een bus komt of zal ze gaan lopen met het risico dat ze ietsje te laat is? Ze zou de metro kunnen nemen, maar dat is tien minuten van hier en bovendien zou die ook vertraging kunnen hebben. Ze gaat lopen. Dat is waarschijnlijk het snelst, nu.

Ze ~~Stella~~ kijkt nog even over haar schouder om er zeker van te zijn dat de bus er niet aan komt en begint te wandelen. Het is koud op straat, ongewoon koud voor de tijd van het jaar, en de grond is hard en bevroren, hij kraakt onder haar voeten. De hemel is van een onbestemd grijs; de bladerloze takken steken ertegen af.

Ze is een paar weken in Londen – niet langer, hoopt ze – om mee te werken aan een radioprogramma op de late avond. Ze heeft hier een flatje, een onderkomen aan de rand van Kennington, maar normaal gesproken verhuurt ze het, en zit dan zelf ergens anders. Een maandje in Parijs, een poosje in Moskou, een halfjaar in Helsinki. Ze weet nog niet waar ze de volgende keer heen zal gaan – Rome misschien, of Madrid, of Kopenhagen. Stella houdt er niet van lang op één plek te blijven.

Ze loopt naar het noorden, in de richting van de Theems. Haar ademtocht is zichtbaar en haar lichaam is ongewoon warm met al die lagen kleding die ze over elkaar heeft aangetrokken. Als ze de eerste stappen in de richting van Waterloo Bridge zet, splijt de stad zich in tweeën en heeft ze uitzicht op de rivier. De brug is tijdens de Tweede Wereldoorlog door vrouwen gebouwd, las ze ooit ergens. Vandaag ligt ze er verlaten bij. Auto's razen langs haar heen, in noordelijke richting, maar aan beide zijden strekken de lege trottoirs zich uit.

Bij de kruising springt Jake op het achterbalkon van een ratelende tram die juist vertrekt. In het lage gedeelte is het somber, donker en propvol – de mensen zitten dicht opeen op de stoelen en zij die staan, houden zich vast aan de metalen buizen langs het plafond. Een oude man in een vest en een verkleurde broek zit vlakbij. Op zijn schoot staat een vogelkooi. De vogel kijkt Jake vanaf zijn schommeltje met zwarte kraaloogjes schuin aan. De hoofden van twee westerlingen steken uit boven die van de Chinezen.

Jake klimt de houten trap op. Hij gaat op een stoel aan de voorkant zitten en leunt met zijn hoofd naar buiten, waardoor de wind in zijn gezicht blaast. Hij ziet de rommelige, met neonreclames versierde gebouwen van Wanchai en even later een glanzend, uit beton en glas opgetrokken winkelcentrum.

Jakes haar is donker en zijn huid krijgt bijna dezelfde tint als die van zijn vriend Hing Tai, tenminste, als hij lang genoeg in de zon heeft gezeten, maar zijn ogen zijn diepblauw. Hij heeft een Brits paspoort, een Britse moeder en ergens ook nog een Britse vader. Maar Jake heeft Groot-Brittannië nog nooit gezien, en zijn vader ook niet, en hij is nog nooit ook maar in de buurt van Europa geweest.

Stella ziet een eenzame figuur een heel eind weg, aan de andere kant van de brug, haar kant op komen lopen. Een man. Piepklein door die afstand. Ze zou haar hand kunnen opheffen en hem met duim en wijsvinger kunnen omcirkelen. Ze lopen en lopen en lopen, alsof ze door een onzichtbare draad naar elkaar toe getrokken worden. Het wordt steeds duidelijker hoe hij eruitziet: lang en plomp, in een groene jas.

Stella kijkt over de rivier, waar het reuzenrad is versierd met lichtjes en de mensen, klein als insecten, zich voortbewegen langs de South Bank. Ze richt haar blik weer op de brug, in de richting waarin ze loopt, en de schok is zo groot dat ze bijna struikelt. Ze moet zich vastgrijpen aan de leuning om te voorkomen dat ze valt, en haar hart slaat over, alsof het twijfelt of het nog verder zal kloppen.

Ze Stella kijkt naar beneden, naar het bruine, stromende water van de rivier, en dan ziet ze de man weer. Hij is nog dichterbij gekomen en Stella vraagt zich af of hij alsmaar groter en groter zal worden en zich ten slotte over haar heen zal buigen: gigantisch en angstaanjagend als een reusachtig spook. Hij kijkt haar nu recht in het gezicht en heeft zijn handen in zijn zakken gestoken.

Ze kan het niet geloven, ze kan het niet. Hij heeft die dikkige, lichtroze huid, hetzelfde dikke, rode haar en ogen die diep in zijn gezicht liggen.

Het is alsof de tijd een sprong achteruit heeft gemaakt, alsof de jaren zichzelf hebben ingeslikt. Stella voelt opnieuw de klamme, elastische huid wanneer ze hem vastgrijpt, ze ruikt de opmerkelijke, dierlijke geur van zijn haar. De man komt naar haar toe nu, hij is dichtbij, zo dichtbij dat ze hem zou kunnen aanraken, en ergens achter in haar keel weet ze een gil te onderdrukken.

'Gaat het een beetje, kindje?'

Met haar gehandschoende vingers klampt ze zich vast aan de leuning. Hij is een Schot. Dat wist ze al. Stella knikt en kijkt naar de rivier, waarvan het wateroppervlak gespierd lijkt als een slangenrug.

'Weet je het zeker?' Hij staat juist buiten haar gezichtsveld. Stella kan niet ademen, haar longen lijken geen lucht op te nemen. 'Het lijkt me van niet.'

Ze knikt nog eens. Ze wil niet dat hij haar hoort spreken, dat hij haar stem hoort. Ze moet hier vandaan. Zonder hem aan te kijken, probeert ze weg te komen: ze beweegt zich voort langs de brugleuning. Ze moet vlak langs hem heen en voelt zijn adem op haar haren als hij zegt: 'Nou ja, als je het zeker weet.' Ze begint te trillen, krimpt ineen. 'Tot ziens dan maar,' zegt hij.

Stella draait haar hoofd om en ziet dat hij wegloopt. Diezelfde lompe tred, die eendenpas, die brede, opgetrokken schouders. Hij keert zich eenmaal om, blijft een momentje staan. Dan loopt hij door. Tot ziens dan maar.

Vlak na elkaar komen er twee vrachtwagens voorbij, die de lucht om haar heen doen trillen. Ze holt struikelend verder, terwijl haar jas achter haar aan wappert en de gebouwen voor haar lijken om te vallen. In haar borst voelt ze een scherpe, zeurende pijn, alsof iets met tanden en klauwen zich een weg uit haar lichaam probeert te banen. Ze struikelt en valt met haar handen en knieën op het wegdek. Nog voor ze opkrabbelt, kijkt ze weer om.

Hij is verdwenen. De brug strekt zich achter haar uit: gewelfd en verlaten.

Ze krabbelt overeind. Haar handen zitten onder het vuil en de steentjes. Haar haren zijn nat van de tranen en plakken in de ijzige februariwind tegen haar gezicht. Ze kijkt de straat in en weet niet waarnaar ze zoekt.

Aan de overkant ziet ze een taxi met een brandend daklicht aan komen rijden. Ze werpt zich tussen het verkeer en heft haar arm boven haar hoofd. Een auto remt plotseling en wijkt uit. 'Alsjeblieft, stop,' mompelt ze in zichzelf, haar ogen gericht op het licht dat haar kant op komt rijden. 'Alsjeblieft.'

De taxi mindert vaart en stopt. Stella rent ernaartoe, opent het portier en klimt naar binnen.

Jake daalt het trapje af terwijl de tram twee bochten maakt en het centrum in rijdt. Hij houdt van het botsen en stoten als de tram van richting verandert, hij vindt het leuk om juist op dat deel van het traject op te staan en zich tegen de beweging in schrap te zetten. Vlak voor het kolossale, hoekige bankgebouw springt hij de straat op, en loopt onder het zwartglazen gebouw door, waar roltrappen kraken en gonzen zonder mensen naar boven of beneden te transporteren.

Hij klimt de steile Lan Kwai Fong op en baant zich een weg door de mensenmassa. Langs de met klinkers geplaveide straat liggen bars en clubs, vol westerlingen die werken bij de advocatenkantoren, kranten, scholen, radiostations en IT-vestigingen van Hongkong Island en die elke avond per veer terugkeren naar hun appartementen op Lamma of Lantau maar hier nog even een glas drinken en hun vrienden ontmoeten. Gewoonlijk komt Jake hier niet, maar Mel en haar clubje vinden het leuk.

Jake beschouwt Hongkong als de overlooppijp van Europa. De mensen die hier komen, hebben hun huis en gezin verlaten om een bepaalde reden, en meestal hangen ze die niet aan de grote klok. Stuk voor stuk hebben ze zich op de een of andere manier afgescheiden, of ze lopen ergens voor weg, of ze zijn op zoek naar een ongrijpbaar element dat hun leven compleet zal maken. In ieder geval hopen ze dat het idee dat er iets ontbreekt aan hun leven hen niet zal dwingen tot een oversteek over de oceaan. Als je ver genoeg weggaat, hoef je jezelf niet meer tegen te komen.

Boven op de heuvel gaat Jake de Iso-Bar binnen, die aan de linkerkant van de straat ligt. De lucht is er ijzig, de airco staat te hoog, en de ruimte is volgepakt met mensen met drankjes in hun hand. Hij speurt in de massa, op zoek naar Mel. Ineens is ze er, ze staat vlak voor hem. Ze hebben elkaar nog niet eens aangekeken, maar ze drukt een lippenstiftkus op zijn gezicht en wendt zich tot haar vrienden. 'Ik zei jullie toch dat hij te laat zou komen? Zei ik niet dat hij te laat zou komen?' Haar gezicht beweegt vlak voor het zijne heen en weer in de duistere ruimte. Haar lichte, dunne, vrijwel kleurloze haar heeft ze in een staartje samengebonden en ze houdt haar handen ineengeklemd achter zijn rug.

'Het spijt me, ik ben in slaap gevallen,' schreeuwt Jake over de muziek heen. 'Ik weet ook niet hoe dat kwam. Het ene moment lag ik nog te lezen, en het volgende...'

'Je zult wel moe zijn geweest.' Ze lacht hem toe.

'Ja.'

Hij bevrijdt zich uit haar omarming om de anderen te begroeten. Ze knikken en glimlachen, heffen hun glas. Lucy, Mels beste vriendin, geeft hem een afstandelijke zoen, en wendt zich weer tot de man met wie ze stond te praten. Iemand geeft Jake een groot glas, dat glad is van de condens.

'We gaan morgen naar Lantau,' schreeuwt Mel over het lawaai heen, terwijl ze naar een van haar collega's overbuigt en met haar vingers Jakes arm vasthoudt, 'om de Boeddha te zien. Jake wil in de heuvels gaan wandelen.'

'Ga je met hem mee, dan?' vraagt de collega geamuseerd.

'Ja.' Mel knikt en kijkt zijn kant op. 'Als hij wil dat ik meega, tenminste.' Ze knijpt hem in zijn arm. 'Ik vind dat ik het maar moet proberen, weet je.'

'Maar je hebt een bloedhekel aan dat soort dingen!'

Nina zet de telefoon naast haar op de vloer, draait het netnummer van Londen en daarna het abonneenummer. Het duurt even voordat ze de telefoon aan de andere kant van de lijn hoort overgaan.

Ze wacht en fronst haar wenkbrauwen. Ze pakt een van de broodjes die Richard die ochtend voor haar heeft gemaakt en peutert de halvemaanvormige stukjes ui ertussenuit. Hij weet dat ze niet van rauwe uien houdt. Dan weerklinkt er een elektronische stem die voorafgaat aan de piep van het antwoordapparaat: 'Hallo, u bent verbonden met Stella Gilmore van de afdeling Productie. Ik zit even niet achter mijn bureau of ik ben net ergens...'

Nina hangt op, vouwt haar broodje weer terug en neemt er een hap van.

'Nog twaalf minuten!' roept Lucy uit terwijl ze op haar horloge tuurt, 'en dan veranderen we allemaal van kippen in varkens!'

Mel wendt zich met een enigszins verschrikt gezicht tot Jake. 'Klopt dat, Jake?'

'Van os naar tijger,' mompelt hij. 'En het gebeurt niet zozeer ons, het is...'

'Laten we naar dat café verderop gaan!' zegt Lucy. 'Die tent met die dj. Kom op!'

Ze slaan hun glazen achterover en lopen naar de deur. Buiten is de lucht lauw en er dwarrelt een drenzende, fijne motregen in hun gezichten. De straat is vol mensen, de hoofden dansen op en neer tussen hen en de gebouwen aan de overkant. Jake moet zich platdrukken tegen een muur om een groep Japanse jongens te laten passeren. Lucy struikelt over het hoge trottoir en valt tegen hem aan. Aan zijn andere zijde loopt Mel, die zijn hand beetgrijpt. Aan de overkant van de straat zingt een groep Britten 'Auld Lang Syne'.

In een kantoor in Londen gaat een mobiele telefoon over. Het geluid is onderdrukt, alsof het apparaat onder een jas, een tijdschrift of een tas ligt. Verscheidene mensen in afgescheiden hokjes rond haar bureau draaien hun hoofden om, luisteren en verbazen zich. Dan beseffen ze dat het niet hun telefoon is en draaien zich weer terug.

Het meisje dat met Stella een kantoor deelt haalt de koptelefoon van haar hoofd en kijkt naar Stella's werkplek. De stoel staat een eindje van het bureau vandaan. Op de plaats waar Stella gewoonlijk zit, heb je nu uitzicht op een rij ongelijke schoorstenen en de zwarte daken van de huizen in Regent Street, die glimmen van de regen.

Moet ze opnemen? Stella vergeet nogal eens haar telefoon mee naar huis te nemen. Hij is het afgelopen uur al een paar maal overgegaan. Er is blijkbaar iemand die haar dringend moet spreken. Maar het toestel houdt even abrupt op met overgaan als dat het begon. Het meisje zet haar koptelefoon weer op haar hoofd. Ze zal het Stella wel vertellen als die weer terug is.

Het wordt steeds lawaaiiger op straat, alsof iemand aan de volumeknop heeft gedraaid. Mensen schreeuwen, lachen en gillen. Een man die vlak voor Jake staat, zwaait met een papieren draak met ontblote tanden, het vuur spuit uit zijn neusgaten. Jake baant zich een weg door de mensenmassa in de richting van het café. Mel loopt achter hem, in zijn kielzog, en Lucy daar weer achter. De anderen zijn verzwolgen door de massa. Steeds meer mensen komen de straat op om zich aan te sluiten bij de menigte. Jake voelt overal schouders, ellebogen, heupen en voeten. Hij draait zijn hoofd en kijkt de straat in. Is het verderop minder druk? Nee. Overal ziet hij hoofden, de mensen stromen toe uit zijstraten; D'Aguilar Street is halverwege versperd door een politieblokkade. Hij voelt zijn hart in zijn lichaam pompen, struikelt over zijn eigen voeten, grijpt zich vast aan de vingers van Mel.

Iedereen drukt en duwt. Jake vergeet hoe egocentrische mensen zich gedragen in omstandigheden als deze. Drie mannen met rode feestpetten op werken zich met hun ellebogen langs hem heen; een van hen gaat op zijn voet staan, die op pijnlijke wijze tegen het plaveisel wordt gedrukt. Steeds meer lichamen stromen de straat in, als water. Jake krijgt het ineens bloedheet. Hij loopt nu eens de ene richting uit, dan weer de andere; hij kan maar niet beslissen wat ze moeten doen, welke kant ze op moeten. Mel zegt iets en wanneer hij zich naar haar toe keert om te horen wat ze wil, struikelt hij en valt bijna op de grond. Hij probeert zich ergens aan vast te grijpen – de jas van een vrouw die links van hem staat – en trekt zich aan haar op. De vrouw kijkt hem een ogenblik lang paniekerig aan, maar draait zich zwijgend weer om nadat Jake zijn verontschuldigingen heeft aangeboden. De mensen worden steeds opdringeriger en drukken zich tegen zijn borstkas aan.

'Ik houd hier niet van,' zegt Mel. 'Jake, ik houd hier niet van.'

'Ik weet het,' zegt hij. 'Laten we proberen...'

Zijn woorden verdwijnen in het niets, want er gebeuren ineens een paar dingen tegelijk, of vlak achter elkaar.

Achter hem struikelt een man met een paar flessen bier. Hij duikelt voorover. De flessen vallen uit zijn handen op straat. Het glas barst uiteen en het bier stroomt over het plaveisel: een schuimende, donkere, glibberige stroom. Jake wurmt zich verder door de dicht opeengepakte massa en sleurt Mel met zich mee. Van boven op de heuvel zwelt ineens een enorm tumult aan. Jake ziet dat de man met de bierflessen overlopen wordt. Dan glijdt Lucy uit, ze zakt naar beneden en verdwijnt, de mensenmassa verzwelgt haar.

Francesca staat in haar tuin en buigt zich over het slangekruid dat ze kocht op een kwekerij in Arran en dat, zo stelt ze vast, zwart is geworden door de vorst. Francesca heeft een hekel aan vorst, nog meer dan aan de bladluis met zijn plakkerige pootjes die in de zomer op haar rozen gaat zitten, of aan de oranjekleurige slakken die haar Oost-Indische kers opvreten. Toch kan ze het niet over haar hart verkrijgen slakken te doden. Ze te vergiftigen met dodelijke chemicaliën of ze met zout te bestrooien – alleen al het idee.

Ze huivert en slaat Archies gebreide vest wat steviger om zich heen. De lucht boven Edinburgh hangt laag en lijkt zacht als de buik van een gans. De kou van vandaag is metaalachtig, als sneeuw.

Haar lichaam reageert eerder dan haar geest op een elektronische trilling. Ze gaat rechtop staan en heeft zich al naar het huis gewend voor ze beseft wat er aan de hand is. De telefoon. De nieuwe telefoon die Stella voor haar heeft gekocht.

Ze pakt hem op en drukt zomaar op een knopje, maar het trillen gaat gewoon door. Francesca zucht, pakt haar bril die aan een koordje om haar nek hangt en bestudeert de knopjes aandachtig. Er is er een met een piepklein icoontje van een hoorn erop. Die was het misschien.

'Hallo?' zegt ze gespannen, afwachtend.

'Ben je er nu nog niet achter hoe die telefoon werkt?'

Dat is Nina, ze is er bijna zeker van. Hun stemmen lijken door de telefoon op elkaar, en geen van tweeën vindt het nodig zich bekend te maken. 'Natuurlijk wel,' liegt Francesca, die tijd probeert te winnen. Ze zouden beledigd zijn als bleek dat ze zich in hun stemmen had vergist. 'Ik was in de tuin, dat is alles.'

'O.' Er valt een korte pauze, en Francesca hoort dat er een trekje wordt genomen van een sigaret. Dan is het zeker Nina. 'Hoe gaat het trouwens met je?'

'O, prima. Druk, gewoon. Je vader is naar München.'

'Waarom?'

'Ik weet het eigenlijk niet. Een vergadering, geloof ik.'

'Luister,' kondigt Nina aan. 'Ik kan nu niet met je praten, over vijf minuten heb ik een afspraak. Ik vroeg me alleen af of je Stella vandaag nog hebt gesproken.'

'Stella?' herhaalt Francesca en ze denkt na. Stella is degene over wie ze zich geen zorgen hoeft te maken. 'Nee.'

'Wanneer heb je voor het laatst met haar gesproken?'

'Vorige week, geloof ik. Of misschien zelfs de week daarvoor.'

'Maar vandaag dus niet?'

'Nee. Hoezo?'

'Gewoon. Ik kan haar niet te pakken krijgen. Ik heb een paar keer een boodschap achtergelaten en ze heeft niet teruggebeld.' Nina neemt nog een trekje van haar sigaret. 'Ze is verdwenen.'

Francesca vindt het altijd lastig als ze geconfronteerd wordt met de verhouding tussen haar twee dochters. Die heeft ze altijd te exclusief gevonden, te ingewikkeld voor haar om er de vinger op te kunnen leggen. Ineens krijgt ze een idee. 'Misschien heeft ze een dagje vrij genomen of…'

'Dat zou ze me wel hebben verteld,' onderbreekt Nina haar.

Francesca weet niet wat ze moet zeggen. Maar afleidingstactieken hebben bij Nina altijd goed gewerkt, dus vraagt ze: 'Waarom kom je niet langs, straks? Misschien is er wel een goede film op de tv. En dan maak ik iets te eten voor je.'

'Goed,' geeft Nina toe. 'Misschien.'

Mel roept Lucy's naam telkens weer en probeert te ontkomen aan Jakes greep. In de kolkende, zwetende menigte weerklinkt gegil en het stinkt naar lauw bier. Jake struikelt en probeert Mel vast te grijpen, tegelijkertijd tracht hij vooruit te komen om Lucy te vinden. Dan wordt er ineens weer geduwd en het volgende moment voelt Jake de grond onder zijn voeten verdwijnen. Ze worden door een complete stroom lichamen van Lucy vandaan geduwd, in de richting van een café waar mensen staan te dansen op muziek die alleen zij lijken te horen. Jake wordt tegen een koude muur aan geduwd. Mel is hij in het gedrang kwijtgeraakt. Hij duwt en trekt, probeert zich met zijn ellebogen enige ruimte te verschaffen om te ademen en schopt met zijn voeten tegen een muur. Zijn longen voelen oververhit en worden samengedrukt; hij krijgt nauwelijks zuurstof.

'Mel!' roept hij. 'Melanie!' Maar hij kan door het lawaai zijn eigen stem niet eens horen. Een blonde man met baard drukt zich tegen zijn rug aan en een Filippijns meisje houdt zich snikkend aan zijn jas vast. 'Mel!' roept hij nog eens en hij probeert zich om te draaien.

De massa komt weer in beweging, ditmaal vanuit een andere richting, heuvelafwaarts. Jake wordt meegesleurd en voelt iets onder zijn schoenen, iets zachts, iets wat meegeeft. Een lichaam? Hij wordt door paniek overvallen en probeert naar beneden te kijken, maar hij zit ingeklemd tussen een gillende tiener met hennakleurig haar en een vrouw met wijdopen, starende ogen. Jake kijkt haar aan en ziet haar zwarte pupillen, haar hoofd dat in haar nek valt, haar neerhangende kaken.

Jake probeert vaste grond onder zijn voeten te krijgen en werpt zijn hoofd in zijn nek om te kunnen ademen. Er daalt een motregen neer op zijn gezicht. De zwarte, peilloze lucht hangt onverstoorbaar, boven hen. In de verte hoort hij loeiende sirenes. Naast hem klinkt het angstwekkende geschreeuw van de tiener, dat geleidelijk overgaat in een klagelijk gegrien. De vervormde, metaalachtige stem van iemand die in twee talen door een luidspreker roept dat ze kalm moeten blijven, niet moeten duwen, kalm moeten blijven. Flarden muziek uit de nabije cafés. Op de achtergrond het geknal van vuurwerk in de haven. Het ruisende, bonzende geluid van het bloed in zijn oren. De vreselijke stilte van de vrouw met de starende ogen.

Tegen halfvijf begint het meisje dat een kantoor deelt met Stella, ongerust te worden. Ze moeten nog een gast zoeken voor de uitzending van volgende week. Een van hen moet voor de uitzending een boek gelezen hebben, of een deel ervan, en de vragen voor James' interview moeten nog worden geformuleerd, pr-medewerkers blijven maar bellen om hun cliënten in de uitzending te krijgen, en het meisje, Maxine, heeft geen tijd om het vraaggesprek van deze week voor te bereiden omdat ze al die telefoontjes moet beantwoorden. Waar zit ze, verdomme?

De telefoon van Productie gaat. Ze neemt meteen op. 'Hallo, *James Karl Show*, dit is...'

'Maxine,' zegt een rustige, bijna ongeïnteresseerde stem, 'sorry, dit is...'

'Nina,' onderbreekt Maxine, die nu nog ongeruster wordt. De zus van Stella. Ze zou die stem uit duizenden herkennen. Ze belt wel twintig keer per dag en meestal gaat het nergens over. Maxine en een ander meisje dat voor het programma werkt, zeggen altijd voor de grap tegen elkaar dat Nina nog geen kop thee kan zetten zonder het eerst met Stella te bespreken. 'Ze is niet hier,' snauwt Maxine.

'Zover was ik ook al,' bijt Nina terug. 'Weet je waar ze wel is?'

'Ik wou dat ik het wist. Ze had hier om één uur moeten zijn, maar ze is niet komen opdagen.'

'Waar was ze vanochtend?'

'Dat weet ik niet.'

'Had ze een afspraak?'

'Ik heb geen idee.'

'Hoe laat is ze gisteravond vertrokken?'

Maxine zucht. Het laatste waar ze nu behoefte aan heeft is Stella's zeurende zus die haar uithoort. 'Nina, ik heb het op dit moment echt heel druk en...'

'Hoe laat is ze vertrokken?' herhaalt Nina.

'Godsamme,' mompelt Maxine. 'Ik weet het niet... Halfeen. Eén uur, misschien. Waarschijnlijk nadat de uitzending was afgelopen.'

Maxine hoort het geklik van Nina's aansteker.

'Kan ik een boodschap overbrengen?' informeert Maxine terwijl ze met een pen speelt. Ze moet nodig aan de gang met dat vraaggesprek, James wordt gek als ze dat tegen een uur of vijf nog niet af heeft. Ze zwaait naar een vrouw die achter een glazen wand in een ander kantoortje zit. Die vrouw maakt met haar handen een drinkgebaar, vraagt op die manier of ze een kopje koffie wil. Maxine steekt haar duim omhoog.

'Nee,' zegt Nina, 'nee, ik heb geen boodschap', en ze hangt op.

'Jij ook tot ziens,' moppert Maxine in de richting van het lege bureau tegenover haar.

Hij raakt opnieuw beklemd tussen de menigte en wordt de heuvel op gedreven. De druk om hem heen neemt toe, tot hij geen adem meer kan krijgen. Het tafereel voor hem wordt vager en verdwijnt langzaam, er trekken pijnscheuten door zijn schouder en zijn rug. Het is belangrijk dat ik niet val, zegt hij telkens weer in zichzelf, dat ik rechtop blijf staan, dat ik niet ten onder ga. Zijn ribbenkast kraakt, geen enkel deel van zijn lichaam lijkt nog van zuurstof te worden voorzien, zijn ledematen voelen verdoofd en prikkelen. Jake is er zeker van dat dit het was, dat zijn tijd is gekomen, dat niets of niemand hier tegen zou kunnen, en zijn gemoed is vlak, kalm en zwaar als gesmolten lood.

Ineens wordt hij tegen de rug van een man gekatapulteerd, die zich kwaad omdraait. 'Hé, pas jij een beetje op?'

De man wendt zich weer tot zijn vrienden. Jake kijkt hen aan. Ze drinken en praten met elkaar. Hij is terechtgekomen in een deel van de menigte waar men van niets weet, waar men alleen maar lijkt te denken aan de overgang naar het jaar van de Tijger.

De man tegen wie hij aanbotste, zegt: 'Ik bedoel, wat zou jij doen als een klant je zou meenemen naar een tent waar platte varkenskoppen in de etalage liggen?'

De vrouw naast hem brult van het lachen en werpt haar hoofd achterover. 'En dat in Rome!' gilt ze, en iedereen lacht.

Ineens merkt hij een gevoel van bevrijding op. Lichamen wijken terug. Het is alsof er een vlies is doorgeprikt: de mensenmassa's drijven langzaam maar zeker weg. Zijn benen buigen zich als gesmolten plastic, en de stenen van het wegdek komen op hem af. Kokhalzend en ineengedoken zit hij daar, happend naar adem. Hij probeert lucht in zijn gekwelde longen te zuigen, hij is zich ervan bewust dat er mensen om hem heen staan die kijken, die mompelen. Ineens lijkt alles heel kalm.

Jake heft zijn hoofd op en kijkt de straat in.

Nina gaat, wanneer ze via de Meadows op weg is naar huis, langs Richards praktijk. Ze haast zich langs de rij patiënten, langs de receptioniste (die nooit iets tegen Nina zegt omdat Nina haar tijdens het jaarlijkse huisartsenfeestje per ongeluk 'dikke koe' heeft genoemd) en loopt door naar Richards deur.

Hij bergt juist een vreemd instrument van staal met zwarte rubberslang op in zijn tas. 'Dag schoonheid,' zegt hij wanneer hij haar ziet, en hij geeft haar een kus op haar voorhoofd. Daar heeft ze een hekel aan, maar ze heeft nu geen zin om er moeilijk over te doen. 'Wat doe jij hier?'

'Ik kom even op bezoek.' Nina gaat op de onderzoekstafel zitten en slaat haar benen over elkaar.

'Wat leuk,' zegt hij, maar ze ziet dat hij snel op de klok kijkt.

'Ik maak me zorgen over Stella,' zegt ze.

'O?' Hij pakt wat papieren bijeen die op zijn bureau liggen en kijkt intussen naar zijn computerscherm.

'Ze is met de noorderzon vertrokken.'

Hij schrijft iets op een van de papieren die voor hem liggen. 'De noorderzon?' herhaalt hij – zijn trucje om te doen alsof hij luistert. 'Maar dat doet ze toch altijd, nietwaar? Dat is nou typisch... Dat hoort echt bij haar.'

'Wat bedoel je?'

'Die verdwijntruc.' Richard kijkt op. Nina ziet dat hij zijn pen neerlegt, ziet dat hij zich ineens herinnert dat hij haar met fluwelen handschoenen moet aanpakken wanneer hij over haar zus begint. Toen ze net een verhouding hadden – dat is nu al jaren geleden – gooide ze een blikopener naar zijn hoofd toen hij haar vroeg of zij ook vond dat Stella nogal wispelturig was.

'Maar dat vertelt ze mij altijd meteen...' zegt ze aarzelend terwijl ze haar schouders ophaalt. 'Ik heb gewoon het idee dat er iets aan de hand is.'

Richard loopt naar haar toe. 'Ik weet zeker dat er niets aan de hand is', en hij aait haar over haar wang. 'Wanneer heb je voor het laatst iets van haar gehoord?'

'Gisteravond,' zegt Nina, maar daar heeft ze meteen spijt van. Ze ziet dat hij met zijn mond trekt, dat de diagnose 'hysterisch' door zijn hoofd gaat. 'Maar ik heb sindsdien heel veel boodschappen achtergelaten.'

'Ze duikt wel weer op,' stelt hij haar gerust. 'Ze heeft het gewoon druk, denk je ook niet?'

Nina antwoordt niet. Ze zakt achterover op de onderzoekstafel en prikt met haar naaldhakken door het papier dat erop ligt. Richard legt zijn hand op haar heup. Ze voelt de warmte ervan dwars door haar dunne rok breken.

'Misschien moet je onderzocht worden,' zegt hij. Zijn vingers spelen met de zoom van haar rok en met zijn duim streelt hij haar panty.

Nina kijkt naar het plafond boven haar, luistert naar het geritsel van het papier op de onderzoekstafel, naar het verspringen van de grote wijzer van de klok aan de wand, naar Richards adem.

'Nee,' zegt ze. Ze gaat rechtop zitten en trekt haar rok naar beneden. 'Ik moet Stella vinden.'

Jake staat naast een melamine bureau en grijpt met zijn rechterhand zijn linkerarm vast. De pijn in zijn schouder is bijna niet uit te houden en boort door hem heen. De arm bungelt in een rare hoek aan zijn lichaam, alsof hij van iemand anders is. Er bloedt iets aan de zijkant van zijn gezicht. Hij veegt het telkens weg, waardoor zijn mouw eruitziet als een tijgervel. Zusters, EHBO'ers en ambulancebroeders zwermen gespannen en opgewonden om hem heen.

De ambulancebroeders hadden niet naar hem geluisterd. Hij was op een brancard gelegd die naast de open klep van een ambulance stond, waar met lakens overdekte lichamen naar binnen werden geschoven.

'Hebt u haar gezien?' had hij met schorre stem gevraagd, terwijl hij het zuurstofmasker van zijn gezicht trok. 'Ze heeft blond haar. Ze draagt een blauw jasje. Hebt u haar gezien?'

Ze hadden het masker weer op zijn hoofd bevestigd en hem de ambulance in geduwd, terwijl hij had geprotesteerd en probeerde zich los te worstelen. 'Ik hoef niet vervoerd te worden!' had hij geschreeuwd. 'Ik voel me prima! Ik moet Mel zoeken!'

Jake leunt weer over de tafel. 'Melanie Harker,' zegt hij tegen de receptioniste. 'Is ze hier?'

'Gaat u maar even zitten,' zegt ze zonder hem aan te kijken. 'De dokter komt zo bij u.'

'Ik wil geen dokter,' zegt hij. 'Ik moet haar vinden.' Het witte licht van de tl-buizen doet pijn aan zijn ogen. 'En Lucy Riddell? Is zij hier misschien?'

De receptioniste kijkt hem strak aan. 'Gaat u even zitten.'

Als hij zijn hoofd te snel beweegt, beginnen de muren en de gangen om hem heen te dansen. Hij grijpt de afbladderende tafelhoek om in evenwicht te blijven. Zijn handen trillen als die van een oude man. Hij is nog steeds verbaasd over het gemak waarmee hij in- en uitademt, in- en uitademt. Hij voelt wel dat hij hier nooit meer overheen komt.

Het witte gewaad van een arts flitst langs de dubbele deuren die toegang geven tot een loodrechte gang. Jake gaat achter hem aan; tijdens het lopen steunt hij voortdurend tegen de muren.

'Sorry,' zegt hij terwijl hij door de gang strompelt en met zijn hand over de lichtgroene verf op de muren glijdt. 'Sorry.'

De arts kijkt hem van opzij even aan maar loopt gewoon door.

'M'goi, m'goi,' zegt Jake in het Kantonees, '*gau meng ah*. Ik ben op zoek naar Melanie Harker. Is ze hier?'

De arts staat stil en kijkt hem belangstellend en ontsteld aan, dat doen ze altijd als een *gweilo* Kantonees spreekt. 'Melanie Harker,' herhaalt de arts terwijl hij hem nog steeds aankijkt. 'Ja. Die is hier. Ik heb haar hier al gezien. Ze is...' Hij zwijgt even. 'Bent u familie?'

'Nee... Ja...' Jake probeert een verklaring te geven. Hij vult de schijnbaar enorme capaciteit van zijn longen met de eindeloze luchtvoorraad om hem heen. 'Ze is mijn... mijn vriendin. Haar familie woont in Groot-Brittannië,' stamelt hij. 'Norfolk,' voegt hij eraan toe, zonder te weten waarom.

De arts, een man met grijze kringen van vermoeidheid onder zijn ogen, kijkt hem eens wat beter aan. 'Bent u al onderzocht?'

'Nee.' Jake schudt zijn hoofd vol ongeduld. 'Maar mij mankeert niets. Ik moet weten...'

'U ziet er niet best uit,' zegt de arts. Hij vist een dunne zaklamp uit zijn jas en schijnt ermee in Jakes ogen. Wanneer hij zijn linkerarm vastpakt, krimpt Jake ineen: er schiet een gloeiende pijn door zijn arm. 'Daar moeten we een röntgenfoto van maken,' zegt de arts. 'Hij is gebroken. En u verkeert in een shock. U blijft hier vanavond. *Neihih ming m ming ah?*'

'*Ngor ming.* Maar wanneer kan ik...'

'Melanie Harker,' onderbreekt de arts hem, 'verkeert in kritieke toestand. Ze ligt op de intensive care.'

Jake kijkt naar een lamp die aan de muur hangt. Er zit een vlieg in opgesloten, die voortdurend tegen het witte melkglas botst. Het lijkt of die bewegingen en dat geluid in zijn hoofd zitten. Hij opent zijn mond om een vraag te stellen, maar weet niet meer precies welke vraag.

'Ik zal eens vragen of u haar kunt bezoeken,' zegt de arts, nu op vriendelijke toon.

Stella zit op de grond met haar rug tegen de deur van het appartement en haar jas nog steeds om zich heen geslagen. Alles in deze kamer ziet er vreemd uit. Heeft zij dat schilderij aan de muur, die vaas, die boeken zelf gekocht? Zijn ze van haar? Is dit haar leven, of dat van een ander? Heeft zij een heel weekend besteed aan het schuren en in de was zetten van de houten vloer, met een masker voor haar gezicht? Waarom heeft ze dat gedaan? Waarom was dat?

Achter de dikke, groene steel van een amaryllis ziet Stella zichzelf in de spiegel. Het bloed lijkt uit haar gezicht te zijn weggetrokken en haar bleke huid vormt een sterk contrast met haar haren. Ze heeft de lange, benige handen van haar vader, de groene ogen en het donkere haar van haar moeder en – ze was verbaasd toen ze onlangs een oud, vergeeld portret vond in de flat van haar grootouders – het gezicht van een oudtante uit Isernia. Een ratjetoe, een samenraapsel van genen.

De telefoon gaat opnieuw over, waardoor ze opspringt, niet meer naar zichzelf kijkt. Ze plukt aan de met elkaar verbonden draadjes van haar handschoenen. De telefoon gaat vier, vijf, zes keer over, dan klikt het antwoordapparaat aan en ze hoort dat de stem van haar zus de stilte doorbreekt.

Stella buigt haar hoofd, stopt haar oren dicht.

Alle kleur lijkt uit Mel weggevloeid te zijn. Haar huid is zo bleek dat ze lijkt op te lossen tussen de magnesiumwitte lakens en muren, als een dier dat zich camoufleert. Om haar heen staan kreunende en piepende machines. Ergens boven haar zoemt de airconditioning.

'Mel?' Jake krult zijn vingers om de hare. Ze voelen droog en koud aan: een verzameling losse botten. Aan haar andere hand zit een klem van grijs plastic, als de klauw van een krokodil. 'Mel, ik ben het,' fluistert hij.

Haar ogen bewegen onder haar oogleden, die van een gemarmerd paars lijken, en dan bewegen haar wimpers. Het duurt even voor ze haar blik op hem heeft ingesteld. Haar mond gaat open, maar er komt geen geluid uit. Hij ziet dat ze inademt en slikt. Alles kost haar veel tijd en inspanning. Hij wil zeggen dat het niet erg is, dat ze niets hoeft te zeggen, maar wanneer ze uitademt, noemt ze zijn naam en ze beweegt haar hand onder de zijne. Dan beweegt haar mond opnieuw, maar hij kan niet horen wat ze zegt.

'Wat zei je daar?' fluistert hij, zich naar haar toe buigend. Ze ruikt niet als gewoonlijk. Behalve de in een ziekenhuis gebruikelijke lucht van ontsmettingsmiddelen hangt er een zurige, zonderlinge geur om haar heen, alsof er iets te lang in het donker heeft gelegen.

'Lucy,' fluistert Mel. 'Lucy.'

Jake kijkt de andere kant op en zegt: 'Hier is ze niet.' Liegen heeft hij altijd moeilijk gevonden, hij was er nooit echt goed in. Hij is altijd bang dat de waarheid aan het licht zal komen, alsof die op zijn gezicht geschreven staat. Lucy ligt in het lijkenhuis, een paar verdiepingen lager. 'Ze is naar een ander ziekenhuis gebracht,' verzint hij snel. 'Het Queen Mary. In Happy Valley.'

Mels blikken glijden over hem heen, over het gipsverband om zijn arm, de mitella om zijn schouder, de blauwe plekken op zijn gezicht. 'Gaat het met jou?' De woorden komen er hortend en stotend uit, los van elkaar, alsof ze tot verschillende zinnen behoren.

'Ja.' Hij knikt. 'Het is alleen maar gebroken. En mijn schouder is uit de kom. Maar het gaat goed. Hoe voel je je?'

Haar hoofd beweegt op het kussen en ze zucht, waardoor haar zuurstofmasker beslaat. Jake ziet dat er tranen uit haar ooghoeken vloeien. Haar mond beweegt opnieuw.

Hij buigt zich over haar heen, drukt zijn lippen op haar wang en veegt haar vochtige haren van haar voorhoofd. 'Wat zei je?' zegt hij.

'Ik ben bang,' hoort hij. Hij leunt over haar heen en is zo dichtbij dat hij ziet hoe haar tong woorden probeert te vormen. 'Jake, ik wil niet...' Haar ogen gaan heen en weer, tot ze de zijne hebben gevonden. 'Ik wil niet dood...'

'Dat gebeurt ook niet,' zegt hij snel, voordat hij beseft dat ze nog niet is uitgesproken, dat ze vervolgt: '... voordat ik met jou ben getrouwd.'

Jake zit op een bed op de intensive care en knippert met zijn ogen. Hij wil zeggen: 'Wat?' maar hij houdt zich in. Hij heeft haar gehoord. Het is zo vreemd wat ze zegt, dat iets in hem in lachen wil uitbarsten. Dat kan ze toch niet serieus menen. 'Mel,' begint hij, maar hij weet niet wat hij zal zeggen, wat hij moet zeggen. Wat moet je daarop zeggen? Tegen een meisje dat je nog maar vier maanden kent?

'Ik wil niet... Ik kan het idee niet verdragen dat ik...' Haar stem gaat omhoog, als een blad dat door de wind wordt gevangen. '... dat ik doodga zonder... met jou te zijn verbonden.' Ze ligt te snikken nu, en er lopen mensen om hen heen, je hoort haastige voetstappen op de vloer. 'Ik kan het niet verdragen dat...'

Een verpleegster legt het zuurstofmasker terug op Mels gezicht.

Mel verzet zich en wil nog iets zeggen, maar de arts is er. Hij prutst wat aan een machine en zegt dat ze stil moet zijn, dat ze rustig moet gaan liggen.

'Misschien…' Jake probeert het nog eens, maar hij kan zijn gedachten niet ordenen. Hij zou er veel voor overhebben om even te mogen liggen, even zijn ogen te kunnen sluiten om het schelle licht niet te hoeven zien, zich uit te strekken op een gesteven laken en een verpleegster te vragen wat hij moest doen. 'Misschien moeten we even afwachten hoe het morgen met je gaat,' zegt hij. Hij is zich ervan bewust dat zijn woorden nietszeggend zijn en ze kijkt hem vol ontzetting aan.

'U moet beseffen dat ze deze nacht niet zal overleven,' zegt de arts, die rechts van hem staat, in het Kantonees, op vriendelijke, maar besliste toon.

Jake keert zich om en kijkt hem aan. Hij voelt de kloppende, jagende pijn in zijn arm en schouder. Ineens lijkt het bloedheet hier. Hij kijkt weer naar Mel. Haar ogen gloeien en glinsteren achter het masker.

'Het spijt me,' zegt de arts.

Stella heeft het ijskoud, haar lichaam is bezaaid met blauwe plekken, ze klappertandt. De verwarming staat niet aan. Eerder al leunde ze voorover om het licht aan te knippen. Boven haar hangt een peertje dat geel licht verspreidt. Ze heeft geen idee hoe laat het is. Het gebouw, nee, de hele stad lijkt te zijn verdwenen, te zijn opgelost, te zijn verzwolgen door de nacht. De telefoon is nog tweemaal gegaan en daarna was het stil. De buren hadden hun tv heel hard aan staan, maar dat is nu ook voorbij. Het is alsof de verlichte doos, deze kamer waarin ze zit, eenzaam en verlaten door de donkere ruimte zweeft.

Stella doet haar ogen stijf dicht. Er moet een manier zijn waarop ze ervoor kan zorgen dat dit haar leven niet meer beheerst. Hoe vaak is dit haar nu al overkomen? Hoe vaak ziet ze hem ineens in het gezicht van een vreemde, op straat, in een trein, in een café, in een lift, in een winkel? Die waarnemingen bederven haar leven, alsof de vaste grond eromheen wegspoelt en onbestendig is geworden.

Stella staat snel op. Door die plotselinge beweging ziet ze onscherp, en haar gewrichten doen pijn. Een klein, gevleugeld diertje cirkelt even rond haar hoofd en vliegt dan omhoog, in de richting van het licht. Ze staat ernaar te kijken en krijgt ineens een idee. Het komt vanuit de verte tot haar, als bliksem die de bliksemafleider treft. En zodra ze het bedacht, heeft ze de beslissing al genomen.

Ze gaat meteen over tot actie en haast zich door haar appartement om spullen te verzamelen: kleren, een jas, een kaart, een kompas, haar portemonnee, een paar boeken. Ze trekt een tas die boven op een kast ligt, ervan af, stouwt de spullen erin en trekt de ritssluiting dicht.

De priester is iemand die Hing Tai kent. Hij begroet Jake en noemt hem Jik-ah. Hij zegt dat het hem spijt dat Jake zo veel moeilijkheden heeft. Een verpleegster met een strak gezicht en een wit, kegelvormig kapje op haar dikke, zwarte haar fungeert als getuige. Terwijl het eerste licht in het jaar van de Tijger het kamertje binnenvalt, legt Jake zijn ene hand op de hand van Mel en zijn andere op het zwarte leer van een boek waarin hij niet gelooft en zegt: ja, ja, dat doe ik, ja.

Het vriest al wanneer ze het portier van haar auto opent. Ze moet een paar minuten blijven zitten terwijl de warme lucht uit het dashboard blaast, tot de ijsbloemen van de voorruit zijn verdwenen.

De sleutels van het appartement laat ze in een envelop glijden, die ze aan een vriend heeft geadresseerd. Ze rijdt de buitenwijken van Londen uit en stopt naast een brievenbus. Ze duwt de envelop door de brede sleuf.

Het verbaast haar dat er midden in de nacht zo veel auto's op de weg zijn. Wanneer ze bij de snelweg komt en het bord SCHOTLAND, HET NOORDEN ziet, trapt ze het gaspedaal verder in en begint bijna te lachen.

II

STELLA SNIJDT MET EEN MES EEN ENVELOP OPEN. HET CRÈME-
kleurige papier van zware kwaliteit geeft mee en scheurt, waarbij
de randen rafelen en pluizig worden. Ze stopt haar vingers in de
envelop en wil de brief eruit nemen, maar dan voelt ze een licht
getril.

Ze kijkt op. Ze ziet een paar zorgvuldig dichtgesnoerde wandel-
schoenen de trap af komen. Stella kijkt er even naar, laat de brief *ze*
vallen, glijdt uit haar stoel en duikt achter een grote plant met
spits toelopende bladeren die op een tafeltje staat. Ze heeft het
ontbijt opgediend, de keuken schoongemaakt, en vanochtend al
twee reserveringen behandeld. Op dit moment heeft ze echt geen
zin in een zinloze discussie met een gast.

De man uit kamer vier loopt met flinke stappen langs de receptie. Hij is gekleed alsof hij op het punt staat een poolexpeditie te
ondernemen; er bungelt een verrekijker om zijn nek. Bij de voordeur steekt hij zijn hoofd naar buiten, als een schildpad, en zijn
hand, om te voelen hoe koud het is. Met zijn andere hand krabt hij
aan zijn bil, ziet Stella. Ze trekt haar neus op en er ontsnapt haar
een gesmoorde lach, waarvan de echo als een pingpongbal door de
verlaten hotelreceptie stuitert.

De man houdt op met krabben en kijkt om zich heen. Stella
houdt haar adem in en probeert een plausibele verklaring te vinden voor het feit dat ze zich achter een plant verstopt. Hij ziet haar
niet. Haar nek begint pijn te doen doordat ze er zo ongelukkig bij

staat, maar ze kan nu niet meer ineens te voorschijn komen.

Als ze hoort dat de voordeur dichtslaat, richt ze zich op en rekt zich uit. Ze houdt haar armen boven haar hoofd, waardoor haar ruggenwervels tot onder in haar rug verschuiven en klikkende geluidjes maken. Ze gaat weer zitten en raapt de brief op, legt die op het bureau en strijkt hem glad met haar handpalm, waardoor de hanenpoten van haar moeder leesbaar worden.

Haar moeder heeft altijd met een vulpen geschreven. Stella weet waar ze die bewaart – in het kleinste laatje aan de rechterkant van het bureau – en ze weet precies hoe haar moeder kijkt wanneer ze de gegoten, breekbare punt van de pen in het inktpotje doopt. Ze ziet haar voor zich zoals ze zichzelf ziet wanneer ze in de spiegel kijkt: ze drukt de lucht uit het rubberen inktreservoir en laat de inkt erin lopen als bloed in een injectiespuit. Daarna slaat ze haar benen over elkaar, legt een vel papier op het vloeiblad (precies midden op het bureau, dat in de erker staat), maakt een rare beweging met haar armen, als een dirigent die het orkest tot stilte maant, leunt voorover, zet haar pen op het smetteloos witte papier en begint te schrijven: 'Mijn liefste Stella.'

Stella laat haar blik over het papier glijden: 'je vader en ik' ziet ze. En dan: 'doen ons best te begrijpen waarom je dit hebt gedaan'. Ze slaat een paar regels over... 'Begrijpen niet dat je een geweldige baan zomaar opgeeft, een fantastische baan in Londen...' Ze slaat het papier om... 'Zo raar dat je dit doet...'

Stella kijkt op van de brief en haar blik glijdt naar het raam. Vanhier kun je de hele vallei overzien – met op de voorgrond de bomen, waarvan de takken heen en weer zwiepen in de wind, en verderop de beek, die zich door het moerassige veenlandschap slingert tot aan de huisjes van het dorp, op de achtergrond. Het is een heldere dag; in de hemel drijven de wolken snel voort. Het meeroppervlak vertoont golfjes door de stevige bries. Achter het hotel liggen de uitlopers van de bergen; hier wordt het landschap steenachtiger en onherbergzamer, snelstromende rivieren zoeken hun weg langs de rotsen. Stella kijkt niet vaak uit het raam.

Ze richt haar blik weer op de trap, waarlangs goudomlijste olieverfschilderijen hangen in onbestemde, donkere kleuren. Een man met indrukwekkende bakkebaarden staart haar aan; er hangt

een haas met gesloten ogen over zijn schouder. Een scheel kind
– het is niet duidelijk of het een jongen of een meisje is – met een
tam o'shanter op het hoofd poseert naast een harp. De door de
motten aangevreten hertenkop boven aan de trap hangt ietsje
scheef, stelt Stella vast.

Ze heeft de brief nog steeds in haar handen. 'Het beste en liefs'
staat er. En daaronder de in ronde letters geschreven handteke-
ning van haar moeder. Het beste en liefs.

Stella schuurt haar sandalen tegen elkaar, de gespen raken ver-
strikt. Ze zit met haar vingers onder haar dijen, kauwt op de laatste hap worst en slikt die door. Haar bordje is nu leeg, op de bonen
na. De rest is op. Ze heeft er omzichtig omheen gegeten, ze op een
hoopje geveegd op de rand van haar bord, en ervoor gezorgd dat het
andere eten er niet mee in contact kwam.

Links van haar aan de rechthoekige tafel zit grootmoeder, ze
leunt met haar ellebogen op het blad. Ze zegt iets over bijgerech-
ten. Tegenover haar zit Nina, die haar eten in gelijke, geometri-
sche vormpjes verdeelt, de ogen naar beneden gericht. Wanneer
hun moeder doordeweeks moet werken, komt hun grootmoeder
– hun Schotse grootmoeder, de moeder van hun vader – op hen
passen. 'Wie anders zou er voor je moeten koken?' vraagt ze – het
soort vraag waarvan Stella weet dat er geen antwoord op verwacht
wordt. Onder de tafel sluipt de kat onzichtbaar langs enkels en
stoelpoten, de vacht strijkt langs hun schenen.

Stella pakt haar mes en vork in één hand, ze behoren elk tot een
verschillend bestek, en dat doet ze zo stilletjes mogelijk. Het uiteinde van de vork tikt tegen het porselein, maar misschien heeft
niemand het gehoord, misschien zal niemand erop letten.

'Maar Archie, natuurlijk zijn er collega's die je kunnen helpen
met...' Stella hoort dat haar grootmoeder ineens zwijgt. Ze houdt
haar ogen gericht op de plooien in haar schoolrok, maar ze is zich
bewust van haar grootmoeder, die in volle lengte naast haar staat,
en ze is zich ervan bewust dat haar grootmoeder naar haar kijkt.
Of, om precies te zijn, naar haar bord.

'Eet jij je bonen niet op, liefje?' De stem van haar grootmoeder is
melodieus, onnatuurlijk laconiek.

Stella's vader verbouwt de bonen in de groentetuin, iets wat de andere huurders afkeuren: zij geven de voorkeur aan rozen en cyclamen. Stella vindt het leuk om de peulen te plukken, ze tussen de kronkelende bladeren vandaan te trekken, te openen en dan die fraaie rij bonen op een zilveren bedje te zien liggen. Maar wanneer ze door oma Gilmore twintig minuten zijn gekookt en op een bord zijn geschept, hebben ze een gedaanteverwisseling ondergaan: een gerimpeld, taai goedje dat aan je tanden blijft plakken. Ze smaken afschuwelijk en ze zijn droog. Ze kan ze niet eten, ze kan het niet, ze kan het echt niet.

'Ik wil ze niet,' zegt Stella.

'Pardon?' zegt oma Gilmore, nog steeds pijnlijk beleefd.

'Misschien...' onderbreekt haar vader met zachte stem, maar Stella ziet dat haar grootmoeder een gebaar maakt waarmee ze hem het zwijgen oplegt.

'Kom,' zegt oma Gilmore. Ze leunt over haar heen, pakt haar vork en schuift er drie groene bonen op. 'Probeer maar. Misschien vind je ze wel lekker.'

Stella drukt haar lippen op elkaar en leunt achterover in haar stoel als de vork haar kant op komt.

'Doe je mond open.'

De wasachtige, smerige geur dringt haar neus binnen. Ze schudt haar hoofd.

'Stella, doe je mond open.'

Haar blik is strak gericht op de drie bonen voor haar. Zou ze het kunnen? Ze stelt zich die kille massa voor op haar warme tong, ze voelt nu al de moeite die haar speekselklieren achter in haar mond zullen hebben om het voedsel naar haar maag te laten glijden, en juist op het moment dat haar keel dichtgeknepen wordt, komt haar maaginhoud omhoog. Ze kokhalst en hoest. Haar grootmoeder heeft de gelegenheid te baat genomen: Stella's lippen weken vaneen en een moment later voelt ze metaal tegen haar tanden tikken, haar mond zit ineens propvol groene, rubberen bonen.

Stella kokhalst opnieuw, haar mond vult zich met een zurig vocht en de bonen vallen op het tafelkleed. Ze barst in snikken uit en slaat haar handen als een traliehek voor haar gezicht.

'Goed,' zegt haar grootmoeder en ze legt de vork met een klap op tafel, 'ik ben niet van plan om hier een scène van te maken. Jij blijft daar zitten tot je je bord hebt leeggegeten.' Ze schept de uitgebraakte bonen terug op het bord. 'En die ook. Allemaal.'

Stella hoort haar vader iets mompelen.

'Archie,' waarschuwt haar grootmoeder, 'ze moet het leren.'

Door de spleten tussen haar vingers ziet Stella dat haar grootmoeder de andere borden afruimt. Haar vader schenkt water in haar glas. Als het donker is, komt hun moeder terug uit het café. Ze neemt altijd een pak gelato di cioccolata voor haar mee en een pak gelato di fragola voor Nina. Het wordt warm achter het schild dat ze met haar handen vormt, en haar armen beginnen pijn te doen, maar ze haalt ze niet naar beneden. Ze ziet hoe ze één voor één van tafel gaan. Nina werpt haar een snelle, ondoorgrondelijke blik toe als ze weggaat.

Stella haalt haar handen voor haar gezicht vandaan. Het is stil in huis. Ze ziet haar grootmoeder, die in de tuin een krant zit te lezen. Ergens speelt een radio. Voetstappen klinken in de kamer boven. Het voelt alsof iedereen ver weg is. Ze ziet de gestreepte rug van de kat in de vensterbank. Hopeloos. De kat eet geen bonen. Ze kijkt niet naar haar bord. Ze is niet van plan dat leeg te eten.

Dan hoort ze dat achter haar de deur opengaat. Stella draait zich niet om. Ze vraagt zich af of het oma Gilmore is. Komt ze terug om haar te redden? Of om haar een uitbrander te geven? Maar het is Nina, die op kousenvoeten en op haar tenen over het tapijt loopt. Stella kijkt haar aan, haar gezicht stijf van de opgedroogde tranen. Haar zus houdt een kaarsrechte vinger tegen haar lippen, als een uitroepteken.

Nina leunt voorover, steekt haar hand uit en pakt de vork. Ze prikt de bonen er één voor één aan. Dan opent ze haar mond en de vork verdwijnt naar binnen. Stella ziet hem er leeg en schoon weer uitkomen. Nina kauwt snel en geconcentreerd, en slikt door. Eenmaal. Tweemaal. Ze grinnikt, legt de vork neer en flitst snel de kamer uit.

Voor er iets anders was, was er Nina. Stella is er zeker van dat Nina's gezicht het eerste was dat ze ooit zag, in ieder geval in haar herinnering. Hun moeder zegt dat Nina de hele dag over haar wieg gebogen stond.

Gedurende lange tijd heeft Stella geen verschillen tussen hen kunnen ontdekken. Ze dacht dat zij Nina was, of dat Nina haar was, of dat ze één persoon waren, één wezen. Jarenlang heeft ze gedacht dat het bloed dat door hun aderen stroomde op de een of andere manier met elkaar in verbinding stond, dat ze, wanneer zij zich sneed, het karmozijnrode bloed op Nina's lichaam zou kunnen zien stromen.

Maar ze herinnert zich nog heel goed dat Nina haar op een dag voor de spiegel in de slaapkamer optilde, de spiegel die ze deelden totdat Stella het huis uit ging – hoewel ze jonger was, ging zij als eerste. Het was een warme dag. Ze hadden allebei een korte broek aan, dus het zal wel zomer geweest zijn. Het was feest, misschien. Ze meent dat ze in de verte het gedreun van vliegtuigen hoorde die boven de stad vlogen, en het aangename geroezemoes van een mensenmenigte bij een evenement in de Meadows. Maar misschien heeft ze dat er wel bij verzonnen.

Nina legde haar handen onder Stella's oksels en trok haar naar zich toe. Hun huid schuurde langs elkaar en dat deed zeer. Het kostte Nina veel moeite haar van de grond te tillen – Stella was toen al langer dan haar zus – en Nina moest zich tot het uiterste inspannen.

Stella zag de ronding van een tweede voorhoofd in de zilveromlijste spiegel verschijnen en ineens zag ze twee gezichten in de glazige, omgekeerde wereld voor haar. Het was schokkend. Ze waren bijna hetzelfde, maar niet helemaal. Nina's gezicht was smaller en scherper, en haar haren hadden in het zonlicht dat door het hoge raam naar binnen viel, de kleur van een vossenvacht.

Er is geen lucht hier. Hoogstens een oneindig, grijswit miasma. Jake kijkt er een tijdje naar, hij ziet er de zwarte schaduwen van vogels doorheen vliegen. Dan draait hij zich om – de wind waait zijn haren voor zijn ogen – en kijkt in de richting van het dorp, dat door de mist nauwelijks zichtbaar is en in lucht lijkt op te lossen. De met bruinzwarte kiezelstenen gepleisterde huizen staan dicht opeen in de aanhoudende wind. De kegelvormige windmolen steekt erbovenuit; de zeilen die aan de wieken zijn bevestigd, vormen een gigantische X, alsof hij gewaarschuwd wordt.

Hij huivert in zijn geleende kleren. Sinds hij in dit land is, heeft hij het nog niet een keer warm gehad.

Een rusteloze, theekleurige golf werpt zich telkens weer op een bruine plank. Een vogel met een kromme snavel trippelt met de vleugels tegen het lijf gevouwen over het strand. Verder op zee drijft wrakhout op een onzichtbare deining. Hij tuurt naar de nauwelijks zichtbare horizon: een grijze lucht, een grijze zee. Deze plek is voor hem het einde van de wereld.

Hij blijft nog even staan, zijn handen diep in zijn zakken, draait zich om en wandelt het strand af, door het dichtbegroeide moeras en het lange, zwaaiende riet. Hij loopt onder de zeilen van de molen door, die een trillend geluid voortbrengen, als het gezoem van een mug.

Hij springt over het tuinhek en herinnert zich te laat dat het vocht van het natte gras zijn schoenen binnen zal dringen. Waarom staan hier trouwens hekken, overduidelijk bedoeld om mensen weg te houden, terwijl ze zo laag zijn dat zelfs een kind eroverheen kan springen? Hij loopt over het paadje langs het huis en langs de bomen, die met behulp van draadskeletten geleid worden. Hij kan niet naar die bomen kijken zonder een aangename pijn in zijn schouders te voelen.

Zijn schoenen zijn doorweekt en maken een zuigend geluid tegen de tijd dat hij de keuken heeft bereikt. Hij bukt zich, trekt ze uit en gooit ze in de richting van het grote fornuis dat in de hoek staat. Hoe heet dat ding ook weer? Het ziet eruit als een stoommachine. Het is een raar woord. Aga. Dat is het. Aga.

Hij trekt het kleine vriesvak open en doet een paar krakende, dampende ijsblokjes in een glas, dat hij daarna vult met water. Hij pakt een kom van een plank en giet er cornflakes in.

Blootsvoets klimt hij de trap op, met het dienblad voor zijn borst. Vervloekte Florence Nightingale. Hij moet een lamp hebben. In de slaapkamer doet het licht achter de bloemetjesgordijnen denken aan een haardvuur. Hij zet het dienblad op het nachtkastje. Het dekbed is hoog opgetrokken en bedekt het kussen, bedekt ook een vormloos lichaam.

Jake gaat op de rand van het bed zitten en het matras komt onder zijn gewicht omhoog. Niets. Geen beweging. Geen teken van leven. Hij leunt voorover en trekt aan het dekbed. 'Hé,' zegt hij zachtjes. 'Ben je wakker?'

Haar handen zijn samengevouwen, alsof ze aan het bidden is, en liggen tussen haar hoofd en het kussen. Slaapt ze nog? Nee. Langzaam gaan haar ogen open en ze kijkt hem aan.

'Ik heb een ontbijtje voor je.'

Hij helpt haar rechtop te gaan zitten en schikt de kussens achter haar. Hij zet het dienblad op haar schoot. 'Je bent zo lief voor me.' Ze lacht naar hem. Ze heeft rode vlekken op haar wangen. Komt dat doordat het zo warm is in de kamer? Heeft ze koorts? Misschien moet hij dat controleren. 'Ik zou niet weten wat ik zonder jou zou moeten.'

Ze legt haar hand even in de zijne, maar Jake staat op en loopt naar het raam. Hij trekt de gordijnen open en kijkt naar buiten.

'Jake,' zegt ze met een lage, zeurderige stem. 'Heb je ijs in het water gedaan?'

Hij draait zich om. 'O, ja, misschien wel.'

Ze schudt haar hoofd. 'We hebben geen ijs meer nodig nu we op een plek zijn met een normaal klimaat.'

'Het spijt me.' Hij doet zijn armen over elkaar. 'Macht der gewoonte.'

Mel roert door de cornflakes en brengt vervolgens een minuscuul hapje naar haar mond.

'Heb je lekker geslapen?' vraagt hij.

'Niet echt.' Ze trekt een lelijk gezicht. 'Maar ik voel me goed.'

Hij vertelt haar niet dat hij bijna de hele nacht heeft liggen luisteren naar haar adem, naar het schrille fluittoontje wanneer ze uitademde. Vrouw, fluistert een stem in hem, dit is je vrouw. Hij draait zich weer om naar het raam, leunt op de vensterbank en kijkt naar de boerderijen, de bomen die buigen in de wind, het natgeregende kronkelweggetje, de woeste golven van de zee, het vlakke rivierenland – alsof hij het allemaal nog nooit heeft gezien. Wat doet hij hier? Hoe is hij hier terechtgekomen? Ergens tussen hen in smelten de ijsblokjes in het glas.

Jake kent het verhaal achterstevoren. Toen hij nog een kind was, vertelde hij het zichzelf wel eens op die manier: dan begon hij bij hoe hij op dat moment was en werkte langzaam terug, als een genealoog.

Zijn moeder Caroline besloot Groot-Brittannië de rug toe te keren en zich aan te sluiten bij de grote groep mensen die hun eigen leven vaarwel zei en oostwaarts trok. Londen was grijs, nat en koud. Toen de man met wie zij het bed deelde, de vele voordelen van India opsomde, hoefde ze maar naar de vochtplekken op de muur en de gebrekkige gaskachel te kijken om tot een definitieve beslissing te komen. Haar ouders hadden al maanden niet meer tegen haar gepraat, maar ze belde haar broer om hem mee te delen wat ze van plan was; hij antwoordde dat de familie haar als dood zou beschouwen als ze het daadwerkelijk ging doen. Ze had de hoorn erop gegooid en de man gebeld met de mededeling: ja, ik ga mee, reserveer maar een plekje voor me in het busje.

Het verbaast Jake hoe jong ze was – veel jonger dan hij nu is – toen ze haar boeltje bij elkaar pakte en er in een vw-busje met drie mannen en nog een vrouw vandoor ging. Ze reden naar Europa en via Frankrijk, Turkije en Iran kwamen ze in Afghanistan. In Herat lieten ze de vrouw en een van de mannen achter; daarvoor in de plaats kwamen een Duitser, een kat en een papegaai. In Kaboel lieten ze Caroline achter. 'Onoverbrugbare verschillen van inzicht,' zuchtte ze als Jake vroeg waarom dat was gebeurd. Ze ging alleen verder en liftte naar Pakistan.

In Islamabad zat ze langs de kant van de weg met haar bagage en 'de grootste tros bananen die je ooit hebt gezien'. Er stopte een man op een motorfiets die haar een lift aanbood. 'Hij had zwart haar,' vertelde Caroline hem dan lachend, 'in een staartje gebonden.' Dan liet ze haar vingers door Jakes haar glijden. 'En hij had mooie zwarte ogen, net als jij, en een prachtige, diepe stem. Een Schot was het. Ik viel vooral voor zijn accent.'

Hij heette Tom, dat kon ze hem nog wel vertellen, maar zijn achternaam heeft ze nooit geweten. 'Dat soort vragen stelde je in die tijd niet.' En terwijl ze via Pakistan naar India pufte en via Amritsar naar Dharmsala, vertelde hij over een commune die hij was begonnen, ergens in de Schotse Hooglanden bij Aviemore, op een plek die Kildoune heette. 'Dat werkte aardig goed, scheen het, beter dan een heleboel andere. Hij was er zo dol op dat hij het er voortdurend over had.'

Ze namen afscheid van elkaar in Delhi. Ze waren drie weken samen geweest. 'Tom wilde een ashram in, ik niet. Ik was op weg naar Nepal.' Twee dagen nadat ze hem had uitgezwaaid en hem in een straat in Delhi had zien oplossen in de mensenmenigte, kwam ze erachter dat ze zwanger was. Wanneer ze op dit punt van het verhaal was aangekomen, kreeg ze een schuldige blik in de ogen en zei ze met gevoel voor ritme, alsof ze een liedje zong: 'In Nepal, ver van de zee, waren we ineens met zijn twee.'

Ze kwam terecht in Hongkong, iets wat ze nooit van plan was geweest. Ze was zeven maanden zwanger en had zes dollar in haar achterzak. Ze zei tegen zichzelf dat ze er drie maanden wilde blijven – voldoende om te bevallen, wat geld te verdienen, een kaartje te kopen en de stad te verlaten. Ze had een beeld in haar hoofd, dat ze met een kind op de heup de wijde wereld in trok.

Ze vond een baantje als lerares Engels, en ze vond een onderkomen: een eenkamerflat op de negentiende verdieping, midden in de rosse buurt in Wanchai. 'Die verdieping en mijn leeftijd kwamen overeen,' zei ze. 'Dat was een teken dat het wel goed zat.' Ze deed haar haren in een vlecht, trok haar enige paar schoenen aan en ging met de lift een paar verdiepingen lager lesgeven aan de weldoorvoede kroost van uitgeweken landgenoten. Ze ontdekte dat ze goed was, en dat ze het leuk vond. 'Ik was nog nooit ergens goed in geweest.'

Toen het kind werd geboren, noemde ze het Jake Kildoune, naar het enige concrete feit dat ze over zijn vader wist. Ze wilde hem een nieuwe naam geven, een naam die niemand anders droeg. Door hem naar een plaats te noemen, zou hij zich verbonden voelen met de wereld, besloot ze, en niet met de mensen. Hij zou voor altijd gevrijwaard blijven van de wurggreep van een familie.

Ze zei tegen zichzelf dat ze een paar maanden zou blijven, nog wat geld zou verdienen en de baby zou laten wennen, in ieder geval tot ze hem de borst niet meer hoefde te geven. Mevrouw Yee woonde één verdieping lager en paste overdag op Jake. Dat hadden ze met handgebaren en een Kantonees-Engels woordenboek afgesproken toen ze in het halletje op de lift stonden te wachten. Mevrouw Yee had een zoon, Hing Tai, en die was even oud als Jake. Ze zei dat ze evengoed op één als op twee baby's kon passen, en bovendien was ze gefascineerd door de prachtige ogen en de zachte, witte huid van Carolines kind. Verder had ze medelijden met deze eenzame gweilo met haar lange, wapperende kleren en haar lange, wapperende haar, en met de baby die ze meedroeg op haar rug – maar dat vertelde ze niet.

Er was geen reden om terug te gaan naar Groot-Brittannië. Carolines familie hield woord. Ze stuurde telegrammen, brieven en kaarten, maar er kwam nooit iets terug. Ze besloot nog even te blijven, en toen nog even, en daarna nog een poosje tot ze wat spaargeld had, en op een dag had ze zich omgedraaid en was Jake zestien jaar oud. Hij zat met zijn voeten op de keukentafel een boek te lezen, de radio stond loeihard aan en hij pelde zonnebloemzaadjes, waarvan hij de schilletjes op de grond gooide. Vijf jaar later liet ze hem alleen. Ze had een man ontmoet die eerder van zijn dan van haar leeftijd was, en vertrok met hem naar Nieuw-Zeeland. Jake bleef wonen in de flat waar hij was geboren. Het duurde maanden voordat hij aan de ruimte was gewend.

Alles in Jakes wereld had twee namen, een Engelse en een Kantonese, en dat gold ook voor hemzelf: voor zijn moeder en de blanken die hij kende, was hij Jake, en voor de Chinezen iets wat klonk als Jik-ah. Mevrouw Yee sprak altijd Kantonees met hem, en zijn moeder Engels, dus hij groeide op met het idee dat alles een dubbele betekenis had.

De Hongkong-Chinezen hebben een naam voor mensen die opgenomen zijn in de groep blanke kolonialisten: bananen. Ze zijn geel vanbuiten, en wit vanbinnen. Jake heeft nooit begrepen wat dat in zijn geval betekende: hij was geboren en getogen in Hongkong, sprak Engels en Kantonees, had onderwijs genoten op een school voor rijke Europese kinderen waar zijn moeder lesgaf, maar liep elke avond de heuvel af naar een armzalig appartementencomplex. Zijn klasgenoten noemden hem Chunky, lachten om de Chinese strips die ze in zijn tas vonden en trokken hun ogen tot spleetjes als hij eraan kwam. Urenlang had hij geprobeerd iets te bedenken dat vanbuiten wit was, en vanbinnen geel. Wat was het tegenovergestelde van een banaan?

Hij ging naar zijn moeder, die onder een plafondventilator op bed een brief lag te schrijven. 'Wat is wit vanbuiten, maar geel vanbinnen?' vroeg hij, terwijl hij met zijn vochtige vingers de beddensprei beetgreep.

Ze keek op en lachte, alsof dit het begin was van een mop of van een raadseltje. Jake zag haar lach vervagen als een lap stof die te lang in de zon heeft gelegen. Ze dacht snel en geconcentreerd na, en beet op haar lip. Zo bleef ze even zwijgend liggen, en hij stond naast het bed te wachten.

'Een ei,' zei ze ten slotte. 'Een gekookt ei.'

Een hele week lang at hij 's avonds gekookte eieren. Zijn moeder zei er niets van. Elke avond vroeg ze: 'Wat wil je bij de thee, Jakey?' en dan antwoordde hij: 'Een gekookt ei.' 'Goed,' zei ze dan, liep naar de keuken en deed twee eieren in een pannetje water. Als ze klaar waren, hield ze de eieren even onder de kraan, zodat ze niet te warm zouden zijn om opgepeuzeld te worden. Ze verwijderde de schaal en legde het glibberige, grijswitte ei, hard en stevig als een oogbal, in zijn hand. De hardgeworden dooier was altijd perfect bolvormig, en soms nog warm, of zachtgekookt, met een vloeibaar, geel hart.

Soms hoort hij onbekenden achter zijn rug gweilo tegen hem zeggen – vreemde duivel, wandelende geest. Wanneer hij er zin in heeft, draait hij zich om en dient hen in onberispelijk Kantonees van repliek. Soms ook niet.

Ze filmden een scène op een van de stenen wenteltrappen die zich als ruggengraten door een gebouw kronkelen. Een mooie, maar eenzame vrouwelijke moordenares kwam eindelijk oog in oog te staan met haar belangrijkste rivaal – een mooie, maar eenzame mannelijke moordenaar. Jake liet zijn ogen over de set glijden. Alles was in gereedheid: het licht, de camera's, de filmploeg, de make-up, de acteurs, de *continuity* en de regisseur. De hoofdrolspeelster hield net een brandende lucifer bij de sigaret in haar mond toen het vreemde, onderdrukte geluid van een elektronische stem vanachter een van de muren weerklonk.

'Stoppen!' riep Chen, de regisseur, waarop de acteurs ongeduldig van hun plaats liepen en de leden van de filmploeg naar het schuine plafond en de vochtige muren keken en ingespannen luisterden.

44

'Waar komt dat vandaan?' Chen nam zijn petje van zijn hoofd.

Iedereen draaide zich om en keek eerst de ene kant op, en daarna de andere om te bepalen waar het geluid vandaan kwam.

'Wat is het?' riep Chen en hij wendde zich tot Jake, dat deed hij altijd als er iets mis was.

Jake legde zijn klembord op de grond. 'Ik ga wel even kijken.' Hij duwde de deur van de nooduitgang open en liep van het warme, met graffiti bekladde trappenhuis een betegelde gang in. De tl-buizen aan het plafond maakten een zoemend geluid. Hij hield zijn hoofd schuin en luisterde. Het was verder helemaal stil: geen tv's, geen radio's, geen gehijg en gegil van een vrijend paar, geen gesprekken van achter de rij gesloten deuren. Jake streek met zijn handen over de bespikkelde betonnen muren en drukte zijn oor ertegenaan, als een arts die een hartslag controleert. Aan het plafond hing een bewakingscamera.

De gang maakte een bocht en Jake kwam in een gedeelte dat doodliep, met aan het eind twee liften, waarvan de stalen deuren gesloten waren. Op een zwart, vierkant scherm dat erboven hing, zag hij rood oplichtende getallen die op-, en dan weer afliepen. Het geluid was hier luider.

Jake boog zich voorover naar een van de deuren. Het geluid werd minder. Hij liep naar een andere deur. Hier werd het geluid duidelijker en kon hij zelfs woorden onderscheiden. Hij luisterde even. Een stem uit een cassetterecorder zei iets over een kat die in zijn eentje aan het wandelen is. Jake fronste zijn wenkbrauwen en begon te lachen. Hij herkende de woorden uit een verhaaltje dat zijn moeder hem altijd vertelde. Wie zit er in vredesnaam 's middags thuis te luisteren naar cassettebandjes met Engelse kinderverhalen?

Hij drukte op de bel die schuilging achter een ijzeren traliehek. Hij wachtte, draaide zich om en keek naar de rood oplichtende getallen van de lift. Achter zich hoorde hij de deur opengaan. Hij draaide zich opnieuw om en zag een blanke vrouw met een Chinees jongetje aan haar hand.

Het jongetje keek hem met wijdopen ogen aan, de vrouw bezag hem vanachter haar pony.

'Het spijt me dat ik u moet storen,' begon Jake. Waarom keek ze hem zo doordringend aan? Had hij haar eerder ontmoet? Nee, volgens hem niet. 'Ik ben hier met een filmploeg, we maken opnamen in het trappenhuis, en we vroegen ons af of u uw cassetterecorder even kunt afzetten, een halfuurtje of zo.' Onhandig haalde hij zijn schouders op. 'Misschien iets langer. Zou dat kunnen?'

De ogen van de vrouw gleden van de ene kant van zijn gezicht naar de andere, alsof ze niet kon beslissen waarop ze haar blik zou vestigen. 'Mijn cassetterecorder?'

'Ja.' Hij knikte. 'We horen het geluid dwars door de muur heen, begrijpt u?'

'O.' Ze plukte aan haar haren. Jake zag tot zijn verbazing dat ze begon te blozen. 'Nou... ik ben aan het lesgeven,' zei ze, wijzend op het jongetje. 'Maar dat duurt niet lang meer. Nog tien minuten of zo.'

'Tien minuten? Prima. Dat is goed. Nogmaals mijn excuses dat ik u heb gestoord.'

'Juffrouw Mel?' fluisterde het jongetje en hij trok aan haar arm. 'Juffrouw Mel?'

'Even stil,' zei ze, haar ogen nog steeds op Jake gericht. 'Alsjeblieft.'

'Wees maar lief voor je juf,' zei Jake tegen hem in het Kantonees. 'Dank u wel,' zei hij tegen Mel. 'Tot ziens.'

Ze keken hem na toen hij wegliep.

Die dag vertoonde ze zich tweemaal in het trappenhuis om vuilnis buiten te zetten. De volgende dag waren ze in de hal aan het filmen en kwam ze per uur een keer of vier langs. Op de derde dag belde ze de filmmaatschappij en liet twee uiterst onduidelijke berichten achter op zijn antwoordapparaat – de receptioniste vertelde dat ze had gevraagd naar 'de man met de blauwe ogen'. Op de vierde dag werd hij door de hele filmploeg geplaagd met zijn volhardende bewonderaarster: 'Hé, ze zit achter je aan, *Jik-ah*,' zei de geluidsman telkens als ze langskwam. Toen ze die avond klaar waren, wachtte hij haar buiten het gebouw op, eerder om haar duidelijk te maken dat ze niet meer op de set moest komen dan om iets anders. Maar hij was ook nieuwsgierig naar die vrouw, die zich niet schaamde voor hetgeen ze verlangde en er geen twijfel over liet bestaan wat ze wilde. Hij ging met haar de tram in die voorthobbelde naar de Peak, en ze keken naar de Star Ferry die het zwarte water in de haven fel verlichtte.

Francesca plant bollen, en met haar knieën maakt ze kuiltjes in het vochtige grasveld. De grond in de nieuwe tuin is vet en zwart. Het heeft weken achtereen geregend, waardoor de aarde kletsnat aanvoelt tussen haar vingers. Onder al haar nagels zitten rouwrandjes. Ze drukt een bol met een wirwar van wortels in de kuil en dekt die dan toe met aarde. Ze moet dit snel doen: haar moeder komt over een halfuur en als die ziet dat ze gehurkt in de tuin zit, zal ze moord en brand schreeuwen vanwege die *poverina bambina*. Ze woont nu al veertig jaar in dit land, maar ze beheerst de taal nog steeds niet. Francesca heeft altijd als tolk gefungeerd tussen haar ouders en de wereld: ze schreef brieven, voerde telefoongesprekken en vertaalde rentevorderingen, belastingformulieren, rekeningen en recepten.

Haar tonronde buik rust op haar dijen; de voeten van de baby drukken tegen haar longen. Dit kindje is heel anders dan het eerste. Urenlang is het buitengewoon rustig en maakt het geen enkele beweging, maar dan wordt het ineens ergens wakker van: een oprisping, de voortrollende echo van een hoestbui, Francesca weet het niet. Ineens komt het op een manische, heftige manier tot leven, maakt salto's, schopt en slaat, alsof het een gevecht levert met een onzichtbare tegenstander. Van haar eerste kind had Francesca vanaf het begin het idee dat ze het kende, dat ze haar bebloede, natte en gerimpelde baby bijna herkende toen ze die voor het eerst in haar handen gedrukt kreeg. Maar bij dit kindje heeft ze geen idee wat haar te wachten staat. Het zou van alles kunnen zijn.

Ergens achter haar is Nina. Francesca hoort haar hijgen en op haar onvolgroeide voetjes door het gras schuifelen. Een warm handje grijpt Francesca bij haar schouder en pakt een pluk van haar haren, en dan ziet ze Nina blozend en nieuwsgierig voor zich staan. Ze heeft een pop in haar hand, die ze bij de benen beet heeft.

'Hallo.' Francesca draait met haar arm haar dochter rond en drukt een kusje in haar nek. Nina valt van schrik bijna achterover, verbaasd door deze plotselinge blijk van affectie. 'Wat ga jij doen?'

Nina fronst haar wenkbrauwen. 'Vies,' waarschuwt ze, wijzend op Francesca's handen die onder de modder zitten.

'Het is maar modder hoor,' zegt ze. 'Kijk, het voelt best lekker', en ze probeert Nina's vingers op haar hand te leggen. Ze wil niet dat ze al te kieskeurig en pietluttig wordt.

Nina duwt haar hand weg. 'Nee, nee, nee, nee, nee, nee,' klaagt ze. 'Vies.'

'Goed, goed. Het spijt me.' Het gefronste, verontwaardigde gezicht van haar dochter maakt haar aan het lachen, maar ze bijt op haar lip. 'Het spijt me,' zegt ze nog eens, maar ditmaal op een ernstiger toon.

Nina staart haar onderzoekend en kritisch aan. Met haar grote groene ogen kijkt ze naar Francesca's gezicht, haar, schouders en nek en ten slotte naar de gezwollen buik. Francesca houdt haar adem in. Ze wacht gespannen af. Ze heeft het met Nina nog niet over haar zwangerschap gehad. Een vriend van Archie, die kinderpsycholoog is, heeft aangeraden daarmee te wachten totdat Nina er zelf naar vraagt. Vraagt ze ernaar? Nu? Alsjeblieft, vraag ernaar.

Nina kijkt haar moeder recht in de ogen, en dan kijkt ze weer naar haar buik. 'Wat is dat?' vraagt Nina met haar hoge piepstemmetje.

Francesca gaat rechtop zitten en strekt haar rug in de richting van de voorjaarszon boven hen, alsof een onzichtbare draad aan haar trekt. Ze heeft hier maandenlang op geoefend, en nu is ze zo opgewonden dat de woorden rondtuimelen in haar hoofd als bubbels in een glas champagne. Ze ademt in door haar neus en uit door haar mond, zoals ze haar in de zwangerschapskliniek hebben geleerd.

'Het is een baby,' zegt ze, het begin van een verhaaltje dat ze helemaal vanbuiten kent. Ze wil dat de twee zussen gelukkig zijn, dat ze van elkaar houden, en dat wil ze liever dan wat dan ook, en bovendien weet ze dat hetgeen ze de komende minuten gaat zeggen, van grote invloed is op Nina's leven en dat van het ongeboren kindje. 'Voor Nina,' voegt ze eraan toe.

Nina buigt zich iets verder voorover en grijpt de zoom van Francesca's blouse vast. Francesca voelt dat de baby beweegt en het rugje strekt, alsof het juist wakker wordt nadat het lang heeft geslapen.

'Voor Nina?' herhaalt Nina.

'Ja,' antwoordt Francesca zenuwachtig. Ze drukt de rug van haar hand tegen haar wang. Door de zwangerschap voelt ze zich warm en vol. 'Voor jou. Het wordt jouw zusje. En als ze wordt geboren, is ze heel klein, kijk, zo klein.' Francesca houdt haar handen voor zich als een visser die de lengte van een vis aangeeft. Ze spreekt langzaam en kijkt naar Nina's gezicht. 'En we moeten goed op haar passen, jij en ik, want ze kan in het begin nog helemaal niets. Ze kan niet zelf eten, ze kan zich niet aankleden, en...'

'Een zusje,' zegt Nina, en Francesca beseft dat ze dat woord nooit eerder heeft uitgesproken. 'Voor Nina.'

Francesca knikt, neemt Nina's hand in de hare en drukt die tegen haar harde, dikke buik. 'Laten we eens kijken of ze al beweegt.'

Ze wachten. In de tuin aan de andere kant van de muur bromt een maaimachine. Ergens op straat weerklinkt het belletje van de ijscoman. Nina is niet overtuigd. Kom op, maant Francesca haar baby, beweeg nu even. Ze stelt zich voor hoe ze de foetus voor het eerst op het donkere, vage scherm van de scan zag, terwijl die op en neer dreef als een trapezeartiest die tijdens een vrije val wacht op het reddende vangnet. Ineens is er een flitsende beweging, er kronkelt iets, een slang die zijn huid afstroopt.

Nina's gezicht is strak en vol ongeloof, als van een reiziger aan wie zojuist is meegedeeld dat de aarde tóch plat is.

Stella ligt op haar buik, haar kin rust op de knokkels van haar hand. Wanneer ze haar ogen vernauwt tot spleetjes, vormt de zon prisma's tussen haar wimpers, alsof de randen van hetgeen ze ziet zijn bezaaid met glinsterende sieraden. Voor in de tuin zit haar moeder met Evie op een kleed. Evie is haar moeders vriendin. Ze praten met zachte stemmen en lachen, ze drinken wijn en af en toe gaat Evie met haar vingers door de haren van haar moeder. Evie hoeft maar één woord te zeggen en haar moeder werpt haar hoofd in haar nek en begint te lachen, waardoor haar hals lang wordt en de tranen over haar gezicht stromen.

Evie heeft goudkleurig haar. 'Geverfd, natuurlijk,' zegt haar vader, op een manier die Stella doet vermoeden dat hij haar niet aardig vindt. Haar nagels, hard als versteende bloembladeren, zijn soms lila, soms roze, soms sneeuwwit en soms scharlakenrood. Ze draagt kanten vestjes met knopen die zich over haar borsten spannen, er hangen rinkelende kettingen om haar nek en ze draagt rode schoenen met hoge hakken, die Stella af en toe mag proberen in de keuken. 'Een kind naar mijn hart,' zegt Evie, als Stella dat doet. Stella stelt zich Evies hart voor als een kloppend, stevig speldenkussen van dik en pluizig fluweel. Ze kan zich niet voorstellen waarom ze een kind naar haar hart zou zijn, of hoe het zou zijn als ze het was.

Evie heeft overal haar eigen woorden voor. Haar moeder noemt ze 'Cesca'. Stella en Nina zijn 'liefje' of 'Franette Eén' en 'Franette Twee'. Sigaretten zijn 'pafjes', wijn is een 'slobbertje'. Stella's vader is 'Hijdaar'. Ongetwijfeld met een hoofdletter.

Ze is de peetmoeder van Nina, en Nina krijgt elk jaar op haar verjaardag een cadeau dat is verpakt in glinsterend papier met krullende linten eromheen, wat betekent dat het in een winkel is ingepakt en niet thuis. In het pakje zit een paar schoenen, een met veren versierde haarspeld of een zakje met glazen kralen. Als het een jurk is, zal Stella hem uiteindelijk een jaar of twee later dragen (Evie koopt altijd ruim – 'Ik weet nooit welke maat die kinderen hebben, liefje!'). Dan is de jurk verkleurd in de was, maar nog steeds mooi, nog steeds begerenswaardig, nog steeds een jurk van Evie.

Nu ligt Evie op het kleed tegen Francesca aangeleund. Ze kijken naar Nina, die een truitje draagt met lovertjes, die doen denken aan de schubben van een vis – een cadeau van Evie waar Stella op moet wachten. Nina heeft onlangs van haar balletlerares gehoord dat ze heel erg lenig is, en nu maakt ze een spagaat, waarbij ze haar benen onder zich strekt als de poten van een dekstoel. Gewoonlijk laat Francesca Nina geen kunstjes doen als er iemand toekijkt – 'Nu niet, Nina' – maar om de een of andere reden vormt Evie een uitzondering.

'Liefje.' Evies stem galmt door de tuin. 'Het ziet er zo eng uit. Ik vraag me af: kun je het ook andersom?'

Evie is een Engelse, heeft haar moeder verteld toen Stella vroeg waarom ze zo'n rare stem had.

'Ze lijkt zo op je, Cesca, het is bijna griezelig.'

Griezelig. Griezelig. Eng. Griezelig. Stella houdt wel van Evies woorden. Ze houdt van de vormen die haar mond moet maken om ze uit te spreken, van het gewicht dat ze op haar tong leggen.

'Waar is Franette Twee?' roept Evie. 'Kan zij ons misschien ook een paar van die halsbrekende gymnastiekoefeningen laten zien?'

In de lucht zweven, traag als vlinders, talloze zaadjes, en ze ruikt de geur van Evies Turkse sigaretten. Stella is zich ervan bewust dat de grond hard is, dat de grond in haar lichaam drukt, dat ze tegen de aardkorst aangedrukt blijft.

'Nee,' hoort Stella haar moeder snel antwoorden. 'Maar ze is goed in andere dingen. Nietwaar, Stella?' roept ze.

Het is even stil. Stella merkt dat Evie voelt dat ze zich vergist heeft.

'Natuurlijk is ze goed in andere dingen.'

Ze ziet dat Evie voor in de tuin haar sigaret tussen de vingers van haar andere hand klemt en haar arm uitstrekt. 'Stella, liefje, kom Evie eens een knuffel brengen. Want in knuffelen ben je goed, dat weet ik.'

Jake sjokt voort over de weg. Zij armen hangen naar beneden, hij draagt twee tassen. Mels moeder, Annabel – een vrouw met net zulke lichtgrijze ogen als Mel – vroeg Jake om boodschappen te gaan doen, en enthousiast was hij opgesprongen. Een van de vervelendste gevolgen van de idiote situatie waarin hij verzeild is geraakt, is dat hij niets te doen heeft. Geen doel in het leven. Geen afgeronde ideeën over de vraag hoe hij zijn tijd kan besteden. Niets dan Mel op haar wenken bedienen.

Jake huivert in de jas van Mels vader. Dit is belachelijk. Hij moet er iets aan doen. Zo kan het niet verder. Het voelt alsof hij levend begraven is.

Hij houdt niet van het woord 'homesick', hij vindt dat het geen recht doet aan wat het zou moeten uitdrukken. Hij geeft de voorkeur aan de langgerekte, klagerige klinkers in het Duitse woord *Heimweh*. Voor hem is het niet een korte periode waarin hij zich onprettig voelt, nee, hij voelt zich lusteloos, platgewalst, vreselijk, miserabel, ontwricht en hopeloos. Het is alsof hij niet uit het juiste hout gesneden is voor deze plek: er is onvoldoende zon, de lucht is van een verkeerde samenstelling, alles ligt te ver uit elkaar, te verspreid, en hij kan nauwelijks verstaan wat de mensen tegen hem zeggen. Hij heeft er nooit bij stilgestaan hoezeer hij in het Kantonees dacht. Misschien komt het omdat hij nooit eerder in Groot-Brittannië is geweest, maar nog nooit heeft hij zich zo eenzaam gevoeld, zo ver weg van Hongkong, zo ver van alles wat hij kent en wat hij prettig vindt, alles wat zijn leven en hem bepaalt.

Wat hem werkelijk verontrust, is dat dit het land is waar zijn moeder vandaan komt – en zijn vader ook, trouwens – het land dat op het omslag van zijn paspoort staat, terwijl hij zich zo'n vreemdeling voelt. Hij kan maar niet begrijpen dat iedereen hier blank is. Nooit eerder in zijn leven heeft hij zich tussen mensenmenigtes bewogen waarvan alle gezichten bleek zijn. Hij begrijpt niet dat de mensen hem hier niet aankijken, dat ze slechts een terloopse blik op hem werpen als hij langsloopt. Waarom blijven ze niet stilstaan om hem aan te gapen – hij voelt zich immers een buitenaards wezen hier. Dat hij er net zo uitziet als zij, vindt hij het schokkendst van alles.

Hij is erachter gekomen dat hij niet kan denken aan de flat waar hij zijn hele leven heeft gewoond. Hij kan niet denken aan de warme houten tegels onder zijn voeten, het gerammel van de defecte airconditioning, het aluminium raamkozijn dat niet precies past, het gezoem van de elektrische muggenverdelger, het stukje plafond boven zijn bed, dat verkleurd was doordat de bovenburen een lekkende douche hadden. Af en toe overkomt het hem zelfs dat hij wakker wordt en zich een fractie van een seconde afvraagt waar hij eigenlijk is.

Hij blijft op de hoek bij de kerk staan om zijn tassen te verwisselen. Hij heeft ze onhandig ingepakt. De ene tas is zwaarder dan de andere, waardoor hij scheef loopt. Er rijdt een zware, groene auto langs hem heen, die grind tegen zijn broek aan spat. Op het kerkhof wipt een grote, zwart-witte vogel van grafsteen naar grafsteen. Jake kijkt ernaar, de boodschappen zet hij op de grond.

Op enig moment zal hij met Mel moeten praten. Waarom nu niet? Dit kan zo niet doorgaan. Hij drukt zijn vingertoppen tegen zijn slapen. Dit probleem is zo ongewoon en zo onverklaarbaar dat het nergens mee in verband staat, dat het niet uit te leggen valt. Moet hij er met Mel over praten nu ze nog zo zwak is, of kan hij beter wachten tot ze helemaal hersteld is? Jake weet het niet, hij heeft geen idee. Nachtenlang ligt hij te piekeren over deze kwestie, terwijl een typemachine in zijn hoofd telkens dezelfde woorden schrijft: Ik heb nooit van jou gehouden, ik moet weg, ik heb nooit van jou gehouden.

Jake is zeventien en wandelt over een verregende markt in Wanchai als Leah hem opmerkt. Door zijn bleke huid en zijn opvallende lengte ziet ze hem al van verre: ze kijkt langs de lage, rode lampen, de stapels eersteklas fruit, de menigte zwartharige mensen, de houten kraampjes vol bloederig vlees en opengesneden vissen – en richt haar blik op hem.

Ze ziet dat hij bij een van de kraampjes een stuk tofoe koopt, en bij een andere een vervaarlijk ogende doerian. De Chinese jongen die bij hem is, praat voortdurend tegen hem en maakt gebaren. De blanke jongen antwoordt niet veel, merkt ze op, hij knikt alleen maar. Hij loopt gracieus, met grote stappen.

Als ze haar naderen, laat ze een vinger over haar wenkbrauw glijden, trekt haar blouse recht en gaat midden op het gangpad staan. Ze houden allebei stil. De Chinese jongen is op zijn hoede, ziet ze, maar de tweede bekijkt haar gezicht alsof hij zich afvraagt of hij haar kent. 'Misschien,' zegt ze tegen hen in het Engels, 'kunnen jullie me helpen.'

Ze kijken elkaar aan. De blanke jongen neemt het lekkende pak tofoe over met zijn andere hand. 'Natuurlijk,' zegt hij met gefronste wenkbrauwen.

Leah onderdrukt een glimlach. Ze is dol op jongens van deze leeftijd: ze komen net bij hun moeder vandaan, zijn onbedorven, niet cynisch, nog geen mannen van de wereld. Het zijn weekdieren zonder schelp. De misselijkmakende, bedwelmende geur van de doerian dringt haar neus binnen.

'Ik wil fruit kopen,' zegt ze en ze wijst op het kraampje achter hen, 'maar ik heb problemen met de taal.'

Ze hoopt dat hij zijn vriend, die hier vandaan komt, zal vragen te helpen, zodat zij met hem kan praten. Verbaasd merkt ze echter dat de blanke jongen met de blauwe ogen in dat hakkelende taaltje met de tandeloze marktkoopman begint te praten. De vriend voegt af en toe een eenlettergrepig woord toe. Er worden mango's, papaya's en lychees ingepakt in krantenpapier met onleesbare letters.

Buiten op straat is het licht wit en gelijkmatig, en de warmte bijna hoorbaar – Leah stelt zich voor dat de hitte een sissend geluid maakt, als een band die leegloopt. Haar armen hangen naar beneden door de zware tassen met het fruit dat ze eigenlijk helemaal niet nodig had. Zweetdruppeltjes glijden als mieren langs haar rug omlaag. De jongen staat voor haar en lijkt van plan door te lopen, zijn vriend staat achter hem.

Leah is drieëndertig en filmproducent in LA. Ze heeft één bescheiden hit, drie flops en twee echtscheidingen op haar naam staan en is nu enige maanden in Hongkong om mee te werken aan een coproductie. Ze draagt altijd slips en bh's die bij elkaar passen, stift haar lippen met lipgloss en heeft aan elke vinger een ring. Ze vindt het leuk om het zegel van een nieuwe bus koffie te verbreken met de steel van een lepel en houdt van de geur aan de binnenkant van een mannenpols. Ze kan goed koffers pakken, weet welke kleuren bij elkaar passen, kan moeilijke actrices kalmeren en ze weet hoe ze financiers, en vooral mannelijke, ertoe kan overhalen cheques met grote bedragen te tekenen. Ze houdt van de manier waarop haar wenkbrauwen in een punt omhoog groeien en ze eet geen koolhydraten, inktvis of kristalsuiker. Eens per week laat ze haar handen manicuren en eens per maand verft ze haar haren. Ooit stal ze een jazzplaat van een vriendin die ze niet aardig vond.

Ze houdt hem haar visitekaartje voor. 'Bel me maar. Kom zwemmen in het zwembad in mijn hotel.'

De jongen bloost tot over zijn oren en neemt het kaartje aan. Een deel van haar is er zeker van dat hij zal bellen, een ander deel weet zeker van niet.

Mels medicijnen liggen op de keukentafel. Jake neemt de flesjes één voor één op, haalt de tabletten eruit en legt ze op zijn hand. Hij gaat met haar praten. En wel nu. Nadat ze haar tabletten heeft ingenomen. Hij kan er niet langer tegen. Hij draait zich om en wil de gang in lopen, maar dan ziet hij Mels ouders op de drempel staan. 'Dag,' zegt Jake en hij beseft dat ze wel erg dicht bij elkaar staan, ingeklemd tussen de tafel en de deur.

'Jake.' Annabel loopt met uitgestrekte armen op hem af, alsof ze hem wil omhelzen, maar op het laatste moment lijkt ze van gedachten te veranderen. Ze laat haar armen naar beneden vallen en gaat voor hem staan. 'Andrew en ik,' zegt ze en ze neemt een van zijn handen tussen haar beide handen, 'willen eens met je praten.'

'Goed,' zegt Jake. Hij dwingt zichzelf te glimlachen. Hij voelt de tabletten warm worden in zijn andere hand.

'Onder elkaar.'

'Prima.'

'We willen Mel een cadeau geven,' zegt ze met een vluchtige blik op haar echtgenoot.

'Een cadeau?'

'Een verrassing,' zegt Andrew.

'Een huwelijk,' zegt Annabel.

Jake is sprakeloos. Mels tabletten smelten in zijn vuist en haar ouders staan naar hem te kijken alsof ze verwachten dat hij hen gaat omhelzen.

'Maar...' Hij twijfelt tussen wat hij zou moeten zeggen en wat hij wil zeggen. 'Maar... maar we zijn al getrouwd,' weet hij uit te brengen.

'Dat weten we,' lacht Annabel. 'Maar we dachten dat het leuk was als... Dat je het fijn zou vinden om het op een goede manier te doen. Nu jullie hier zijn.'

'We dachten,' begint Andrew en hij schraapt zijn keel, 'dat het ook iets is waar Melanie,' hij maakt met zijn hand een beweging in de lucht, 'waar Melanie naar uit kan kijken. Naartoe kan werken.'

'Een goede reden om beter te worden,' legt Annabel uit terwijl ze hem aankijkt. 'Ze weet hier nog niets van.'

'We zijn benieuwd of je haar zou willen vragen,' zegt Andrew.

Het is even stil.

'Het haar wil zeggen,' verbetert Annabel.

Opnieuw is het even stil. Jake kijkt hen uitdrukkingsloos aan. Ze lijken te wachten tot hij iets zegt. Hebben ze hem iets gevraagd? Hij weet het niet meer.

'Het is een cadeau van ons,' zegt Annabel gehaast en ze grijpt hem bij zijn arm. 'Van Andrew en mij.'

'Wij betalen alles.' Andrew leunt voorover als hij dit zegt. 'Daar hoef je je geen zorgen om te maken.'

Jake beseft dat hij iets moet zeggen. 'Dat is erg vriendelijk van u.' Zijn stem is zacht en bijna onherkenbaar. 'Ik geloof dat we misschien... misschien moet ik... moeten we...' Hij probeert het nog eens: 'Ik moet er misschien even over nadenken.'

'Natuurlijk,' zegt Andrew.

'Uiteraard,' zegt Annabel instemmend.

Leah verblijft in het oudste en beroemdste hotel van Hongkong. Jake was er nog nooit binnen geweest. Hij had het natuurlijk wel van de buitenkant gezien – je kon die koloniale, gebeeldhouwde gevel aan het water in Tsim Sha Tsui ook nauwelijks over het hoofd zien. Hij had zijn schoolvriendjes erover horen praten: dat er twee helikopterplatforms op het dak waren, dat er 's middags bij de thee een complete verzameling koekjes werd geserveerd, dat er in de lobby een liveorkest speelde, dat ze hun eigen chocolaatjes maakten en dat er een barkeeper was die van Clark Gable zelf had geleerd hoe hij een bepaalde cocktail moest maken.

Jake stond verscholen achter een pilaar in de toegangshal, waarvan het plafond met goud was bewerkt. Hij frunnikte zenuwachtig aan de vette bladeren van een plant. Dit was een kant van de stad waar hij niet veel van afwist: marmeren vloeren, kandelabers, in het wit geklede vrouwen met hoeden op die thee dronken uit kopjes van het teerste porselein, geüniformeerde lakeien die de deuren voor je openden. Er kwam een jongen van zijn leeftijd in livrei langs die hem een achterdochtige blik toewierp.

'Blijf jij daar de hele dag staan, of ga je zitten om een kop koffie te drinken?'

Hij draaide zich om. Leah zat aan een tafeltje anderhalve meter van hem vandaan. Ze had een sigaret in haar vingers en haar benen over elkaar geslagen. Een ober schonk een donker drankje in haar kopje. Ze wees op de stoel naast haar.

Hij vertelde over de school waarop hij zat, op de Peak, over Hing Tai, hij zei dat hij nog nooit in Amerika was geweest maar dat hij graag naar New York wilde. Zij zei dat ze dacht dat hij New York geweldig zou vinden, dat vond immers iedereen. LA, daar moet je van leren houden, zei ze. Hij vertelde dat zijn moeder over de hele wereld gereisd had en dat hij zijn vader niet kende. 'Jouw moeder,' zei ze terwijl ze de rook in haar longen zoog, 'lijkt me een heel moedige vrouw.'

Ze gingen zwemmen in het bad op het dak van het hotel. Hij had uitzicht op de haven, op Wanchai en daarachter op de Peak, en aan de andere kant zag hij de hoge bergen van de New Territories, die in de mist lagen. Jake liet haar zien dat hij achterover kon duiken. Zij zat op een ligstoel, haar ogen gingen verscholen achter een donkere zonnebril, en ze lachte voor de eerste keer. Haar tanden waren klein en puntig. Hij deed het nog eens en zag haar vervaagde en vervormde beeld toen hij weer boven water kwam. Hij kon niet zien dat de rondjes in het patroon van haar bikini ter hoogte van haar borsten waren vervormd tot ovalen.

Toen ze bij haar kamerdeur kwamen, stond hij te trillen. Hij vroeg zich af of hij moest blijven of weg moest rennen, maar het idee dat hij in de lift zou staan met de geüniformeerde jongen die hem zou vragen: 'Welke verdieping, meneer?' vond hij nog af-schrikwekkender dan hetgeen er van hem verwacht werd in de kamer.

Leah nam hem bij de arm en trok hem haar kamer binnen. Ze leunde tegen de deur, deed die dicht en trok hem aan het boord van zijn hemd naar zich toe. Ze smaakte naar koffie, sigaretten en droefenis. Jake had al eerder meisjes gezoend, na school, in een donkere bioscoop, maar dat had heel anders gevoeld dan nu. Ze stond met haar gespierde, koortsige en opdringerige lichaam te-gen het zijne aangedrukt.

'Mijn mooie Engelse jongetje,' fluisterde ze. Ze duwde hem in een stoel, knoopte zijn broek los en boog zich over hem heen.

Jake praat niet vaak over Leah – destijds was alleen Hing Tai op de hoogte. Aanvankelijk weigerde Hing Tai botweg het te geloven. Daarna begon hij hysterisch te lachen. Ten slotte dwong hij Jake een gedetailleerde beschrijving te geven van alles wat ze deden.

De verhouding duurde tot het eind van Jakes laatste jaar op school – een maand of acht, negen. Hij rende dan uit school naar de Star Ferry, die hem door de haven voer en dan wachtte hij op haar in haar suite. De portiers leerden hem kennen, en hoewel ze buitengewoon beleefd waren als ze hem zagen, was hij er zeker van dat ze hem achter zijn rug om uitlachten. Maar dat kon hem niet schelen. De suite van Leah was driemaal zo groot als de flat van zijn moeder, de vensters reikten van het plafond tot de vloer, er was een bubbelbad, het bed was groter dan hij ooit had gezien en er was roomservice. Jake zat meestal achter het bureau in de slaapkamer en terwijl het langzaam donker werd in de haven en de neonlichten in het water werden weerspiegeld, zat hij te studeren voor zijn eindexamen. Als Leah kwam, deed ze zijn schooluniform uit, kledingstuk voor kledingstuk.

'Weet je,' zei ze op een avond, toen ze het al drie keer hadden gedaan, 'vrouwen bereiken hun seksuele bloeiperiode pas na hun dertigste, en mannen al op hun achttiende. We passen perfect bij elkaar.'

Hij vertelde het niet aan zijn moeder, en Caroline vroeg niet waar hij elke avond naartoe ging. De enige keer dat hij Leah kon shockeren, was toen hij haar vertelde dat Caroline maar vier jaar ouder was dan zij.

'Godverdejezus,' zei ze terwijl ze de as van haar sigaret op zijn borst liet vallen.

Leah vond niet dat het verkeerd was wat ze deed, maar ze was er ook niet echt trots op. Het was nooit haar bedoeling geweest er een langdurige verhouding van te maken – ze had gedacht dat het misschien een of twee keer zou gebeuren. Het was jaren geleden sinds ze voor het laatst met een tiener naar bed was geweest, ze was gewoon nieuwsgierig. Maar ze hield van hem, was jaloers op zijn jeugdigheid. Haar tweede echtgenoot, de laatste man met wie ze naar bed was geweest, was toen negenenveertig. Ze werd gefascineerd door de schoonheid en het ongerepte van een jongeman:

de spieren die dicht tegen de botten aan lagen, de huid die nog strak om het lichaam gespannen zat. Ze hoopte dat hij er iets van op haar zou overbrengen, als stuifmeel op de mouw van een hemd.

'Ik neem je niet voor altijd,' zei ze telkens weer tegen Jake. 'Alleen nu even.'

Ze zei tegen zichzelf dat ze hem hielp. Mannen moesten geholpen worden, en zeker jonge mannen. En ook op andere manieren was ze goed voor hem: ze zorgde dat hij studeerde, dat hij zijn examens goed voorbereidde, ze zat hem achter de broek als hij een proefwerk had, las zijn toelatingsverzoeken tot Britse universiteiten en gaf die, vol verbeteringen in haar ronde handschrift, weer aan hem terug.

Toen hij zijn eindexamen had afgerond, bezorgde ze hem een vakantiebaantje als runner bij een nieuwe regisseur uit Hongkong, Chen. Tegen de tijd dat hij zijn examenuitslag kreeg en in Londen taalkunde kon studeren, besloot hij dat hij toch maar niet naar de universiteit wilde. Caroline en Leah praatten op hem in, maar hij wilde niet weg uit Hongkong, hij wilde bij Chen blijven.

Aan het eind van het jaar ging Leah terug naar LA. Jake begeleidde haar naar het vliegveld, al had ze hem gevraagd dat niet te doen: 'Ik heb een hekel aan afscheid nemen op een vliegveld,' beet ze hem toe. Toen ze de douane gepasseerd was, had ze niet meer omgekeken.

Jaren later, als het er allemaal niet meer toe doet, zal hij het hele verhaal aan Caroline vertellen, terwijl ze in haar tuin in Auckland staan.

'O, ja,' zegt zijn moeder dan met een wegwerpgebaar. 'Dat wist ik allemaal al.'

'Wist jij dat?' zal Jake dan verbaasd vragen. 'Hoezo?'

'Ik heb overal spionnen,' lacht Caroline. 'We hebben elkaar ontmoet.'

'Jij en Leah?'

'Zeker. We hebben een keer geluncht.' Ze wandelt langs haar bonenstruiken, die zich rond bamboestokken krullen. 'Ik vond haar heel aardig.'

Stella slaat de deur van de caravan dicht, waardoor er van het dak een regen van druppels op haar haren en haar gezicht valt. De caravan staat achter het hotel, verscholen tussen de sparren aan de rand van Rothiemurchas Forest. De geur van de bomen is, na de regenbui, doordringend en de aarde is zacht en drassig onder haar laarzen. Ze bindt een lichtgewicht windjack – in het hotel gevonden – met de mouwen rond haar middel en loopt de licht stijgende kronkelweg op.

De witte markeringslijn op de verlaten weg slingert zich omhoog. Ze loopt eroverheen en voelt de harde kalklijn onder de rubberzolen van haar laarzen. Er schijnt een waterig zonnetje door de wolken. Een roodbonte koe met horens schuurt de onderkant van haar kin tegen een vijf balken hoog hek, blijft stilstaan en kijkt haar met sentimentele, bruine ogen aan terwijl ze voorbijloopt. Er rijdt een auto langs, waarvan de banden een knerpend geluid op het asfalt maken. Ze plukt een bosje gras uit de berm en trekt de zaadjes eraf, die ze in een heg gooit. Langs de weg staan nu geen sparren meer, maar beuken, waarvan de toppen zwiepen in de wind.

Bij de kruising slaat ze af en als ze de top van de heuvel heeft bereikt, ziet ze het ineens liggen: Loch Insh, een groot, zilverachtig meer onder in het dal. Het wateroppervlak is spiegelglad vandaag en weerkaatst bomen, bergen en de verspreid gelegen huizen van Kincraig.

Stella volgt de kronkelweg. Het meer verdwijnt even achter een groep sparren, maar ze ruikt nog steeds de dampige, prikkelende geur ervan. Bij de kerk snijdt ze een stukje af, loopt langs jonge boompjes die uit de natte, zwart geworden stompjes van oude bomen groeien en komt bij het kiezelstrand. De boot van het hotel is met een touw aan een steen bevestigd. Ze maakt de knoop los en loopt het water in, terwijl de boot verwachtingsvol ligt te klotsen. Ze pakt hem met twee handen vast om hem in balans te brengen en stapt in.

Stella trekt aan de roeiriemen en leunt achterover. De boeg van de boot snijdt door het water, de natte houten riemen kraken in de roeidollen. Van dichtbij is het water minder ondoorzichtig: ze ziet een rotsachtig maanlandschap onder zich voorbijtrekken. Het water is helder, maar donker: de Spey, een rivier, heeft modder aangevoerd, dat zich door het meer uitstrekt als een koord door een kralenketting. Achter het gedeelte van het meer waar Stella roeit, ligt de smalle brug naar Kincraig, vanwaar de rivier zich losrukt uit de omarming van het meer.

Ze vaart weg van de oever en trekt aan de rechterriem terwijl de linker druipend boven het water hangt. Als ze halverwege de twee oevers is, trekt ze de riemen omhoog, legt ze met een zwaai in de boot en schuift van de zitplank af. Ze gaat tussen de zwemvesten en het dekzeil liggen. Het landschap verdwijnt uit het zicht: nu hangen er wolken boven haar die van elkaar worden gescheiden door kleine stukjes blauwe lucht. Ze luistert naar haar pols die langzaam maar zeker minder snel klopt, en naar het geluid van de vogels die over het meer vliegen.

Ze hoort iets kraken in haar broekzak. Stella voelt en haalt er een kaart van haar zus uit – vergeten en niet gelezen. Ze houdt de kaart even voor haar gezicht en kijkt naar het bekende handschrift. Maar haar handen zijn nog nat van de riemen, waardoor de inkt wegvloeit over haar vingers en de boodschap onbegrijpelijk wordt.

De ouders van Francesca, Valeria en Domenico Ianelli, kwamen uit een bosrijk, bergachtig gebied in Italië. Wanneer je je het land voorstelde als een laars, dan lag hun dorp in het deel waar de enkel op zijn slankst is, waar het bot zich versmalt boven de pezen van de voet. Er stroomde een bergrivier door het dorp en op de centrale *piazza*, waar de mensen zich 's avonds verzamelden voor *la passeggiata* en om de dag door te nemen, lag een brug met twee bogen waar de rivier zich in tweeën splitste: het ene deel stroomde naar de Adriatische Zee, het andere naar de Tyrrheense Zee.

Vijftig jaar later herkende Valeria nog steeds mensen die uit dat gebied kwamen, al waren ze van de tweede generatie – iets waar Stella nog altijd van onder de indruk was. 'Een Agnone,' fluisterde ze dan tegen Stella als er een vrouw het café binnenkwam, 'ik weet het bijna zeker. Of heel misschien een Vastogirardi.' Stella keek dan op en zag aan de andere kant van de bar een vrouw van middelbare leeftijd met een sjaal om en een vest aan, die qua uiterlijk niet verschilde van de andere vrouwen in Musselburgh. Dan keek ze weer naar haar grootmoeder, die voorover leunde en de vrouw hoopvol begroette in het Italiaans.

Valeria trouwde met Domenico in de kerk op het plein waar de rivier zich in tweeën splitste. Ze droeg de jurk van haar moeder en de schoenen van haar nicht. Haar vader, die de eigenaar was van de apotheek in het dorp, lachte niet één keer tijdens de plechtigheid. Hij wilde niet dat zijn dochter zou trouwen met een *contadino*, een man wiens familie generaties lang op het land had gewerkt. Deze Domenico ging ergens ver weg bij een buitenlandse *padrone* aan de slag en zou over twee dagen vertrekken naar de een of andere stad, Edinburgh genaamd. Hij kon er met zijn verstand niet bij dat een van zijn kinderen vrijwillig een *vedove bianchi* zou worden, een vrouw die door haar man is verlaten omdat hij ijsjes gaat verkopen aan goddeloze lieden.

Toen Domenico was vertrokken, zat Valeria in het huis van haar vader en probeerde de harde medeklinkers van het Engels onder de knie te krijgen met behulp van een boek waarvan de bladzijden teer waren als het bovenste dunne schilletje van een ui. Verder breide ze sjalen, vesten, sokken en handschoenen. Men zei dat het koud was in Schotland – net zo koud als hartje winter in Italië, wanneer er dikke pakken sneeuw in de bergen lagen, maar dan het hele jaar door.

'*How do you do?*' zei ze tegen het haardvuur, het raam of de gesloten deur. '*My name is Valeria, Valeria Ianelli.*' Ze wachtte even om in haar boek te kijken, wierp zich dan weer op haar breiwerk – een rechts, een averechts – en intussen groeide haar eerste kind in haar buik.

Elke maand stuurde Domenico haar wat geld, dat ze bewaarde in een zijden sjaal die hij haar had gegeven toen hij haar onder de olijfbomen van haar broer ten huwelijk had gevraagd. Zijn brieven waren aanvankelijk een bittere teleurstelling. Valeria wilde liefdesbrieven, die had ze nodig. Ze wilde bladzijden vol hartstocht en verering, ze wilde weten wat hij zag als hij uit het raam keek, ze wilde weten hoe de stad eruitzag waar ze naartoe zou gaan, hoezeer hij haar miste, hoezeer hij naar haar verlangde en hoe graag hij het gezichtje van zijn zoon wilde zien.

In plaats daarvan schreef Domenico dat hij zeventien uur per dag werkte, dat de padrone vaak kwaad werd op hem en op de andere man die in de ijssalon werkte, en dat de mensen die ijs kwamen kopen soms onbeleefd waren en hen 'bruintjes' noemden. Hij had nu bijna genoeg voor hun eigen café, waar hij zou koken en zij bedienen – bijna, bijna. De padrone had erin toegestemd het café te kopen in een plaatsje aan zee, Musselburgh. Wanneer ze genoeg verdiend hadden, konden ze zijn jongere broers, nichtjes en anderen uit het dorp laten overkomen. *'Campanilismo,'* schreef hij aan het eind van zijn brief, 'zo schijnt de hele wereld te werken.'

Valeria wachtte twee jaar, drie jaar – tot het geld voor haar overtocht uit de zijden sjaal puilde. Toen ze eindelijk na een zeereis van dagen met haar zoon aan haar zijde over de loopplank van het schip liep, werd ze ineens bevangen door de angst dat ze hem niet zou herkennen, dat ze straal langs hem heen zou lopen en totaal verloren in dit land vol vreemdelingen zou moeten ronddolen. Maar toen ze zag dat hij zich op de kade door de mensenmenigte trachtte te wurmen en zijn hand naar haar uitstrekte, moest ze bijna lachen. Ze had zich zijn gezicht precies herinnerd, alsof het haar eigen gezicht was.

Stella is nooit in staat geweest een eenvoudig antwoord te geven als mensen haar vragen waar ze vandaan komt. Het lukt haar niet gewoon 'Edinburgh' of 'Schotland' te zeggen, ze moet er altijd iets aan toevoegen: '…Maar mijn moeder is eigenlijk een Italiaanse', of: '…Maar ik ben half Italiaans.'

Ze weet niet wanneer ze besefte dat ze anders was dan andere mensen. Misschien heeft ze het altijd al geweten, misschien was het haar met de paplepel ingegoten, net als de fagioli, tortelloni, pollo al cacciatore en de calzone die haar moeder hun te eten gaf. Andere mensen heetten Kirsty of Claire, spraken alleen maar Engels en aten vissticks, aardappelpuree en bonen. Haar grootvader had verteld dat er wolven in de bossen rond hun boerderij liepen, dat ze de helft van alles aan de landeigenaar moesten geven, dat ze wilde kastanjes moesten eten toen het eten schaars was. Van haar moeder hoorde ze dat ze in één kamer boven het café woonden, dat ze op school nog Engels moesten leren, en dat Domenico tijdens de oorlog gevangen had gezeten omdat hij een 'vreemdeling uit een vijandig land' was.

Ze was zich ervan bewust dat er iets met haar niet klopte: misschien was het haar uiterlijk, haar ietwat donkere huid, of hoe ze sprak of zich gedroeg, de dingen die ze zei. Ze kwam er niet achter. Maar wanneer haar onderwijzer of vrienden van haar ouders nieuwsgierig vroegen: 'Wat ben jij eigenlijk?' wist ze precies wat ze moest antwoorden. 'Ik ben Schots-Italiaans,' zei ze dan gehoorzaam.

Stella vond dat die twee woorden niet goed bij elkaar pasten. De harde sisklanken van het eerste woord leken de zachtere klinkers van het tweede te verdrijven, als magneten die dicht bij elkaar liggen. Maar het was een goed antwoord, een zinvol antwoord, en zij en Nina bedienden zich er altijd van. Het verklaarde – benoemde, in ieder geval – het gevoel dat er iets niet helemaal klopte, dat ze niet waren zoals de rest.

Stella leunde met haar kin op haar handen op de bar en dacht aan het huiswerk dat ze voor morgen nog moest maken. Het was rustig in het café vandaag. Iedereen bleef thuis met dit koude, druilerige weer. Hun moeder had gezegd dat er na de races misschien nog wat klanten zouden komen.

Nina stond bij het raam en sneed aardappelen in schijfjes. Ze keek boos en trok haar schouders op. Nina had een hekel aan aardappelen schillen. Ze klaagde dat het mes wegleed op de natte, grillig gevormde aardappelen en ze had een hekel aan de troep die onder haar nagels bleef zitten. Francesca had gezegd dat ze niet moest zeuren en dat ze met Stella mocht ruilen als ze dat wilde. Maar aan bedienen had Nina een nog grotere hekel. 'Ik kan gewoon niet beleefd zijn tegen mensen,' zei ze.

Francesca zat op de hoge stoel bij de kassa. Met een pen achter haar oor bestudeerde ze het kasboek en rolde de kassarol uit. Stella schatte dat ze met een minuut of vijf à tien tafel zes kon afruimen. Er zat een gezin met drie oervervelende kinderen die met etensresten en limonade hadden geknoeid. Ze zouden zo vertrekken. Stella zuchtte en vouwde een servet tot een waaier.

'Hé,' zei Nina.

'Wat is er?'

'Rond vijven hebben we...' – Nina wachtte even en maakte op

haar vingers een berekening – '...hebben we elk zes pond verdiend.'

Stella dacht erover na. 'Negen pond,' corrigeerde ze.

'Zes.'

'Nee, negen. Omdat we dan in totaal...'

'Goed, goed, negen dan,' zei Nina en ze zette het mes midden op
een aardappel. 'Negen pond.' Ze grinnikte en sneed de aardappel
in tweeën. 'Dat betekent dat ik genoeg heb voor die jas.'

'Welke jas?'

'Je weet wel, die jas die we een tijdje geleden hebben gezien. Die
jas van nepbont.'

'Waar was dat?'

'In...'

'Stella,' onderbrak Francesca hen, 'tafel drie, liefje.'

Stella legde het servet neer, liep om de bar heen en trok haar
broek op. Het was een broek die bij een mannenpak hoorde en nu
van het jasje gescheiden was. De stof was donkergrijs en zwaar. Ze
had hem gekocht in een tweedehandswinkel. De broek was veel
te lang, de zomen hingen op de grond, maar toch vond ze hem
leuk.

Midden op de linoleumvloer bleef ze stilstaan. Ze legde haar
handen in haar nek. Een gevoel van verpletterende spanning over-
viel haar. Ineens kon ze niet meer ademen en het leek of ze haar
schort te strak had vastgebonden, alsof haar kleren haar verstik-
ten. Het gerinkel van het bestek op de borden gonsde door haar
hoofd en leek haar doof te maken.

Aan het tafeltje bij de deur zat een man. Stella keek hem niet
langer aan dan strikt noodzakelijk. Hij was alleen. Het was een
lange, zware man; hij zat ineengedoken en had felrood haar.

Ze draaide zich om. Haar moeder keek haar vragend aan, maar
haar zus stond nog steeds over de aardappelen gebogen. Stella liep
terug naar de bar en legde haar hand erop. Het geluid van spette-
rend water weerklonk in haar oren, en ze had het idee dat ze over
een grote waterdruppel zou struikelen als ze niet keek waar ze
liep.

'Heb je de bestelling opgenomen?' vroeg haar moeder.

Stella staarde naar haar schoenen en naar de zomen van haar

broek, die door al de zanderige modderpoelen van Edinburgh hadden gewaad. 'Nee.'

'Waarom niet?'

Stella liep om de bar heen en ging erachter staan. Ze wilde dat er iets tastbaars, iets stevigs tussen haar en de man was, iets waar hij niet doorheen kon kijken. Ze hield haar hand onder haar elleboog. Haar huid voelde koud en glad aan, als marmer.

'Wat is er?' zei Francesca verbaasd.

Stella zag dat Nina haar hoofd oprichtte en haar aankeek, toen naar de man keek, en vervolgens weer naar haar.

Nina legde het mes neer. 'Ik doe het wel.'

'Wat?' Hun moeder klonk geërgerd nu. 'Maar Nina, ik wil dat jij de aardappelen doet. Als Stella bedient, bedient ze. Ik wil niet hebben dat jullie voortdurend wisselen, het is veel gemakkelijker als…'

Maar Nina graaide in de zak van Stella's schort en viste het notitieblokje eruit. Toen Stella opkeek, zag ze dat Nina over het linoleum naar de roodharige man toe liep.

Als er iets is waar Irene Draper verstand van heeft, dan is het wel het bestieren van een hotel. Toen ze dit gebouw vijfentwintig jaar geleden vond, was het half vergaan en verwaarloosd. De oude man, de laatst overgeblevene van generaties van eigenaars, woonde in twee kamers op de begane grond; de rest van het huis was afgesloten. Toen ze op haar mooie leren schoenen de trap beklom, stelde ze vast dat die versleten en verrot was en dat er paddestoelen tussen de kieren in het hout groeiden.

De kamers op de bovenverdieping waren vochtig en beschimmeld, de vloerkleden krulden om, de bedden waren nat en verzakt en het behang kwam van de muren. Er was geen elektriciteit: de roestende gaslampen veroorzaakten oranjebruine vlekken op de muren. In een kleine hoekkamer trof Irene een bad aan dat gevuld leek te zijn met gordijnen, en er lag ook een kwade, blazende kat in die haar ineen gerolde kroost beschermde. In de kamers van de man op de benedenverdieping hing een muffe, benauwde, dierlijke geur. In een kamer die ooit ongetwijfeld als danszaal had gediend, groeiden de dikke, vezelige wortels van de laurierheg op een bijna obscene manier van onder de parketvloer de ruimte in.

De makelaar had haar aangekeken toen ze het huis uit liepen en in het felle daglicht stonden. Hij schraapte zijn keel. 'Er moet wel wat aan gedaan worden,' begon hij.

Irene negeerde hem, deels omdat ze zich sowieso aan hem ergerde, deels omdat ze niet wilde tonen hoe enthousiast ze was. Ze wist wel wat een koopje was. Dit huis straalde iets uit... Natuurlijk: verrotting, vocht en smerigheid, maar ook potentie. En Irene heeft een neus voor potentie.

Er woonden allerlei zwervers en schooiers in de bijgebouwen en het poorthuis. Zonder omhaal deelde ze gele formulieren aan hen uit waarin ze hun vertrek eiste. Op de dag dat de termijn was verstreken, stond ze met twee politieagenten uit Kingussie tegenover hen. Ze slingerden hun tassen achter in een verroeste bestelauto, en maakten, toen ze wegreden, schunnige gebaren. Maar daar zat Irene niet mee. Ze behoorde niet tot het type dat van dat soort dingen ondersteboven raakte. Ze was naar het gebouw gelopen en had haar mouwen opgestroopt.

Uiteraard had ze gelijk gekregen. Vandaag de dag was het een druk bezocht, succesvol en luxueus hotel. 'Een uit grijze steen opgetrokken, tweehonderd jaar oud, gekanteeld hotel met torentjes, omringd door uitgestrekte bossen en parken,' staat er in de brochure. 'Uitstekende service en zeer luxueus.' In de jaren tachtig had ze massagedouches laten installeren en in de jaren negentig bubbelbaden. Ze was er zelf een keer in gaan liggen, toen de bruidssuite een nacht niet verhuurd was, maar ze had er weinig aan gevonden. Ze heeft nog geen nieuwe plannen. Dat is het geheim van het succesvol leiden van een hotel: verbeteren, verbouwen, vernieuwen. Altijd een paar zetten vooruitdenken. Ze zal ook dit keer weer wat verzinnen, daar is ze vast van overtuigd.

Irene slaat onder de tafel haar benen over elkaar en geniet van het nylon dat over nylon schuurt. Ze heeft sinds kort haar eigen kantoor, dat is ondergebracht in een voormalige kleedkamer – met uitzicht op het bos. Ze draait haar hoofd om en kijkt uit het raam. Er beweegt iets tussen het lentegroen van de bomen. Er loopt iemand over het pad. Stella.

Dat was nog zoiets waar Irene gelijk in had gehad. Stella Gilmore was op een ochtend in februari langsgekomen, op een dag dat het zo koud was dat de blaadjes aan de bomen in een wit laagje ijs waren gehuld. Irene had haardvuren ontstoken in de slaapkamers en de verwarming hoog gezet. In alle kamers stonden de radiatoren te ratelen en te schudden. De kosten rezen de pan uit. En ineens was dit meisje bij de receptie verschenen en had om werk gevraagd.

Februari is een slappe tijd voor het hotelbedrijf en Irene neemt in die maand niemand aan. Maar toen ze naar beneden was gelopen om dat aan het meisje te vertellen, was ze van gedachten veranderd. Terwijl ze haar fraai gerestaureerde trap afdaalde, nam ze alles in zich op: de scharlakenrode jas, het kortgeknipte, zwarte haar, de tas die aan haar voeten stond. Ze hoorde de klinkers van haar Edinburghse accent. Ze zag de ietwat verwilderde blik in haar ogen en het witte, magere gezichtje. Buiten stond haar auto, de motor tikte nog na van een lange rit.

Tegen de tijd dat Irene het parket in de hal betrad, had ze de situatie ingeschat en besloten haar een baan aan te bieden. Dit meisje zou op de lange termijn een juiste investering zijn, daar was Irene zeker van. Met haar zou ze de extra uitgaven die ze in de slappe weken had moeten maken, terugverdienen, althans, als ze tot na de lente zou blijven. Het meisje verklaarde dat ze voor de radio had gewerkt, dat ze begreep dat dat niet veel met het hotelbedrijf te maken had, maar dat ze in haar tienerjaren in een café had gestaan en dat ze nu een tijdelijke baan nodig had.

Irene vroeg haar niets. Soms moeten mensen hun eigen leven ontvluchten, wist ze. In de hotelbusiness krijg je met allerlei soorten mensen te maken. De branche is aantrekkelijk voor weglopertjes, zoals zij. Een man, een minnaar, schatte ze in. Zoiets moest het zijn. Dit was zo'n meisje dat passie en dom gedrag in mannen losmaakte – die groene ogen, die gesloten, expressieve mond, die jas. Maar Irene had niets gevraagd. Ze was niet gek, ze was een zakenvrouw. Als een welbespraakte, goed ogende jonge vrouw in je hotel om werk komt vragen, dan neem je haar aan. Het is niet interessant waarvoor of voor wie ze op de vlucht is. Ze is goed voor het bedrijf.

Terwijl Irene in haar kantoor naar haar algemeen assistente zit te kijken die in de verte over het pad loopt, herinnert ze zich ineens iets. Ze staat op, licht de klink op en duwt het raam open. 'Stella!' roept ze.

Stella blijft stilstaan en kijkt om zich heen. Ze weet niet waar de stem vandaan komt en zoekt de gevel van het hotel af. Irene zwaait met haar zakdoek in de lucht. 'Hier!' roept ze. 'Joehoe!'

'O.' Stella houdt haar hand boven haar ogen. 'Hallo.'

'Er is voor je gebeld.' Irene kijkt nog even naar het papiertje waar ze het heeft opgeschreven. 'Nina heeft gebeld.'

Stella beweegt zich niet. Irene wacht tot haar verteld wordt wie Nina is, maar Stella zwijgt.

'Een halfuurtje geleden,' dringt Irene aan. 'Ze zei dat jij haar moest bellen. Het klonk nogal dringend.'

In de verte, aan de andere kant van het grasveld tussen de bomen, ziet ze Stella knikken. 'Goed,' zegt ze.

'Je kunt de telefoon in mijn kantoor gebruiken als je dat wilt,' biedt Irene ruimhartig aan. 'Als je even alleen wilt bellen,' voegt ze eraan toe.

'O, nee hoor.' Stella schudt het hoofd. 'Dank u wel.'

Geërgerd sluit Irene het raam.

Francesca staat midden in haar huis. Door het raam aan de voorkant ziet ze de straat, waar veel kinderen spelen. De jongens rijden rondjes op hun fiets, de meisjes zijn aan het rolschaatsen of touwtjespringen. Sommige kinderen kent ze uit de buurt of van school, andere heeft ze nooit eerder gezien.

Ze draait zich om naar de andere kant en kijkt door de deuropening naar buiten. In de zomer laat ze de achterdeur altijd open, want ze vindt het prettig dat de warme, stuifmeelrijke lucht naar binnen waait. Haar dochters zijn de hele ochtend bezig geweest met het bouwen van een hut van lakens en kussens. Ze hebben van het ene hek naar het andere een koord gespannen en het laken eroverheen gehangen. Aan de onderkant hebben ze het laken vastgelegd met stenen. Nu zitten ze in hun prachtige hut, met boeken, krijtjes, de kat, puzzels en bekers melk. Nina kwam een halfuur geleden met een stralend gezicht het huis binnen en vroeg of ze in de hut mochten lunchen, en Francesca had gezegd: natuurlijk, waar heb je zin in?

Francesca kijkt weer naar de kinderen aan de andere kant, en dan opnieuw naar de witte lakens waarachter haar dochters schuilgaan. Ergens is er iets misgegaan, dat weet ze. Ze begrijpt niet waarom haar dochters niet met de andere meisjes spelen, ze snapt niet waarom ze altijd met zijn tweeën zijn. Soms kijkt ze hen na als ze het huis uitgaan, of het schoolplein op lopen, terwijl Nina Stella's pols beetpakt als een armband of een handboei. En ze kijkt naar de andere kinderen als haar dochters langs hen heen lopen. Die gaan dicht bij elkaar staan, in groepjes. De meisjes fluisteren elkaar van alles toe. En de jongens schieten per ongeluk-expres een voetbal tegen haar dochters aan. Francesca zou die kinderen wel kunnen vermoorden, ze zou tegen hen willen schreeuwen of hun domme, achterlijke koppen tegen elkaar slaan.

Francesca staat aarzelend tussen de twee ramen en bijt op haar nagel. Ze is zich ervan bewust dat het haar schuld is: zij is hun moeder, zij is verantwoordelijk voor alles. Maar ze weet niet wat ze verkeerd heeft gedaan of hoe het zo ver heeft kunnen komen. Op de een of andere manier heeft ze onbedoeld twee vierkante staafjes gemaakt in een wereld vol ronde gaatjes.

Ze loopt naar de achterdeur en kijkt peinzend naar de hut. Misschien moet ze hun een glas limonade brengen en zeggen dat de lunch zo klaar is. Maar ze loopt langs de koelkast en door de keuken het huis uit. Haar blote voeten maken geen geluid op het gras. Het laken waarvan de tent is gemaakt, trilt in de zomerlucht. Francesca ziet de flank van het kattenlichaam dat tegen de strakgetrokken stof drukt; dan ziet ze, vlak bij de grond, een elleboog en daarboven een enkel.

Ze weet dat ze hen bespiedt, en dat dat verkeerd is, maar terwijl ze over het gras loopt, zegt ze tegen zichzelf dat ze niet weet wat ze anders moet doen. Heeft ze hen niet keer op keer, apart en samen, gevraagd of er iets niet in orde was op school, of ze wilden dat er iemand werd uitgenodigd om te komen spelen, of ze een verjaarspartijtje wilden, of ze haar iets wilden vertellen? Het antwoord luidt altijd weer: nee, en dan kijken ze haar scherp aan en wisselen een snelle blik uit.

Francesca kruipt naast de tent. Als ze haar ontdekken, zegt ze gewoon dat ze bezig is onkruid te wieden. Aan de andere kant van het laken beweegt het lichaam van een van haar dochters en er weerklinkt een zucht. Stella? Of Nina? Francesca weet niet wie het is. Ze hoort een zacht gezoem van stemmen, als bijen in een korf. Francesca leunt nog verder voorover.

'Je moet proberen er niet aan te denken,' zegt een stem. Nina, denkt ze. 'Als het in je opkomt, moet je het meteen weer vergeten. Dat doe ik ook altijd.'

Het lichaam dat het dichtst bij haar is, beweegt opnieuw. De botten en gewrichten maken bobbels in het witte laken. Het is Stella. Dat ziet Francesca aan de lengte van de ledematen.

'Maar,' fluistert Stella, zo zacht dat Francesca haar haren achter haar oor moet schuiven, 'dat kan ik niet. Het komt aldoor terug.'

Francesca denkt gespannen na. Wat? Wat komt aldoor terug? Het feit dat ze alleen zijn, geïsoleerd? Wat is het? wil ze smekend vragen. Zeg het me.

Dan zegt Nina: 'Niemand zal er ooit achter komen dat jij het bent geweest, Stel. Niemand. Daar zorg ik wel voor.'

Francesca heeft het ineens koud, alsof er een wolk voor de zon is geschoven. Ze staat op en terwijl ze wegloopt, trekt ze haar rok met een snelle beweging naar beneden. Ze gaat pizza maken voor de lunch. Dat gaat ze doen. Dat vinden ze lekker. En vanmiddag gaat ze met hen naar het strand.

Ze is weer in het koele huis. Ze slaat de deur met een flinke klap dicht en pakt het meel om het deeg te maken.

Stella zit in het lege klaslokaal en tikt met de achterkant van haar vulpen op de tafel. Vandaag is de laatste dag dat ze het aanmeldingsformulier voor de universiteit kan inleveren. Ze heeft er weken aan gewerkt en vulde de gegevens met potlood in: de resultaten die ze heeft behaald, haar activiteiten buiten het studieprogramma om, haar hobby's en de lijst van universiteiten waar ze naartoe zou willen. Ze heeft zinnen uitgegumd, opgeschreven en opnieuw geschreven totdat ze helemaal tevreden was. Dit vrije uurtje gebruikt ze om hetgeen ze met potlood heeft ingevuld, heel precies met de vulpen over te trekken. Ze heeft het hele formulier af, behalve de lijst met universiteiten:

Ze drukt de pen in haar handpalm en bijt op een haarlok. Buiten op het speelveld staat de gymnastiekleraar met een groep brug-klassers, die rond het hockeyveld moeten rennen. Na tien passen moeten ze zich op de grond laten vallen en zich opdrukken. Stella huivert. Ze wil zo snel mogelijk van school.

'Daar ben je.' Nina loopt door het klaslokaal naar haar toe. 'Ik heb je overal gezocht.'

'O,' zegt Stella en ze gaat rechtop zitten. 'Dat spijt me.'

'Wat ben je aan het doen?' Nina gaat op het tafeltje naast haar zitten. 'Je zit toch niet nog steeds met dat formulier te klooien?'

'Mmm.'

Nina kijkt over haar schouder. 'Ik begrijp niet waar je je druk om maakt. Je kunt overal terecht.'

'Ik ben bijna klaar.' Stella kijkt haar zus aan. Nina ziet er opge-jaagd en een beetje verward uit. 'Waar ben je geweest?'

Nina veegt wat grassprietjes van haar trui en zwaait haar benen heen en weer. 'In de kantine.'

'Alleen?'

Nina meesmuilt. 'Natuurlijk niet. Waarom zou ik dat doen?'

'Ik dacht dat je biologie had.'

'Dat is ook zo.' Ze haalt haar schouders op. 'Ik had echt geen zin.'

Stella rolt de pen van zich af en dan weer naar zich toe. 'Nien,' mompelt ze.

'Wat is er?'

'Niet nog eens blijven zitten, hè?'

'Dat doe ik ook niet.'

'Het zou wel kunnen.'

'Alsjeblieft, hou op.' Nina glijdt van de tafel af. 'Ga je mee?'

'Ik moet dit even afmaken.' Stella kijkt op haar horloge. 'Over vijf minuten ben ik bij het hek.'

'Goed.' Nina loopt naar de deur. 'Maar wel opschieten. Ik wil de stad in voor de winkels sluiten.'

Stella wacht tot ze weg is en kijkt dan weer op haar formulier. Edinburgh, eerste keus, St. Andrews, tweede keus, Londen, laatste. Ze hebben het jaren geleden al afgesproken: zijzelf gaat naar Edinburgh University, Nina naar het Edinburgh Art College. Ze blijven thuis wonen en delen de kamer die ze altijd hebben gedeeld. 's Morgens lopen ze samen naar de colleges. Perfect.

Stella is nog nooit in Londen geweest. Ze weet eigenlijk niet waarom ze die stad op de laatste plaats heeft gezet. Wordt er ooit iemand geplaatst in de stad die onder aan het lijstje staat? Stella betwijfelt het. Haar leraar heeft verteld dat het niet uitmaakte welke ze op de vierde en vijfde plaats zou zetten. Stella heeft Londen wel op tv en in films gezien: leuke pleinen met bakstenen huizen, bomen en zwarte hekken, de metro met de porseleinen tegels, markten in de openlucht, musea, duiven. Ze weet dat het zo'n 600 kilometer van Edinburgh ligt, dat de treinreis vier tot vijf uur duurt, dat het een grote stad is en dat er mensen wonen die met rare accenten praten.

Het is kil in het klaslokaal, de radiatoren brommen. Er marcheren Duitse deelwoorden in krijt over het bord en er dwarrelen stofjes in het licht van de kille winterzon. Buiten moeten de brugklassers achteruitlopen terwijl de gymnastiekleraar hen ballen toewerpt. Stella schuift haar haren achter haar oren en sluit haar ogen.

Als ze ze weer opent, lijkt het zonlicht helderder; de wanden van het klaslokaal lijken hoger. Ze draait de dop van de vulpen af, buigt zich over het formulier en schrijft in duidelijke, zwarte letters over het in potlood geschreven woord 'Edinburgh' het woord 'Londen'.

Mel staat bij het aanrecht en vult een glas met water. Aan de andere kant van het raam staat Jake in de tuin, bij de vijver die zij en haar vader maakten toen zij een jaar of zeven was. Mel ziet dat de kat met de staart omhoog over het grasveldje loopt, in zijn richting. Het dier blijft vlak bij hem stilstaan, kijkt tegen zijn rug aan en tilt een van zijn voorpootjes op. Het dier miauwt hoopvol, maar Jake hoort het niet. De kat wacht; zijn staart heeft de vorm van een vraagteken. Hij miauwt nog eens, een soort laatste noodkreet,

loopt dan naar voren en duwt met zijn kopje tegen Jakes scheen-
been.

Jake schrikt op, staakt zijn dagdromerij en springt opzij. Hij en
het dier kijken elkaar even aan. Mel houdt haar adem in. Zal hij de
kat aanraken? Zal hij lief zijn tegen het dier? Ze weet dat hij een
hekel heeft aan de hond, dat hij nauwelijks met het dier in één kamer kan verblijven, maar heeft hij net zo'n hekel aan de kat?

Ze ziet dat hij zich bukt, de rug van het dier aait en de staart onhandig door zijn vingers laat glijden. Ze weet dat hij nooit huisdie-
ren heeft gehad. 'Ik weet niet zoveel van andere soorten,' heeft hij
ooit tegen haar gezegd. De kat cirkelt om hem heen en lijkt verrast
door deze onverwachte aandacht, maar neemt met graagte alles
aan wat hij krijgt.

Jake is anders dan de andere mannen die een rol hebben ge-
speeld in Mels leven. Ze is zo'n vrouw die aantrekkelijk is voor
mannen die dure cadeaus voor haar kopen, maar haar dan vol ongeduld uitkleden, mannen die in restaurants de rekening betalen
maar daarna veel te hard naar huis rijden. Jake heeft geen auto. Ze
weet niet eens of hij kan rijden. Ze vermoedt dat hij zich geen raad
zou weten als ze hem zou vragen waar je sieraden, lingerie of huis-
gemaakte chocolade koopt.

Mel lacht. Ze weet dat haar familie het prettiger had geworden
als ze met een man getrouwd was die een goede overjas draagt, ge-
promoveerd is en een mooie auto heeft, een man die kan meepra-
ten over de economie, die weet waar je moet gaan skiën, interes-
sante verhalen vertelt over heesters die in de schaduw groeien en
die weet welke wijn bij welk gerecht gedronken dient te worden. Niet dat haar ouders of haar broers ooit iets lelijks over Jake
hebben gezegd, maar ze heeft gezien hoe ze soms naar hem kijken
– met een twijfelende blik van opzij.

En dat is ook zoiets. Jake heeft iets eenzaams, iets afgeronds dat
haar intrigeert. Andere mannen die ze kende – feitelijk iedereen
die ze ooit ontmoette – waren altijd bezig met het wel en wee van
de mensen om hen heen – hun families, hun vroegere vriendinnetjes, hun collega's en hun vrienden. Dat web leek eindeloos groot.
Maar Jake heeft geen familie, of in ieder geval weinig, spreekt
nooit over zijn vroegere vriendinnetjes, is gereserveerd tot op het

zwijgzame af en lijkt zo ongrijpbaar dat ze er nooit zeker van is of hij wel van haar is. En daardoor wordt Mel alleen maar nieuwsgieriger en is ze door hem gefascineerd. Ze is vastbesloten bij hem te blijven.

Haar eigen leven is vaak zo zwaar, zo vol mensen. Ze is natuurlijk dol op haar familie en op haar vrienden, ze zou niet zonder hen kunnen. Maar ze is geboeid door de vrijheid en lichtheid in Jakes bestaan.

Haar handen rusten op de rand van het aanrecht. Haar benen trillen, na al die maanden die ze in bed heeft doorgebracht. Eigenlijk zou ze moeten gaan zitten, maar ze wil liever nog even blijven staan kijken naar haar vreemde man die zich over haar kat ontfermt.

'Wat moet ik doen?'

Jake duwde de jaloezieën met zijn vingers uiteen en keek naar buiten. In het scherpe zonlicht zag hij in het gebouw aan de overkant een vrouw voor een badkamerspiegel op zoek naar grijze haren. Op de verdieping erboven zette een oude man zijn poedel op een plantenbak in de vensterbank om het beest te laten plassen.

'Wat?' schreeuwde Hing Tai vanuit de keuken.

'Ik zei...' begon Jake op luide toon, maar hij brak zijn zin af. 'Laat maar.'

Hij liet de jaloezieën los en draaide zich om, en op dat moment kwam Hing Tai uit de keuken gelopen met in zijn ene hand een dampende wok, terwijl hij met zijn andere een *chow fan* mengde met de karakteristieke polsbeweging die mevrouw Yee hen jaren geleden had bijgebracht, en die ze hadden geoefend met een vochtige doek, die de rijst moest voorstellen.

'Wat zei je?' vroeg Hing Tai. 'Ik kan je niet horen als de ventilator aanstaat.'

Hing Tai woonde tegenwoordig op Kowloon, in een flatje in Mong Kok. Tot afgrijzen van alle vier betrokken ouders was hij, zodra hij een baan had gekregen bij een groot radiostation, uit de familieflat vertrokken en ingetrokken bij zijn vriendin, Mui. Telkens als mevrouw Yee Jake zag, trachtte ze hem ertoe over te halen met Hing Tai te praten en hem duidelijk te maken dat hij terug moest naar de familieflat of in ieder geval moest trouwen (niet dat ze het meisje geschikt vond, mevrouw Yee vond haar helemaal geen goede echtgenote: ze had economie gestudeerd, werkte voor een platenmaatschappij en sprak vier talen, en dat was lang niet het enige). Telkens weer probeerde Jake dit onderwerp te vermijden, maar zonder succes.

Jake ging in een stoel zitten. 'Niets. Het doet er niet toe.'

'Wat?' zei Hing Tai. 'Zeg het maar. Je weet dat ik er een hekel aan heb als je dat doet.'

Hij streek over zijn kin. 'Het was niet belangrijk.'

'Jik-ah,' zei Hing Tai, die nog steeds ijverig bezig was met het roeren van de rijst. 'Als je het niet vertelt, krijg je een knal voor je schouder.'

Jake lachte en keek naar de mitella rond zijn linkerarm. 'Nou goed, in dat geval... ik zei net, of liever, ik geeuwde net en vroeg me af wat ik moest gaan doen.'

Hing Tai hield zijn hoofd schuin en keek hem aan. 'Wacht even,' zei hij. 'Ik haal het eten. En het bier. Voor zo'n gesprek hebben we eten en drinken nodig.'

Hing Tai liep naar de keuken en bracht daar met een hoop lawaai de boel in gereedheid. Jake pakte kommen en stokjes uit de kast en zette de spullen op tafel. Met veel moeite probeerde hij met zijn goede hand een bierflesje te openen, dat hij tussen zijn benen klemde.

'Laat mij dat maar doen,' zei Hing Tai. Hij ging zitten en nam de flessen en de opener van Jake over. 'Goed,' zei hij terwijl hij zonder moeite de kroonkurken van de flessen trok. 'Hoe gaat het met haar?'

'Ze...' Jake keek hoe zijn vriend de rijst in de kommen schepte. 'Niet best. Ik bedoel, ze wordt wel beter maar nu is ze... neerslachtig. Gedeprimeerd. Voortdurend in paniek. En dat...' Jake haalde zijn schouders op. '...Je begrijpt wel dat dat...'

'...Niet echt verbazingwekkend is,' vulde Hing Tai aan.

Jake knikte.

'Wat zeggen de artsen?'

'Ze zeggen dat ze ontstellend veel geluk heeft gehad. "Wonderbaarlijk," zeggen ze. Het is een wonder dat ze het heeft overleefd.

En ze zeggen dat ze het heel kalm aan moet doen. Dat verhaal van Lucy heeft alles nog veel en veel erger gemaakt. Natuurlijk. Steeds weer zeggen ze me dat ze geen opwinding kan verdragen, dat ze zich niet druk moet maken, dat ze totale rust nodig heeft. Dat is gemakkelijk gezegd, maar moeilijk in praktijk te brengen als je bedenkt dat ik voor iemand moet zorgen die bijna dood was en die haar beste vriendin zag sterven.'

'Tja.' Hing Tai pikte met zijn stokjes de mooiste stukjes garnaal uit zijn kom en deponeerde ze in die van Jake.

'En...' Jake onderbrak zijn zin, keek naar de stokjes van Hing Tai en probeerde met zijn hand zijn kom te bedekken. 'Hou daar eens mee op.'

Hing Tai duwde zijn hand weg. '*Eiyah*, waarom zo koppig?' zei hij met het stemmetje van zijn moeder, waarna ze allebei moesten lachen. Daarna wees hij met zijn vinger op hem. 'Jij moet weer op krachten komen, mannetje. Je ziet er vreselijk uit. Lijkbleek.'

'Ja, natuurlijk,' zei Jake grinnikend. 'Lekker de racist uithangen, waarom ook niet? Sla een man wanneer hij zwak is.'

'Houd je kop. En vertel eens...'

'M'n kop houden én iets vertellen?'

'Gewoon je kop houden! En vertel eens wat je wilde zeggen.'

'Wanneer?'

'Zonet. Je zei: "En..."'

'En?' zei Jake en hij dacht na. 'En?' Hij bracht wat eten naar zijn mond en herinnerde het zich weer. 'O ja.' Hij liet het eten weer in zijn kom vallen. Zijn goede humeur was even snel weg als dat het was gekomen. 'Ze...' Hij zuchtte en had helemaal geen zin meer om te praten. 'Ze wil naar huis toe.'

'Naar haar flat?'

'Nee. Nee, naar...'

'Engeland?'

'Ja.'

Hing Tai nam een slok van zijn bier. Het was even stil. Jake duwde een roze, halfronde garnaal door zijn kom.

'En ze wil dat jij meegaat,' zei Hing Tai ten slotte.

Jake knikte en keek niet op. De vingers van zijn gewonde arm staken uit de witte mitella. Ze waren bleek als kalk en stijf. Hij spande de spieren van zijn onderarm en was bijna verbaasd toen hij zag dat zijn vingers zich krulden. Het was alsof de arm geen deel meer van hem uitmaakte, maar een zwaar voorwerp was dat hij in het doek met zich mee moest dragen.

'Het is zo'n idiote situatie,' mompelde hij terwijl hij nog steeds zijn hand bestudeerde. 'En het wordt met de dag idioter. Soms kijk ik haar aan en dan denk ik: wie ben jij? Wat moet ik met jou? En dan komt het allemaal weer boven... wat er gebeurd is, wat ik deed, en...'

'Jake, je kon niet anders.' Hing Tai volhardde en drong aan. Hij sloeg met zijn vlakke hand op de tafel. 'Je had geen keus. Je hebt gedaan wat iedereen met een beetje... een beetje geweten in zijn donder ook had gedaan. Ze was aan het doodgaan.'

Jake keek zijn vriend zonder overtuiging aan.

'Je moet niet zo hard zijn voor jezelf,' zei Hing Tai op een vriendelijker toon.

'Maar ze is er zo zeker van dat we het gelukkigste paar in de wereld zijn en alleen het idee al maakt me... Ik bedoel, ik vind haar wel aardig.' Jake wachtte even en dacht na. 'Ik vond haar aardig. Dat weet ik zeker. Wat ik nu vind, weet ik niet. Het is allemaal een beetje... verwaaid, het is een beetje verwarrend. Ik bedoel: ze is... ze is niet...' Hij bewoog met zijn hand in de lucht.

'Ze is niet de juiste vrouw voor jou.'

'Precies.' Jake leunde opgelucht achterover in zijn stoel en was blij dat nu eindelijk was gezegd waar hij al weken mee in zijn hoofd liep. 'Bij lange na niet, zelfs. En ik heb het idee dat... dat er geen uitweg is, dat ik...'

'Nu misschien,' onderbrak Hing Tai hem. 'Je kunt dit nu niet met haar uitvechten, dat is duidelijk. Maar ze wordt wel beter.' Hij greep Jakes gezonde schouder en schudde die heen en weer. 'Ze wordt beter. En dan kun je het met haar overleggen. Dan wordt alles weer normaal en kun je het achter je laten.'

Jake keek naar zijn vingers, die zich strekten en bogen, strekten en bogen, lucht grepen en weer loslieten. 'Denk je?'

'Natuurlijk.' Hing Tai leunde achterover in zijn stoel, pakte zijn stokjes en kauwde erop terwijl hij nadacht. 'En wat die reis naar Groot-Brittannië betreft...'

'Godsamme nog aan toe,' barstte Jake uit in het Engels, en hij stapte toen weer over op het Kantonees: 'Ik moet wel gaan, vind je niet? Ik kan haar niet op een vliegtuig zetten en uitzwaaien, denk ik.'

'Tja.' Hing Tai schudde zijn hoofd. 'Dat denk ik ook niet. En wat gebeurt er met je werk?'

'Dat zal wel lukken. Chen is met een nieuw script bezig, dus de komende maanden hoeft er niet veel te gebeuren. Bovendien heb ik nog wel een jaar vakantie van hem te goed.'

'Het lijkt erop dat je een beslissing hebt genomen.'

'Er is een beslissing voor me genomen, om precies te zijn.'

'Hoe dan ook,' zei Hing Tai met een afwerend handgebaar. 'Je moet gaan, dat lijkt me duidelijk. En dat is prima. Misschien vind je het zelfs wel leuk. Je ziet je moederland, bijvoorbeeld.'

Jake gromde. 'Ik ben nooit zo nieuwsgierig geweest naar mijn moederland, zoals jij het noemt.'

'Niet zo zeuren,' zei Hing Tai en hij schoof zijn kom weg. 'Je levert haar af bij haar ouders, dan wacht je tot ze beter is, en vervolgens ga je weer. *Momantai*. Het lijkt me geweldig. Ik heb altijd al naar Londen gewild. Je kunt zelfs naar Schotland gaan.'

Jake keek op. 'Mijn vaderland bezoeken, bedoel je?'

'Precies.' Hing Tai lachte.

'Ik heb erover nagedacht,' gaf hij toe.

'Zie je nou wel. En vertel me niet dat je daar niet nieuwsgierig naar bent.' Hing Tai keek op zijn horloge. 'Ik moet weg. Ik ga met Mui naar de film. In Yau Ma Tei. Zin om mee te gaan?'

Jake krabde zich op het hoofd en keek op zijn eigen horloge. 'Ik zou wel willen, maar ik moet echt terug naar...'

'Je echtgenote?' grapte Hing Tai en hij trok een gek gezicht.

'Donder op.'

'Donder zelf op.' Hing Tai ging staan en rekte zich uit. 'Heb ik je niet gezegd dat je je nooit moet inlaten met een gweilo-meisje? Alleen maar ellende, jongen, alleen maar ellende.'

Jake doet de deur open en loopt zo zacht als hij kan de voorkamer binnen. De warmte valt als een golf over hem heen. Het is die droge, zuigende warmte die wordt veroorzaakt door radiatoren, afgesloten ramen en ongeventileerde kamers. De hond ligt in zijn mand bij de houtkachel. Het dier heft zijn hoofd op, spitst zijn oren en begint diep uit zijn keel te grommen. Het is nooit dol geweest op Jake. Hij steekt zijn tong naar het beest uit. Smerig stinkdier.

Hij loopt voorzichtig rond de bank en ziet dat Mel slaapt. Hij sluipt stilletjes weer weg.

'Jake?' Hij hoort haar zachte, krakerige stemgeluid juist op het moment dat hij bij de deur is. 'Ben jij dat?'

Hij loopt opnieuw om de bank heen, gaat naast haar zitten en ziet dat ze lijkbleek is en paarse wallen onder haar ogen heeft, hoewel hij daar nauwelijks meer van onder de indruk is. 'Ik dacht dat je sliep.'

'Dat was ook zo.' Ze gaapt en spert haar mond daarbij zo ver open dat hij het natte, rode stukje vlees achter in haar keel kan zien. 'Maar ik hoorde je binnenkomen.'

'Het spijt me. Ik wilde je niet wakker maken.'

'Het geeft niet.' Ze verschuift haar gewicht. De veren van de bank laten een zingend geluid horen, als van een harp. 'Fijn om je te zien.' Ze strekt haar hand naar hem uit. Jake moet zich ertoe zetten die te pakken. Ze maakt piepgeluidjes naar de hond, die antwoordt door met zijn staart op de rand van zijn mand te slaan.

'Luister,' begint Jake, 'ik wil even met je praten.'

'Echt?' Mel gaat gewoon door met het maken van de piepgeluidjes tegen de hond, die nu op dezelfde toonhoogte begint terug te janken. Jake krijgt er pijn van in zijn oren.

'Mel?' Hij knijpt in haar hand. 'Ik heb gisteren met je ouders gepraat en...'

'Gaat dit over het huwelijk?'

'Ja,' zegt hij verrast. 'Hoe weet jij...'

'Mijn moeder kan geen geheimen bewaren.' Mel blijft met haar hoofd op de kussens liggen en lacht naar hem. 'Ze wil altijd de waarheid vertellen, op het ziekelijke af. Ik word niet verondersteld op de hoogte te zijn. En pa wordt niet verondersteld te weten dat ik het weet. Het is allemaal heel ingewikkeld.' Ze legt haar andere hand voorzichtig op de zijne. 'Maar we kunnen het er wel over hebben. Als je dat wilt.'

'De kwestie is...' begint hij, en ineens ziet hij haar voor zich zoals ze was op de ochtend nadat ze voor het eerst samen hadden geslapen. Hij had haar mee uit genomen om *dim sum* te eten in een restaurant bij hem op de hoek. Ze zaten aan een tafel die zo klein was dat ze met hun knieën voortdurend tegen elkaar stootten, waardoor ze alletwee moesten lachen. Zij had gezegd dat ze altijd een beetje bang was geweest om naar dit soort tentjes te gaan, waarvoor bang dan, en toen had zij gezegd: ik weet het niet, en hij zei: wees maar niet bang. En dat was precies wat hij de avond daarvoor tegen haar had gezegd toen hij op het punt stond haar te zoenen. Waardoor ze alletwee opnieuw moesten lachen en zij haar stokjes had moeten neerleggen. Toen had ze gezegd: ik ben niet bang als ik bij jou ben, en hij had gezegd: goed zo.

'De kwestie is,' zegt hij nog eens, 'dat ik niet zeker weet...'

'Je weet niet zeker of je dit wel moet doen.'

Jake kijkt haar aan. Zelfverzekerd kijkt ze terug; ze heeft haar twee handen om de zijne geslagen. Zijn hart lijkt omhoog te golven in zijn lichaam, als een luchtbel in een glas water. Beseft ze het wel? Begrijpt ze het, ondanks wat er gebeurd is?

'Mel, ik...'

'Het is goed, Jake.'

'Is dat zo?' zegt hij, maar hij weet nauwelijks wat hij zegt of wat dit allemaal betekent.

'Ik begrijp dat het niet helemaal jouw stijl is.'

'Mijn stijl?' herhaalt hij.

'De kerk, een grote bruiloft, een witte jurk.' Ze houdt haar hoofd schuin en lacht. 'Ik zie jou nog niet in een jacquet lopen.'

Jake weet niet wat een jacquet is, maar hij kan zich er iets bij voorstellen.

'Ik weet niet wat we gaan doen.' Ze drukt een knokkel tegen haar slaap en kijkt uit het raam. 'Dit heb ik natuurlijk niet tegen mijn moeder gezegd. Ze proberen gewoon lief te zijn. Ze denken dat het goed voor me is. Iets waar ik naar kan uitzien, zoiets. Ik weet nog niet wat we gaan doen,' zegt ze nog eens. 'Maar daar hoeven we ons nu geen zorgen over te maken. Misschien,' zegt ze op een samenzweerderige fluistertoon en ze trekt haar ene wenkbrauw op, 'doen we het toch. Om hun een plezier te doen. Je weet hoe ouders zijn. Zou je het aankunnen?'

De bus naar het vliegveld vertrekt van Hennessey Road. Jake sukkelt met gebogen hoofd zijn flat uit, alsof hij tegen de wind in moet lopen. Hij draagt de oude rugzak van zijn moeder en in zijn rechterhand houdt hij de twee koffers van Mel. Ze loopt ergens achter hem te praten. Hij weet inmiddels dat zijn zwijgzaamheid haar nerveus en praatziek maakt: ze wil de gaten opvullen. Achter zijn rug heeft ze het over het verkeer, dat ze blij is dat ze vertrekken, dat ze op tijd bij de incheckbalie wil zijn want ze wil graag een plaatsje bij het gangpad, en weet hij wel zeker, weet hij absoluut zeker dat ze niet beter de sneltrein hadden kunnen nemen in plaats van de bus, en dat ze zich op zijn zachtst gezegd ongerust maakt over het verkeer, want al is het nog vroeg in de middag, er komt al veel verkeer uit de richting van de Causeway Bay en is hij...

Hij kan op dit moment niet naar haar kijken, dus zorgt hij ervoor dat ze vlak achter hem blijft lopen. Zijn schouder doet pijn door de riemen van de rugzak. Er zit gips om zijn onderarm, die bleek en zwaar langs zijn zij hangt. Hij heeft er niemand iets op laten schrijven of tekenen. Er is iets aan dit stralend witte, hol klinkende gipsverband dat hij, hoe vreemd ook, prettig vindt. Hij vergeet langzaam hoe zijn arm eruitziet.

Ze zit bij de bushalte op de koffer. Ze ziet er asgrauw en vermoeid uit door het wandelingetje. Ze zwijgt nu en kijkt hem af en toe angstig aan. Jake ziet de bus al van verre komen.

Als ze eenmaal zitten, lijkt de bus ongehoord snel te rijden. Ze denderen voort en laten Wanchai achter zich. Aan de ene kant ziet hij, door de openingen tussen de gebouwen, de heuvels en de bergen, en aan de andere het door de zon beschenen water van de haven. De bus rijdt een stijgende weg op; de straten die nu onder hen liggen, lijken smal, en de mensen lijken kleiner dan ze zijn. Jake ziet dat de bus weerspiegeld wordt in de gevels van de gebouwen – gefragmenteerd en vervormd – en heel even ziet hij zijn eigen gezicht, hij kijkt zichzelf aan. Dan is het weer voorbij.

Mel vouwt haar hand in de zijne. Jake herinnert zich dat hij het vroeger, toen ze nog in orde was, fijn vond hoe ze zijn hemden losknoopte – ingespannen en met ontzag, als een kind dat een cadeautje uitpakt. Misschien is hij haar dit wel verschuldigd, dit is het minste wat hij kan doen. Misschien valt het allemaal wel mee. Misschien komt hij erachter dat hij van haar kan houden. Misschien duurt het niet al te lang tot hij weer terug kan gaan.

Bij de laatste halte voor de tunnel stapt, tergend langzaam, een gezin op de bus, maar juist voor de deuren dichtgaan, vliegt er iets donkers de bus in met een gebroken beweging, alsof het aan een touw vastzit. Het vliegt tegen het plafond en fladdert vervolgens naar de voorruit, botst tegen het glas. Jake kijkt er ademloos naar. Het heeft leren vleugels en een gedrongen, gespierd lijfje. Een vleermuis.

Er gaat een ontzet gemompel door de bus. Mel grijpt zijn hand beet. De vleermuis vliegt weg van de voorruit. Het dier is in de war en gedesoriënteerd en valt op de grond. Juist als het in de buurt van de passagiers komt, wint het hoogte en scheert over hun hoofden. Mel gilt en duikt met haar hoofd tegen Jakes schouder. Die is korte tijd dermate verblind door de pijn dat hij niet kan zien wat er gebeurt.

Als hij zijn ogen opendoet, ziet hij dat een Chinese vrouw in een beige mantelpakje probeert op te staan met haar handen tegen haar hoofd geklemd. Ze schreeuwt niet, in tegenstelling tot veel andere passagiers, maar slaakt onderdrukte kreetjes. Door haar tranen loopt haar make-up uit. In haar zijdeachtige zwarte haar kronkelt en worstelt iets. Met zijn klauwen probeert de vleermuis plukken haar te grijpen.

Jake springt op. 'Doe het raam open,' zegt hij tegen Mel.

De vrouw snikt. Haar haar is in de war en plakt aan haar natte gezicht. Mensen doen de ramen open, waardoor er frisse lucht de bus in waait. Iedereen kijkt hem met opengesperde ogen aan. Mel strekt een hand naar hem uit. Er zit een krant in.

'Gebruik deze, Jake,' zegt ze. 'Gebruik deze.'

Hij moet zijn arm uit de mitella wurmen om de krant te kunnen aanpakken. Hij vouwt haar open en spreidt het papier uit over het hoofd van de vrouw. Door al die bewegingen doet zijn arm vreselijk pijn, zijn vingers prikkelen. Door het papier heen voelt hij het dier met zijn leren vleugels slaan en krabben met zijn klauwen.

Op dat moment rijdt de bus de tunnel in, waardoor het plotseling stil en donker wordt. De bus en de heen en weer schommelende passagiers worden opgeslokt door een spookachtige, oranjegele gloed. In een beweging vouwt Jake het papier rond het dier en trekt. Maar de vleermuis worstelt zich los. De vrouw ligt zachtjes te snikken. Hij probeert het nog een keer en ditmaal voelt hij dat hij het kleine diertje, stijf van paniek, in zijn hand geklemd heeft. Hij vouwt de krant er strak omheen. Jake heft zijn arm op. Zijn schouder bonkt van de pijn. Er vallen lange plukken haar van de vrouw uit de verfrommelde krant. Hij draait zich om. Een man van middelbare leeftijd begeleidt hem naar het raam. Jake loopt ernaartoe en gooit het bundeltje naar buiten.

De wind grijpt het gulzig beet. Het papier waait weg in de luchtstroom van de bus en valt dan op het grijze asfalt. Jake ziet dat het zwarte, gevleugelde dier eruit te voorschijn komt en wegvliegt in de duistere tunnel.

Zijn moeder doet achter in de kamer yogaoefeningen. De Begroeting van de Zon. Dat betekent gedag zeggen, hallo zeggen. Ze spreidt haar handen uit op de mat en dan drukt ze, terwijl ze haar voetzolen op de mat drukt, haar lichaam omhoog, zodat haar haren naar beneden hangen. Soms kruipt Jake onder haar lichaam door en dan moet ze vreselijk lachen en valt ze terug op de grond, maar vandaag heeft hij er geen zin in.

Hij schopt met zijn hielen tegen de stoelpoten en leunt met zijn ellebogen op tafel. Hij rolt een zwart krijtje van zich af, dan weer naar zich toe, heen en weer, heen en weer. Buiten verwarmt de zon de gebouwen, de straat, het glas in de ramen en de plafonds van de bussen. De thermometer die bij het keukenraam hangt, stond vanochtend op tweeëndertig graden. 'Het wordt warm vandaag,' zei zijn moeder toen hij het haar liet zien. Zijn moeder, dat is Caroline, maar ook mam. Hij heeft haar altijd Caroline genoemd, maar zorgt er wel voor dat hij haar op school 'mam' noemt, omdat iedereen hem anders uitlacht.

'Wat ben je aan het doen, Jakey?' Caroline staat op een been en heeft haar armen boven haar hoofd geheven, haar handen wijzen als een pijl naar het plafond. 'Ben je een tekening aan het maken?'

Jake houdt het krijtje in zijn vuist. Wanneer hij zijn hand eromheen doet, is het verdwenen. Niemand weet dan dat het er ooit geweest is. 'Nee,' zegt hij.

'O. Ben je een verhaal aan het schrijven?'

'Nee.' Hij voelt dat zijn moeder naar hem kijkt, maar hij blijft recht vooruit kijken.

Ze verschijnt tegenover hem en gaat aan tafel zitten. Ze schuift de kopjes van de thee die ze vanochtend hebben gedronken, opzij, net als de bus met suiker. TAIKOO staat er op de bus. Jake vindt dat een leuk woord.

'Ben je een brief aan het schrijven?'

Hij houdt het krijtje vast zoals Caroline hem geleerd heeft als hij wil schrijven: ingeklemd tussen zijn duim en wijsvinger, rustend op de spier van zijn hand. Hij knikt kort.

'Aan Hing Tai?'

Hij schudt zijn hoofd.

Zijn moeder kijkt hem vragend aan. 'Aan wie dan?' Ze strekt haar hand uit en strijkt de haren van zijn voorhoofd. 'Aan wie schrijf je dan, liefje?'

'Mijn vader.' De woorden komen er heel gemakkelijk uit. Twee woorden maar. Jake kijkt zijn moeder angstig aan. Wordt ze nu boos?

Ze staart hem met opgetrokken wenkbrauwen aan. Haar uitgestrekte hand, waarmee ze over zijn haren strijkt, lijkt bevroren en voelt zwaar aan op zijn hoofd. Hij wil onder de hand uit duiken, maar durft niet. Dan beweegt ze eindelijk weer: ze aait over zijn pony. 'Nou,' zegt ze, 'dat is prachtig, Jakey. Hoe ver ben je?'

Jake kijkt naar het rechthoekige stuk papier dat voor hem ligt. 'l e i v e' staat er in grote, zwarte letters. 'Ik weet niet hoe ik hem moet noemen.'

'Hoe bedoel je?' vraagt ze rustig.

'Nou…' Hij glijdt met zijn scherpe nagel langs het krijtje. Er komen kleine wormpjes van was vanaf, die op het papier vallen. 'Moet ik zeggen "Tom" of "pap"?'

'Tja.' Ze denkt na en kijkt uit het raam. 'Ik denk… het kan alletwee, liefje.' Ze pakt de bus Taikoo en houdt hem in twee handen geklemd voor zich. 'Het hangt ervan af… hoe je over hem denkt.

Wanneer je aan hem denkt, zeg je dan "Tom" of "pap"?'

'Ik...' Jake fronst zijn wenkbrauwen. 'Ik weet het niet. Ik denk... Als ik aan hem denk, zie ik iemand voor me. Een groot iemand. Iemand die op mij lijkt.'

Zijn moeder knikt. 'Dat klopt. Hij lijkt op jou. Hij lijkt heel veel op jou.' Ze neemt een haarlok in haar mond. 'Jullie zien er precies hetzelfde uit, eigenlijk.'

'Wat moet ik er nou boven zetten?' Zijn krijtje hangt boven het witte papier.

'Misschien... misschien is "Tom" het beste. Wat vind je zelf?'

'Goed.' Hij is al bezig de kromme poot van de t te tekenen.

Caroline zit naast hem. Ze geeft hem de kleurtjes die hij nodig heeft en helpt hem met de spelling van de woorden als hij erom vraagt. 'ik wil je graag ontmoeten,' schrijft hij. Dan maakt hij een tekening van hun flat en schrijft ernaast: 'wij wonen in hongkong. kom snel. als je het leuk vind. liefs Jake xxx.' Onderaan maakt hij een tekening van zichzelf en Caroline. Zij krijgt haar favoriete roze gewaden aan, hijzelf draagt zijn groene pet, maar hij zorgt er wel voor dat zijn haar ook een kleurtje krijgt, zodat Tom weet dat het zwart is, net als dat van Tom zelf.

'Jake, het is prachtig,' zegt Caroline nadat hij haar de tekening in handen heeft gegeven. 'Echt mooi. Ik vind het schitterend. Maar er is één probleem,' zegt ze voorzichtig, terwijl ze zijn tekening bewondert. 'Ik weet niet hoe we dit moeten posten.'

'Ik wel.' Hij loopt de keuken in en komt terug met een lege fles van de sojasaus die ze de vorige avond bij het diner nog hebben gebruikt.

Zijn moeder kijkt er even naar, begint te lachen en klapt in haar handen. 'We moeten hem wel eerst omspoelen,' zegt ze. 'We willen natuurlijk niet dat er sojasaus op je prachtige tekening komt.'

Ze nemen een bus en rijden over de heuvel van Hongkong Island, via diep in de aarde snijdende wegen met betonnen wanden erlangs en langs bomen met vuurrode bloesems. Dan komen ze bij Aberdeen Harbour. De kronkelweg voert steeds dichter langs het uitgestrekte wateroppervlak. Het is een benauwde, vochtige dag: boven hen hangen mistige wolken. Caroline onderhandelt met de verhuurder van de sampan; tot tweemaal toe doet ze alsof ze wil weglopen, maar dan spuugt de man in het water en geeft aan dat ze kunnen instappen.

Met zijn ene hand houdt Jake de rand van de boot vast, in de andere heeft hij de fles. Zijn moeder moet hem ervan weerhouden dat hij de fles al in het water gooit als ze net twee minuten onderweg zijn.

'Wacht nog even,' zegt ze met haar hand op zijn schouder. 'Wacht even tot we een stukje verder zijn.'

Het donkere, woelige water schuimt langs de brede kiel van de sampan. De man zit bij het roer, zijn gezicht verborgen achter een driehoekig hoofddeksel. Van hier ziet de stad er minuscuul uit: een verzameling ongelijke, rechtopstaande dozen die wordt overschaduwd door enorme, groene bergtoppen. Jake heeft vastgesteld dat ze nu ver genoeg zijn. Hij houdt de fles bij de hals vast, beweegt zijn arm naar achteren en werpt de fles in de richting van de horizon. Met een boog vliegt ze door de lucht en raakt het zeeoppervlak, waarna ze even aan het zicht onttrokken is. Dan ziet Jake het rode dopje te voorschijn komen, en binnenin ziet hij zijn opgerolde brief – veilig en droog.

Mair was nooit helemaal hersteld van de rantsoeneringen. Die van regeringswege opgelegde voedselbeperkingen hebben tot aan het eind een stempel op haar leven gedrukt. Ze pakte haar achterkleinkinderen bij hun polsen als ze in haar keuken boter op hun broodjes smeerden. 'Niet te veel, pas op,' zei ze dan, de aardewerken botervloot wegschuivend. Haar schoondochters giechelden achter haar rug omdat ze eieren in haar provisiekast hamsterde tot ze bedorven waren.

Ze woonde in een vallei in het zuiden van Wales, in een dorpje met een naam die door mensen van over de grens niet uit te spreken was: ze braken hun tong over al die dubbele l's en d's. En alsof de voedselrantsoenering nog niet genoeg was, stuurden ze haar ook nog eens evacués uit Swansea en Cardiff op haar dak: kwajongens die ze, zo deelden de autoriteiten mee, onderdak moest verlenen en te eten moest geven.

Ze waren smerig – zo smerig had Mair het nog nooit meegemaakt. De drie snotneuzen met vuile gezichten die op haar drempel stonden, stonken een uur in de wind. Mair liep de gang weer in en riep tegen haar zonen, die in de keuken vliegtuigen aan het tekenen waren: 'Naar boven. Alletwee. En wel nu.'

Toen ze de deur van de slaapkamer hoorde dichtslaan, liep ze met de evacués snel het huis door, naar de achtertuin. Daar verbrandde ze hun kleren, het bruine papier dat ze droegen in plaats van ondergoed, en hun haren, die ze met een uitklapbaar scheermes van hun luizige hoofden had geschoren. Ze deed hen de verstelde pyjama's van haar zoons aan en legde hen in bedden op de vliering.

Soms, als ze niet kon slapen – wat dikwijls het geval was – hoorde ze hen huilen: een klagelijk janken dat dwars door de plafondbalken, het pleisterwerk en het behang heen te horen was – behang dat Huw een paar jaar daarvoor op een lentedag had aangebracht, toen die eindeloze oorlog nog niet was begonnen. Maar wat wou je? Ze waren goddeloos, die kinderen. De eerste avond had ze gezegd dat ze hun gebedje mochten opzeggen, maar ze hadden haar aangekeken alsof ze twee hoofden had. Binnen een week had Mair het voor elkaar dat ze naast hun bed knielden en het onzevader stamelden: 'Ein Tad, yr hwn wyt yn y nefoedd, sacteiddier dy enw, deled dy dernas...' Dat was tenslotte haar plicht, als christen. Ze had haar hele leven nog nooit een zondagsmis in de kapel overgeslagen.

Ze was op haar achttiende met Huw getrouwd en nog steeds had ze er stiekem plezier in dat haar vriendinnen destijds zo jaloers waren geweest. In tegenstelling tot de meeste mannen in het dorp werkte Huw niet in de mijn zelf, maar op het administratiekantoor. Terwijl haar vriendinnen de zwarte smurrie van de lichamen van hun mannen moesten boenen, serveerde zij haar echtgenoot, die elke dag een schoon overhemd aantrok, het eten op een fatsoenlijk porseleinen bord.

Eten was iets magisch voor Mair, het was haar reden om te leven, iets waar ze elke ochtend haar bed voor uitkwam. Telkens weer raakte ze betoverd door de eenvoudige alchemie van voedsel: ze kon een bak met meel, een paar eieren, een klont boter en een scheutje melk omtoveren tot een taart, koekjes of pannenkoeken

– tot van alles, eigenlijk. Haar moeder had haar geleerd schuimpjes te maken van stijfgeklopt eiwit in een afkoelende oven. 'Je moet ze erin laten zitten tot de bovenkanten lichtbruin worden,' zei ze dan, terwijl ze Mair de pollepel af liet likken. 'Dan moet je ze eruithalen. Snel! Snel!' Of Moskovisch gebak, dat zo licht was dat je bij wijze van spreken lucht hapte. Maar ook soda bread (dat je moest eten met gezouten boterkrullen), zandgebak, vruchtentaart, appelbeignets, confituurtaartjes, haverkoekjes, strooppudding, trommelkoek, broodpudding en Welsh cakes: ronde, met rozijnen gevulde en met poedersuiker bestrooide gebakjes. 'Mannen beoordelen je naar de manier waarop je je Welsh cake bereidt,' had haar moeder verklaard terwijl ze klonten boter mengde door het meel dat door de zeef viel die Mair boven de kom schudde.

Mair was dol op eten – maar alleen als het stiekem kon. Pas toen ze getrouwd was en een eigen woning had, ging ze eten zien als een verboden genoegen: vrouwen konden aan een lepel likken, een pan leegschrapen of een hap taart nemen, maar alleen als hun mannen weg waren. Het was het enige pleziertje dat ze zichzelf gunde: die stiekeme momentjes voor zichzelf, terwijl haar man naar zijn werk was en de jongens in de achtertuin speelden. Dan stond ze in de keuken en nam een hap van een lekker zoet stuk marmeladebrood of beet in de zachte korst van een appelbeignet. Ze vond het moeilijk om te eten als er iemand anders bij was. Mair had er een hekel aan bekeken te worden, ze hield er niet van dat iemand kon zien hoeveel appelflappen ze at of de geluidjes kon horen die ze maakte als ze iets doorslikte. De opwindende, overschrijdende geheimzinnigheid was juist een deel van het genot. Wanneer er iets tussenkwam – als er een buurman bij de achterdeur verscheen of een van de jongens de trap afdaalde – verstopte ze hetgeen ze aan het eten was achter een voorraadbus of een van haar decoratieve theepotten.

Huw stond elke keer weer perplex als hij in een la of in het dressoir een half opgegeten boterham vond die helemaal groen was van de schimmel. Hij ging ervan uit dat een van de kinderen het had verstopt. Hij vertelde het zijn vrouw, waarop zij de resten verontwaardigd in de allesetende haard deponeerde. Het bestraffen van de kinderen liet hij aan haar over: in het huishouden was eten haar domein. Het was nooit bij hem opgekomen dat hijzelf in de meeste gevallen de oorzaak was van haar verstop- en vluchtgedrag. Voorzover hij wist was zijn vrouw, die zelfs na het baren van twee kinderen nog hetzelfde figuur had als toen ze trouwde en in dit huis was komen wonen, niet geïnteresseerd in eten. Ze at maar heel weinig.

Maar de oorlog verpestte alles voor Mair. In plaats van de prachtige, oranjegele eidooiers van de boerderij verderop kreeg ze van regeringswege eipoeder, dat ze moest mengen met water, boterkrullen en een miezerig zakje suiker – en daarmee kon ze haar gezin voeden. Ze was een huisvrouw, zij moest het eten verzorgen. Maar dat ging toch niet met deze gedroogde, smakeloze troep? En door de rantsoenering was het ook nog eens onmogelijk geworden de extraatjes voor zichzelf te maken. En al had ze een presenteerblad vol koekjes gehad en zo veel boter als ze zich wenste, dan had ze er nog niet van kunnen genieten: het huis wemelde immers van die vreselijke smeerpoetsen, die de hele dag in de keuken zaten te kniezen en haar voor de voeten liepen. Daarmee werd haar levensdoel haar ontnomen, het enige pleziertje dat ze had. En ze moest het geliefde keukengerei van haar moeder nu ook wel van de hand doen. Ze wilde die spullen niet beledigen met deze vieze troep.

Zelfs aan het eind van haar leven, toen ze gekluisterd zat aan een stoel in een bejaardentehuis in de buurt van de haven van Swansea, herinnerde ze zich nog het gevoel van haar moeders pollepel tegen haar tong, dat ruwe, vochtige, verzadigde hout, en de smaak van rauw deeg, het plakkerige mengsel van ei, meel en water, en het droge handvat dat ze stevig in haar vingers hield. Haar moeder had haar de spullen vlak voor haar dood gegeven, alsof ze wist wat er zou gaan gebeuren, bedacht Mair. 'Koken komt er niet meer van, *cariad*,' had ze gezegd terwijl ze de spullen inpakte in krantenpapier – de porseleinen mengkom met het gebarsten glazuur, de pollepel, de garde met het koperen handvat, de ijzeren suikerrasp en het melkpannetje met de koperen bodem.

Mair zat altijd in haar stoel, vanwaar ze, als ze rechtop zat, uitkeek over het onstuimige, grijsbruine water van het Bristol Channel en de lege dokken. Wanneer haar zoon op bezoek kwam, vroeg ze hem altijd: 'Wat is er toch gebeurd met de mengkom van mijn moeder? Wie heeft de mengkom van mijn moeder?' Hij ontweek de vraag, en dan wendde ze zich tot haar schoondochter, die altijd haar jas aanhield, en vroeg haar: 'Heb jij hem misschien? Gebruik jij hem? Vertel eens!'

Op een dag – ze hadden allang besloten de vraag niet te beantwoorden – mompelde ze: 'Misschien heeft Caroline hem wel.'

Haar zoon had verbouwereerd opgekeken uit de folder over de auto die hij wilde kopen. Zijn vrouw staarde hem geschokt en met open mond aan. Want Carolines naam werd nooit genoemd door zijn moeder, en als iemand het over haar had, kwam er een strakke, lege blik in haar ogen. Maar hij was wel zo slim om deze kans te grijpen. Hij werd doodziek van die stomme mengkom.

'Ja, ja,' zei hij snel terwijl hij van de weeromstuit zijn folder verkreukelde, 'dat klopt. Caroline heeft hem.'

Mair ging achterover zitten in haar stoel en dacht aan de mengkom, waarin je zo goed eieren door het meel kan kloppen, en ze dacht aan Caroline, haar jongste kind, haar zonde, haar schaamte.

De klok tikt door. Twee uur 's nachts. Drie uur. Vier uur. Om halfvijf staat Jake op en schuift voorzichtig het bed uit, zodat Mel niet wakker wordt. Hij huivert van de kou, dus hij trekt een trui aan, loopt op zijn tenen de kamer uit en sluit de deur achter zich.

De vloer is ijskoud, het licht blauwachtig. De hond ligt in zijn mand in de bijkeuken en begint te grommen. Hij controleert of de deur tussen hem en de hond goed dichtzit, gaat vervolgens aan tafel zitten en trekt de telefoon naar zich toe. Van hier weet hij niet precies welke nummers hij moet draaien. Hij waagt twee pogingen, en dan heeft hij verbinding: hij hoort het wonderlijke geluid van de beltoon die overgaat. Ik hoop in godsnaam dat je er bent, zorg dat je er bent.

'Ja, hallo?' De stem van zijn moeder, duidelijk en een tikkeltje ongerust, weerklinkt in zijn oor.

'Ik ben het,' zegt hij, als altijd. 'Hoi.'

'Jakey.' Hij kan horen dat ze lacht. 'Ik ben zo blij dat jij het bent. Ik heb de hele dag aan je gedacht. Hoe is het met je?'

'Goed. Niet slecht.'

Het is even stil. Hij luistert naar de geluiden van de afstand, de satellieten, de deining van de Stille Oceaan.

'Hoe is het met je arm?' Het is of ze anders is gaan zitten. Ze heeft haar mond nu dichter bij de hoorn. 'Zit er nog gips omheen?'

'Nee. Ik heb het er van de week laten afhalen. Het gaat goed nu. De arm wordt wel een beetje stijf door die kou hier, maar hij ziet er goed uit. Bijna weer normaal.'

'En…' Ze wacht even en kiest haar woorden met zorg. 'En Melanie? Hoe gaat het met haar?'

'Nou, ja… het is een traag proces. Het gaat langzaam beter. Maar ze heeft het veel zwaarder te verduren gehad dan ik, begrijp je.'

'Ja.' Zijn moeder haalt hoorbaar adem. 'Ik kan nog steeds niet geloven dat jij dat allemaal hebt meegemaakt. Toen Lionel die ochtend met de kranten kwam, zei ik…'

'Caroline, het is goed. Het gaat goed met mij, snap je?'

'Ik weet het, ik weet het.' Ze begint zenuwachtig te lachen. 'Ik wil je gewoon zien, denk ik. Naar je kijken.' Ze lacht nog eens, maar ditmaal gewoon. 'Pas dan geloof ik dat het goed met je gaat. Een beetje neurotisch, ik weet het.'

Jake pakt een van de medicijnflesjes die op tafel staat en leest het etiket: tweemaal daags na de maaltijd M.J. Kildounc. Hij zet het flesje neer. 'En hoe gaat het met jou?'

'Met ons gaat het uitstekend. Ik werk hard. Lionel niet. Met de katten gaat het goed. Maar luister eens, daar wil ik het niet over hebben. Vertel me eens hoe het er voorstaat, bij jou.'

'Het is nogal…' Hij twijfelt. 'Het is nogal ingewikkeld.'

'Hoe bedoel je, ingewikkeld?'

'Gewoon, ingewikkeld.'

Hij weet dat zijn moeder allerlei dingen achterhoudt die ze eigenlijk zou willen zeggen. Hij maakt een kringetje van de medicijnflesjes, de etiketten naar binnen gekeerd.

'Het is daar midden in de nacht, toch?' zegt zijn moeder.

'Dat klopt, ja.'

'Kun je niet slapen?'

'Nee. Niet echt. Ik val wel in slaap, maar daarna word ik telkens wakker.' Hij kijkt op de klok die boven het fornuis hangt.

'Luister, ik moet ophangen. Ik bel met hun telefoon.' Jake zucht diep. 'Caroline, ik zat te denken...' Hij wacht even, niet wetend hoe hij verder moet gaan.

'Ja?'

'Ik zat eraan te denken een reisje te gaan maken. Naar Schotland. Nu ik hier toch ben. Waarom niet, zat ik te denken. Gewoon rondkijken, begrijp je?'

Weer die gonzende stilte, slechts onderbroken door de ademhaling van zijn moeder.

'Nou ja,' zeg ze, 'als je daar zin in hebt, Jake. Maar ik weet niet... ik weet niet wat je daar zult aantreffen. Ik bedoel, ik weet niet wat je daar... vindt.'

'Dat weet ik pas als ik er geweest ben, nietwaar? Ik zat te denken: nu ik hier toch ben, zou ik wel gek zijn als ik niet naar de plek ging waarnaar ik genoemd ben. Vind je ook niet?'

'Tja.' Ze is niet erg enthousiast. 'Misschien heb je gelijk.'

Hij heeft al acht minuten gebeld. 'Ik moet nu echt ophangen.'

'Jake, bel me snel weer, dat doe je toch?' zegt ze snel. Ze wil, nu het gesprek bijna ten einde is, nog zoveel mogelijk woorden tegen hem zeggen. 'Of schrijf. Lionel krijgt e-mail. En laat me weten waar je naartoe gaat. En of je iets nodig hebt.'

'Dat zal ik doen.'

'Wat dan ook.'

'Goed.'

'Beloofd?'

'Beloofd.'

Francesca en Stella treffen elkaar tot beider verrassing in de keuken. Francesca dacht dat iedereen weg was en wilde juist stiekem een heerlijk bad nemen, midden op de dag – iets wat ze vaker doet als ze denkt dat er niemand in huis is. Stella staat naast de tafel een broodje te eten en, ziet Francesca tot haar ontsteltenis, draagt een lange, scharlakenrode, plastic regenjas. Ze heeft de kat, Max, als een vossenbontje over haar schouders gedrapeerd.

'Hallo,' begint Francesca vriendelijk, in een poging het niet over de jas te hebben of er zelfs maar aan te denken. Nina mag kuren hebben, maar Francesca meent te weten – meent altijd te hebben geweten – wat er in haar omgaat en wie ze is. Maar bij Stella heeft ze in toenemende mate het gevoel dat ze de greep verliest. Dat eindeloze gedagdroom van haar, haar ziedende reactie wanneer je haar betrapt. Francesca heeft het idee dat er veel meer in Stella's hoofd omgaat dan je zou denken.

Stella eet knorrend haar broodje. De kat spint luid en zet zijn nagels uit.

'Ik dacht dat jij en Nina een wandeling gingen maken.' Francesca denkt aan het bad, dat is gevuld met heerlijk warm water.

'Dat was ook zo,' mompelt Stella.

'O.'

'Maar ik ben teruggekomen.'

'Dat zie ik, ja.' Francesca loopt naar de koelkast, wil hem opendoen, maar bedenkt zich dan. 'En waarom?'

Stella zegt iets onverstaanbaars en aait Max over zijn gestreepte staart.

'Pardon?'

'Ik zei: Nina wilde naar de Camera Obscura.'

Francesca fronst haar wenkbrauwen. 'Maar… maar ik dacht dat jij dol was op de Camera Obscura.' Toen Stella nog klein was, was ze gefascineerd door de aanblik van de stad in een porseleinen kijkdoos. Glimlachend denkt Francesca met gevoel voor nostalgie terug aan dat kleine wezentje met haar korte beentjes, dat in haar kinderwagen vooroverboog om beter te kunnen kijken. De twaalfjarige, in de scharlakenrode regenjas gehulde Stella die voor haar staat, kijkt haar fronsend aan. Francesca onderdrukt een glimlach.

'Dat is ook zo,' zegt Stella. 'Ik had er gewoon geen zin in.'

'Waarom niet?'

Stella haalt haar schouders op. 'Gewoon geen zin.'

'Nou.' Francesca zet haar handen op haar heupen, maar laat ze daarna weer vallen. Ze weet niet wat ze moet zeggen. 'Wanneer komt Nina terug?'

'Geen idee,' antwoordt Stella automatisch. Francesca voelt woede in zich opkomen. Ze voelt zich buitengesloten door die twee autonome meisjes, die een soort twee-eenheid vormen, elkaar altijd steunen en met elkaar zijn – en meestal tegen haar.

Haar dochters hebben haar leven veranderd en gevormd. Door hen heeft ze zichzelf beter leren kennen. Door hen kreeg ze het idee dat ze zich thuisvoelde in dit land, waarmee ze daarvoor geen enkele verbondenheid voelde. Maar ze dagen haar uit, frustreren haar, putten haar uit.

'Juist.' Dan herinnert Francesca zich iets. 'Stella, er is iets waar ik met je over moet spreken.'

Stella draait haar hoofd om en stopt met kauwen. Ze heeft de serieuze ondertoon gehoord. 'Wat dan?'

'Ik heb gisteren met je hoofdmeester gebeld en...'

'Mama.' Stella is nu al woedend. Een slecht teken. 'Waarom doe je dat toch aldoor? Ik ken verder geen ouders die verdomme elke dag bellen om...'

'Stella!' schreeuwt ze. 'Niet vloeken tegen mij!'

'Ik vloek verdomme als ik daar zin in heb!' schreeuwt Stella terug. Max legt zijn oren in zijn nek en springt van Stella's schouders op de grond, waar hij onrustig en opgewonden rond begint te rennen.

Francesca haalt diep adem en begint tot tien te tellen. Ze komt niet verder dan zes. Ze had zich voorgenomen geen confrontaties meer met Stella aan te gaan. 'Hij stelde voor, en ik was het daarmee eens,' vervolgt ze en ze probeert niet te schreeuwen, 'dat het waarschijnlijk het beste is dat Nina en jij in verschillende klassen komen als jullie naar de middelbare school gaan.'

Francesca wacht en probeert haar hoofd recht te houden. Ze vertelt niet wat de hoofdmeester in werkelijkheid heeft gezegd, namelijk dat haar dochters alleen maar met elkaar spraken, dat ze geen andere vrienden hadden en dat de school zich zorgen maakte over hun geïsoleerde positie.

Het is stil in de keuken. Stella kijkt haar aan. De stilte duurt en Francesca wordt zenuwachtig. Dit is niet wat ze had verwacht. Woedeaanvallen, tranen, mokken, uitvallen. Dat wel. Maar niet dit. Ze hebben het nooit kunnen verdragen van elkaar gescheiden te zijn.

'Ik... ik dacht dat dat misschien beter was,' stottert Francesca. 'Voor... voor jullie allebei. Voor als je op je nieuwe school begint. Een nieuw begin. Voor jullie allebei.'

Nog steeds geen reactie. Dan zet Stella haar bord neer en brengt haar gewicht naar haar andere voet. Ze kijkt naar het plafond. 'Je bedoelt,' begint ze, 'dat je Nina een klas laat overslaan?'

'Nee. Nee. Ze komt in hetzelfde jaar als jij. Alleen in een andere klas.'

Francesca wacht en kauwt op het velletje bij haar nagel. Stella lijkt na te denken over het plan.

'Nou, ga jij het haar dan maar vertellen,' zegt ze uiteindelijk terwijl ze haar bord op het aanrecht zet. 'Want dat ga ik niet doen.'

Francesca is zo opgelucht dat er geen ruzie is gekomen dat ze snel begint te praten. 'Natuurlijk, natuurlijk zal ik het haar vertellen. Jij hoeft dat uiteraard niet te doen. Zodra ze er is, zullen je vader en ik het haar vertellen en misschien kunnen we dan allemaal even gaan zitten en...'

Stella is de kamer uitgelopen. Francesca gaat in een stoel zitten. Zij en Max kijken elkaar aan. Ze is stomverbaasd. Totaal verrast. Ze had een gigantische ruzie verwacht, een spectaculaire aanvaring, dikke tranen en ziedende woede. Misschien, denkt Francesca hoopvol, kan ze haar ook nog vragen die afschuwelijke jas weg te doen.

Er speelde een oud jazznummer, een vrouw die een tragische dood stierf en erover klaagde dat er geen zon aan de hemel stond. De trillingen in haar stem werden gedempt door de dikke, met tapijt beklede wanden van de studio. Toen dit gebouw verrees, had iemand ooit aan Stella verteld, waren de architecten bang dat het verkeerslawaai van Portland Place en Regent Street tijdens de uitzendingen te horen zou zijn, en daarom werden alle studio's binnen in het gebouw geplaatst, als het kleinste figuurtje van een verzameling Russische mahroesjka's.

James leunde met zijn voeten op tafel achterover in zijn stoel. Zijn koptelefoon hing om zijn nek en hij babbelde met het meisje van het weer. Stella boog zich over de microfoon die haar met de studio verbond. 'Twee minuut vijfentwintig, James.'

'Eerst het weer en dan hebben we een paar telefoontjes voor je.' Stella zei het met een effen, neutrale stem. 'Er is een vrouw die het met je wil hebben over de voordelen van het kickboksen.'

Ze zag dat hij opkeek en haar zocht met zijn blik. Van zijn kant keek je moeilijk door het glas heen. 'Van mij kan ze de pot op.'

Ze lachte. 'Dat mag je zelf zeggen. Ze zit op lijn vier. Eén minuut vijftig. Ze maakt er bezwaar tegen dat je hebt gezegd dat sporten slecht voor je is.'

'Stelletje mafkezen,' hoorde ze hem mompelen.

'Eén minuut veertig.'

Stella boog zich weer over de mengtafel. De deur zwaaide open en er kwam een man van de afdeling Productie binnen. 'Telefoon voor je, Stella.'

'Wat?' Stella keerde zich met een ruk om. 'Nu niet.'

'Het is dringend, schijnt het.'

'Wie is het?'

'Dat weet ik niet.'

Ze schoof haar stoel naar de telefoon en drukte op het knipperende knopje. 'Ja?'

'Stel, ik ben het.'

Stella wierp een blik naar het plafond. 'Jezus Nina. Ik zit midden in een uitzending. Ik kan nu echt niet...'

'Ik weet het. Ik heb het gehoord.'

'Waarom...'

'Luister. Ik ben bij Richard weggelopen.'

Stella zuchtte en tikte met haar pen op het bureau. 'Nina, zou je misschien...'

'Kan ik voorlopig bij jou logeren?'

'Nou ja...'

'Ik ben op het vliegveld,' zei Nina dreigend. 'Ik ben...'

'Luister. Kun je later misschien terugbellen? Ik ben... ik heb vanavond een afspraak.' De man met wie Stella omging, had beloofd haar van haar werk te komen halen, haar naar huis te rijden en haar daarna eens lekker te verwennen. En daar had Stella zich op verheugd.

'Als je me niet wilt ontvangen,' barstte Nina uit, 'dat moet ik misschien...'

Boven haar hoofd zag Stella dat het licht in het bordje ON AIR aanging. 'Natuurlijk wil ik dat wel,' zei Stella verward. In de studio las het weermeisje voor uit een scriptboek. Stella keek naar de knoppen en schoof er een met haar knokkels omhoog. 'Natuurlijk ben je welkom.'

Nina snoof enigszins vertederd haar neus. 'Mooi. Ik zie je later. Er gaat een vliegtuig dat om ongeveer kwart over twaalf landt. Dus ik ben tegen enen bij je.'

'Prima.'

'Ik heb een late vlucht gereserveerd omdat ik wist dat je moest werken.'

'Dank je.'

Er zat een bepaald patroon in de huwelijkscrises van Nina. Richard deed iets verkeerd (meestal iets onduidelijks en onbelangrijks), dan kregen ze ruzie en vluchtte Nina het huis uit en kwam vervolgens een paar dagen niet meer terug. In die periode ging ze zich te buiten aan verschillende soorten uitzonderlijk gedrag: soms kocht ze heel veel dure kleren, soms ging ze met iemand anders naar bed en soms nam ze een vliegtuig naar de een of andere uithoek. Richard vergaf het haar altijd, of hij had niet in de gaten wat ze precies had uitgespookt, daar was Stella nog niet achter. Nina's uitspattingen leken deel uit te maken van hun huwelijk.

Stella maakte haar werk aan het programma af, negeerde James' opmerkingen tijdens de uitzending dat zijn producer altijd maar aan de telefoon hing, belde de man met wie ze een afspraak had af, haastte zich om de laatste metro te halen en liep een Turkse winkel die vierentwintig uur per dag open was binnen om nog wat spulletjes te halen, want Nina zou wel trek hebben. De drie broers die de winkel beheerden, zaten op krukjes bij de deuropening. Stella koos glanzende olijven, een bakje smeuïge houmous en pitabrood, dat zo plat was als een schoenzool.

Thuis zag ze dat het lichtje van haar antwoordapparaat knipperde. 'Stel, met Nina, ik wil je alleen...' Het kraakte even vanwege een storing, en daarna weerklonk er gegiechel. '...bel je met het mobieltje van Richard. Ik heb hem gebeld nadat ik jou had gesproken en hij is me van het vliegveld komen halen. Alles is dus weer goed. We zitten nu in de auto...' Nog meer gegiechel en geritsel, en de stem van Richard op de achtergrond. '...niet bij je te komen. Dag.'

Stella pakte een van haar favoriete, hoge glazen met zware voet en smeet het tegen de muur kapot.

Nina gaat naar de kleuterschool. Ze moet met de andere kinderen in een kring gaan zitten, in kleermakerszit. Ze moet hier Engels spreken, heeft haar moeder haar verteld, want ze verstaan geen Italiaans. Soms vergeet Nina dat en vraagt ze om *latte* in plaats van melk, waarna de onderwijzer haar met gefronste wenkbrauwen aankijkt. Ze zingen liedjes, spelen met water en zand, rijden met driewielertjes over de smalle paadjes, maken collages met lijm en gekleurde linzen en knippen met een schaar plaatjes uit tijdschriften. Nina vindt de schaar het leukst. Ze houdt van de symmetrie van het voorwerp, van de manier waarop het door het papier snijdt, en ze vindt het mooi dat de twee identieke bladen samenwerken en elkaar tegelijk tegenwerken.

Nina loopt het pad af, tussen de driewielers door die de jongens daar hebben laten staan. Ze draagt een rode maillot en een rood rokje, haar lievelingskleren. Ze heeft ze gekregen van oma Gilmore, niet van oma Ianelli. Oma Ianelli geeft haar grappige cadeautjes: koekjes die zijn verpakt in dun golfkarton en mechanisch houten speelgoed. In haar hand houdt ze de sneeuwpop die ze heeft gemaakt: een toiletrol met daaromheen zachte, witte watten met een rode hoed erop, die past bij Nina's maillot. Nina heeft het gezicht van de sneeuwpop zelf getekend.

Als haar moeder, die bij het hek staat, haar ziet, zwaait ze naar haar. Stella schopt haar hielen tegen haar kinderwagen en schreeuwt. 'Dat,' zegt ze, wijzend op Nina, 'dat!'

Haar moeder voelt aan de zachte witte buik van de sneeuwpop en vindt hem prachtig. Ze zegt tegen Nina dat ze heel knap is, maar Nina luistert niet. Ze kijkt naar Stella. Of beter gezegd: naar Stella's haar. Het is niet geborsteld en met behulp van een haarspeld aan één kant van haar hoofd vastgezet – zoals bij haarzelf, zoals het ook bij Stella altijd zat – nee, Stella's haar zit nu in twee staartjes, die met twee groene linten boven op haar hoofd samengebonden zijn. Groen fluweel. Nina heeft ze nog nooit gezien.

'We zetten de sneeuwpop op de schoorsteenmantel zodra we thuiskomen,' zegt haar moeder. 'Dat wordt dan onze eerste kerstversiering, en misschien kunnen we later...'

'Wat is er met Stella's haar gebeurd?'

Nina ziet dat haar moeder naar Stella's hoofd kijkt, dat in twee-en wordt gedeeld door de witte streep van de scheiding. Ze ziet dat het gezicht van haar moeder ontspant en dat haar ogen een zekere verrukking uitstralen. Of trots.

'Mooi, vind je niet?' Haar moeder lacht als ze de kinderwagen voortduwt van het hek van de kleuterschool in de richting van de straat. 'Ik was vanochtend met haar haar bezig, en ineens bedacht ik me dat ze nu genoeg haar heeft om vlechtjes te maken. Het is erg mooi, vind je niet?'

Nina kijkt naar haar zus, die op een dennenappel zuigt. De staartjes en linten gaan op en neer bij elke beweging van de kinderwagen. 'Doe je mijn haar ook zo?'

Maar haar moeder schudt haar hoofd. 'O, *piccola*, dat kan niet. Je haar is te kort. Jij en Stella hebben heel verschillend haar. Zij heeft mijn haar, begrijp je.'

Nina denkt hier even over na. 'Heb ik ook jouw haar?' vraagt ze.

'Nee liefje. Jij hebt meer het haar van je vader. Of misschien dat van je grootmoeder. Van oma Gilmore.'

Nina pakt haar sneeuwpop stevig beet. Het haar van oma Gilmore is zo wit en dun dat haar roze huid erdoorheen schijnt. Nina ziet dat het haar van Stella zwart, dik en lang is. Als ze Stella zou tekenen, zou ze voor haar haren het zwarte krijtje nodig hebben. Als ze zichzelf zou tekenen, zou ze niet weten welk krijtje ze moest gebruiken. Het bruine, het gele misschien? Of het rode? Of misschien alledrie?

Ze kijkt als haar moeder vooroverbuigt en een van de staartjes tussen haar vingers door laat glijden.

Francesca breekt eieren in een kom om een omelet te maken. Ze duwt de twee halve eierdopjes in elkaar, en dan gaat de telefoon. De meisjes spelen ergens in een hoek. Nina zit voortdurend te redeneren, slechts af en toe onderbroken door een eenlettergrepige uitroep van Stella. Francesca loopt de hal in en neemt de hoorn van de haak.

Het is haar moeder, die uitgebreid wil gaan vertellen over het feit dat ze volgens haar is beledigd door een van Francesca's neven, waarbij het gaat om een brief die twee weken eerder is gedateerd dan op het poststempel vermeld staat. Francesca luistert maar half, en af en toe zegt ze: 'Mmm', of: 'O.' Ze voelt zich als Stella die een waterval van woorden van Nina te verduren krijgt. Francesca haalt eens diep adem en probeert haar moeder af te breken: 'Ik kan nu niet praten. De meisjes hebben nog niet geluncht.'

Haar moeder scheldt haar uit en wil weten waarom Francesca haar niet heeft verteld dat de *bambine* honger hadden. Dan hangt ze op. Francesca rolt met haar ogen.

Ze loopt terug naar de keuken, maar blijft op de drempel staan. Nina staat midden in de kamer en heeft merkwaardig glanzende ogen. De vloer is bezaaid met ongelijke donkere vlekken, alsof er iets is rondgestrooid. Francesca blijft op de drempel staan. Heeft Nina iets laten vallen, water of vruchtensap? Ze kijkt nog eens en ineens begint ze het te begrijpen. Overal op de vloer liggen dikke plukken haar. Donker, zacht, zwart haar. Als dat van haarzelf. Francesca neemt een pluk van haar eigen haren in haar handen en voelt. Het zit er nog, bijeengehouden door een zilveren haarklem.

Dan komt er uit de keuken een figuurtje te voorschijn. Aanvankelijk herkent Francesca het niet eens – dit vreemd uitziende wezentje met borstelig haar, dat kort is afgeschoren zodat de witte schedel erdoorheen schijnt. Overal op de kleding zitten plukjes haar. Een dwerg die onder het haar zit.

'Weg,' deelt het mee. 'Haar. Allemaal weg.'

Francesca kijkt naar Nina. Ze heeft een schaar in haar hand en kijkt rustig, uitdagend en ondoorgrondelijk tegelijk. Stella buigt zich voorover en begint de haarplukken bijeen te vegen. Ze kijkt even naar Francesca en geeft haar dan een handvol haar. 'Mama,' zegt ze bezorgd, 'haar?'

Francesca gaat op haar knieën zitten. Ze neemt de haarlok van Stella aan en houdt die even in haar handen. Dan slaakt ze een diepe zucht. 'Nina,' begint ze.

De zomer is aangebroken. Met de laatste, vermoeiende schoolweken. Stuifmeelkorrels zweven door het open raam naar binnen.

Op donderdagmiddag hebben ze twee uur biologie. De zon, die hoog aan de hemel staat, heeft vrij spel door de ongeblindeerde vensters. Ze hadden eigenlijk al met het programma van het volgende jaar moeten beginnen, maar dat is door niemand serieus genomen, zelfs niet door de leraren. Stella, die op de taps toelopende punt van haar pen kauwt, negeert de voorschriften betreffende het schooluniform: in plaats daarvan draagt ze een bloemetjesjurk die ze in een tweedehandswinkel op de Grassmarket heeft gekocht, een dikke wollen maillot en soldatenlaarzen met dikke zolen. Ze heeft het warm, maar dat zal ze nooit toegeven.

Ze kijkt op van haar diagram van het menselijk hart, waarin ze de slagaders in rood en de aders in blauw moet aangeven, en spiedt rond in het lokaal. Louise, die op de voorste bank zit, kijkt uit het raam. Met haar ene hand ondersteunt ze haar hoofd, en met de andere probeert ze zo stil mogelijk chips te pakken uit een krakende zak die onder de bank op haar knieën ligt. Felicity probeert met bewegingen van haar mond iets duidelijk te maken aan haar vriendin Rebecca, waarna beiden geluidloos lachen, hun hand op hun mond leggen en zich genietend van het verbodene over hun bank buigen. De lerares, mevrouw Fowkes, zit voor de klas en maakt voortdurend haar haren los en dan weer vast, alsof ze ze niet in het juiste model krijgt, of misschien omdat ze de fraaie krullen tussen haar vingers wil voelen.

Ineens wordt er op de deur geklopt. De klas veert belangstellend op. Stella neemt de pen uit haar mond. Felicity en Rebecca gaan rechtop zitten en houden op met lachen. Er is afleiding. En iedereen is dol op afleiding.

'Binnen,' zegt mevrouw Fawkes. Er gebeurt niets. 'Binnen!' roept ze luider.

De deur gaat krakend open en Nina verschijnt. Ze draagt een rok die bijeen wordt gehouden door een knoop in een knoopsgat dat net te groot is. Stella draagt hem zelf ook wel eens, en nu ziet ze dat de rok voor Nina te lang is. Nina heeft spelden in haar haren die Stella herkent: het zijn de hare. De mensen die weten dat Nina haar zus is, keren zich om en kijken naar Stella. Maar waarom? Om te zien of ze op elkaar lijken? Of ze van elkaar verschillen? Hoe ze reageert? Stella blijft onverstoorbaar.

'Ja?' vraagt mevrouw Fowkes en Stella krimpt ineen.

'Meneer Allen vraagt zich af of u een pipet hebt.'

'Ja natuurlijk, maar die gebruiken we op dit moment zelf.'

Nina kijkt naar de vloer en dan weer naar mevrouw Fowkes. 'Hij vroeg zich af of u er nog een over hebt,' mompelt ze.

Mevrouw Fowkes zucht theatraal en staat op. 'Ik zal eens even kijken.' Dat richt ze zich tot de klas en zegt: 'Ik moet even weg. Jullie gaan door met het werken aan je diagram. En als ik terugkom en door de gang hiernaartoe kom lopen, wil ik geen kik horen. Begrijpen jullie dat goed? Geen kik.'

Ze loopt weg en laat de deur openstaan, waardoor er een koele bries het lokaal binnenwaait. Even is het stil. Dan zegt iemand achteraan, een jongen: 'Kik.' Hij fluistert het, maar het is hard genoeg: iedereen kan het verstaan. Overal om hem heen barsten mensen in lachen uit, als vuurwerk dat ontploft.

Nina staat verloren voor de klas en haakt met haar ene voet achter de hiel van haar andere. Met haar vingers friemelt ze aan een haarspeldje. Ze kijkt de klas in en haar blik blijft even hangen bij Stella. De twee zussen kijken elkaar een moment lang aan. Dan kijkt Nina een andere kant op. Op school hebben ze weinig aandacht voor elkaar. Stella kijkt naar het diagram dat voor haar ligt, naar de onevenwichtige vorm van het menselijk hart, de twee kamers, de rode en blauwe banen die erdoorheen lopen, en ze ziet voor het eerst dat het hart beheerst wordt door twee tegengestelde elementen.

'Hé! Hoe heet jij?'

Het brutale en opdringerige stemgeluid is afkomstig van iemand die achter Stella zit. Ze draait zich om. Stuart Robson leunt op zijn bank en kijkt Nina aan. Stuart is een van de irritantste jongens uit haar klas. Tussen de lessen door loopt hij tegen Stella aan, trekt aan haar bh-bandje, tekent obscene dingen in haar schriften en spuugt papieren balletjes in haar haar. Ooit heeft hij het woord IDIOOT op de achterkant van haar jas geschreven, met viltstift. Zij en Nina waren uren bezig om het eraf te borstelen.

'Laat haar met rust,' zegt Stella snel.

Stuart kijkt naar haar, en daarna weer naar Nina. Hij begint te lachen. 'Hé, jij daar, ik heb je iets gevraagd.'

'Laat haar met rust, Stuart.' Stella grijpt haar pen.

'Ben jij Stella's zus?'

Nina antwoordt niet en trekt een ondoorgrondelijk gezicht, iets wat zij en Stella door de jaren heen geperfectioneerd hebben. Haar mond zit stijf dicht. Je wist nooit of er nog iets in zat. Maar Stella ziet dat de paarsblauwe ader op haar slaap klopt.

'Nou?' Stuart is opgestaan en loopt langzaam tussen de tafeltjes door op Nina af. Die toont op geen enkele manier dat ze zich daarvan bewust is. 'Heet jij misschien Ghostmore?'

Er stijgt een gelach op uit de klas.

'Nou?' dringt Stuart aan. 'Ben jij zo'n idioot wijf? Ben jij een heks?' Hij maakt hoge piepgeluidjes, spookachtig, als een kind tijdens Halloween. Nina reageert nog steeds niet. Ze doet alsof ze haar aandacht heeft gericht op iets aan de andere kant van het raam. Ze heeft haar blik afgewend en houdt haar vingers ineengestrengeld.

'Als jij Stella's zus bent, Stella's oudere zus,' zegt Stuart, die zijn gezicht nu vlak bij dat van Nina houdt, 'hoe komt het dan dat je in hetzelfde jaar zit?'

Stella ziet dat Nina slikt.

Hij buigt zich naar haar toe. 'Iedereen zegt dat jij een beetje spastisch bent.'

Nina kijkt uit het raam en doet of ze van het uitzicht geniet. Ze heeft haar lippen stijf op elkaar geklemd. Stuart steekt zijn hand uit en strijkt ermee over een van Nina's haarlokken. Stella ziet haar van pijn vertrokken gezicht, alsof ze naar haar eigen gezichtstrekken zit te kijken. Dan staat ze op en rent tussen de banken door naar voren. Ze heeft haar vuisten gebald en voelt een woede in zich opkomen die door alle bloedvaten in haar lichaam lijkt te kolken. Ze weet dat ze nu tot alles in staat is, dat ze deze jongen, die haar zus zo'n pijn heeft gedaan, van alles zou kunnen aandoen en dat ze daarvoor niet meer aansprakelijk kan worden gesteld.

Stella grijpt hem bij zijn trui en trekt hem weg. Ze is vijftien en groot voor haar leeftijd – groter dan Stuart.

'Afblijven,' fluistert ze hem toe met de tanden op elkaar geklemd. Ze slingert hem tegen de muur. Met een doffe knal klapt zijn hoofd tegen de bakstenen wand. 'Als je haar nog eens aan-raakt, zal ik je...'

Stella houdt ineens op en zwijgt. Stuart staat als aan de grond genageld, overdonderd door Stella's woedeaanval. Juist op het moment dat Stella ziet dat Nina haar hand naar haar uitstrekt – om haar te helpen, of juist om haar tegen te houden? – verschijnt mevrouw Fowkes in de deuropening met een pipet in haar hand. 'Wat is hier aan de hand?' roept ze uit. 'Allemaal zitten!'

Stuart en Stella blijven staan. Het bloed kolkt door Stella's lichaam, haar hoofd bonst van de opwinding. Alles lijkt ineens te dichtbij – de muren, de mensen, de tafels. Het lijkt wel alsof ze zich aan Stuart vasthoudt om in evenwicht te blijven.

'Onmiddellijk!' beveelt mevrouw Fowkes en ze geeft de pipet aan Nina.

Stella laat langzaam Stuarts trui los. De lippen van haar zus wijken uiteen, alsof ze iets wil zeggen, maar ze loopt het lokaal uit.

Later vindt Stella Nina op hun eigen plekje achter in de kantine, bij het raam, aan een tafel waar stoelen op staan gestapeld.

Stella zet haar dienblad neer. Nina kleurt haar nagels met een fluorescerende stift en neemt af en toe een slokje uit een blikje vruchtensap.

'Alles goed met jou?' zegt Nina, zonder op te kijken.

'Ja, en met jou?'

'Ja hoor.'

Stella pakt een vork, prikt ermee in de korst van het stukje taart dat op haar bord ligt en legt de vork weer neer. Ze zucht en zegt: 'Ik heb een hekel aan de kantine.'

Nina leunt voorover en kleurt nu ook een van Stella's nagels geel. 'Ik ook.' Ze doet een dop op de gele stift en pakt een roze, en terwijl ze dat doet, kijkt ze naar iets achter Stella's schouder.

Nina schraapt haar keel. 'Heb je... Ik vroeg me af of... of je die nieuwe jongen al hebt gezien.'

Ze zegt het op een voorzichtige, bedachtzame manier, en Stella kijkt haar aan.

'Welke nieuwe jongen?'

'In het jaar boven ons.'

'Nee,' zegt Stella. 'Hoezo?'

'Daar staat hij.' Nina wijst met haar pen en ondersteunt haar pols, ziet Stella. 'Niet meteen omdraaien.' Ze kijkt de kantine in. 'Oké. Niemand ziet het.'

Stella draait zich om. In de rij wachtenden voor het eten staat een lange, logge jongen met rood haar. Ze gaat weer recht in haar stoel zitten en dwingt zichzelf naar de speelplaats te kijken en naar de daken van de huizen, die puntig afsteken tegen de blauwe lucht.

Nina kijkt naar haar. Ze houdt Stella's hand tussen haar handen geklemd. Stella trekt haar hand terug en legt haar armen over elkaar.

'Hij lijkt niet zoveel op hem,' zegt Nina voorzichtig. 'Wat vind jij? Ik bedoel...'

'Houd je kop.'

'Hij is best knap.'

'Houd je kop, zei ik.'

Nina doet de doppen terug op haar viltstiften. Ze wordt misselijk van de geur die Stella's taart verspreidt.

'Ik wilde...' Nina probeert Stella's hand weer te pakken, maar die laat het niet toe. 'Ik wilde je alleen maar... alleen maar waarschuwen.'

'Dat weet ik.'

'Ik wilde niet dat je boos werd.'

'Ik ben niet boos,' sist Stella, bijna in tranen. 'Ik ben helemaal niet boos!'

Nina legt haar pennen naast elkaar en vormt er dan een ster mee. Stella wil weg, ze wil weglopen. Ze kan niet verdragen dat die jongen ergens achter haar staat, maar ze kan ook niet omkijken.

'Als je denkt dat je hem ziet,' fluistert Nina terwijl ze met de stiften zit te spelen, 'wat zie je dan?'

Stella kijkt haar vol ontzetting aan.

'Wat zie je dan, Stel?'

Stella springt op, pakt haar tas en rent door de kantine naar de deur.

De bibliotheek op school rook naar boenwas en vochtig papier. De ontvochtigingsapparaten stonden te zoemen in een hoek en zogen de natte, zware hitte van het regenseizoen uit de lucht. Maar je trof nog steeds ronde, grijswitte vochtplekken aan op de bladzijden van de boeken, en je vingers zaten onder de schimmelvlekken als je daar in de lunchpauze had zitten lezen. In de pauze voetbalden de andere jongens op het veld. Jake zou wel mee willen doen, maar ze hadden het altijd over voetbalploegen uit Engeland en Jake wist daar niets van. Op een keer vroeg hij aan de jongen die naast hem zat hoe je kon weten welke club je het beste vond. De jongen had hem aangekeken alsof hij had gevraagd hoeveel twee plus twee was, zich toen omgedraaid en aan de andere jongens verteld wat Jake hem vroeg, en iedereen had hem uitgelachen. Jake had er wekenlang over nagedacht – waarom wisten zij zo zeker welke club ze het beste vonden, en waarom was het belachelijk als je dat niet wist? – en had ten slotte besloten dat het misschien kwam omdat hij geen vader had. Het was voor hem gemakkelijker hiernaartoe te gaan en te doen alsof hij helemaal geen zin had om te voetballen.

Jake stond bij de aardrijkskundeboeken en keek naar een kaart waar de Britse eilanden op stonden. Zijn moeder had het nooit over de plek waar ze vandaan kwam. Een paar keer al had hij haar gevraagd naar de naam van die plaats, en dan zei ze het snel en binnensmonds, in een accent dat Jake niet herkende als het hare. Ooit had ze hem een liedje uit Wales geleerd over een rivier, en in een schrift had ze een stamboom getekend. Maar toen hij het schrift zocht om het op een veilige plaats op te bergen, bleek dat de bladzijde eruit was gescheurd.

Hij keek naar de twee ongelijke eilanden. De grillige kustlijnen. Ierland leek op een hond. Je kon zien dat Groot-Brittannië er ooit omheen had gepast, voordat de tektonische platen waren gaan schuiven, waardoor Ierland los was komen te liggen. Het bultige Wales leek zich los te willen rukken van Engeland, Ierland achterna. Hij zag dat de wegen en spoorlijnen allemaal samenkwamen op een grote rode stip, Londen, als stroompjes water die een rioolput in lopen. Hij zag dat Cornwall de zee in stak en dat Schotland het geheel topzwaar maakte, alsof de smalle nek van

Noord-Engeland dat gewicht niet kon dragen.

'Zoek je iets speciaals, Jake?' De bibliothecaresse, een vrouw die een bril aan een ketting om haar nek droeg, stond achter hem.

'Nee.' Jake frunnikte aan de gerafelde zoom van zijn schoolbloes. 'Nee, dank u.'

'Weet je het zeker?'

'Nou,' zei hij blozend, 'nee, ik bedoel: ja... ik bedoel, ja, ik vroeg me af waar... waar Kildoune ligt.'

'Kildoune?' De bibliothecaresse keek hem aan. 'Is dat niet...?'

'Ik ben naar die plaats genoemd. Het ligt in Schotland.'

'Kijk eens aan.' Ze begon te glimlachen. 'Ik kom uit Schotland. Waar ligt het in de buurt, weet je dat?'

'Wacht...' Jake probeerde zich het woord te herinneren. 'Avie... Avie en dan nog iets. Geloof ik.'

'Aviemore?'

Jake knikte enthousiast.

'Dat ken ik heel goed! Mijn zus heeft daar een huis. Een prachtig plaatsje. Kijk.' De bibliothecaresse boog zich over hem heen. 'Daar ligt het. Helemaal daar.' Met haar vinger wees ze midden op het breedste gedeelte van Schotland, maar door haar vinger bleef het woord grotendeels aan het zicht onttrokken. Jake zag nog net de a en de v, maar meer ook niet. Hij concentreerde zich op de plek, hij wilde het zich absoluut kunnen herinneren wanneer haar vinger weer weg was.

De bibliothecaresse ging rechtop staan. 'Goed, laten we nu eens kijken of we dat andere plaatsje kunnen vinden waarover je het had. Heb je de atlas wel eens eerder gebruikt?'

Jake schudde zijn hoofd.

'Het is heel gemakkelijk. Ik zal het je laten zien.' Ze pakte een groot boek van een van de planken. *Atlas of the World*, stond erop in gouden letters. 'Achterin staat een lijst van alle plaatsen in de wereld, op alfabetische volgorde.' Jake zat geconcentreerd en met zijn handen ineengevouwen naast haar elleboog. Het leek wel of er in dit boek een foto van zijn vader zou staan.

'Hier is de letter K,' zei ze. Jake zag een bladzijde die vol stond met kleine zwarte lettertjes. 'K-i-l,' mompelde ze en ze gleed met haar vinger langs de kolom. 'K-i-l, daar zullen er wel veel van zijn, in Schotland. K-i-l-d... Kildare, Kilden, Kildepo Valley, Kildonan. O.' Ze zweeg even. 'Dat is raar.'

'Wat?' Geschrokken leunde hij voorover. 'Wat is er?'

'Het staat er niet bij.' Ze draaide zich met een verbaasde blik naar hem om. 'Weet je zeker dat het klopt?'

Mairs zonen waren vlak na haar huwelijk geboren: Alun toen ze negentien was en Geraint drie jaar later. En dat was voldoende, had Mair besloten. Ze had een hekel aan het zweten, het zwoegen en het bloed bij een geboorte. Ze herkende zichzelf niet meer: wie maakte al dat kabaal, vroeg ze aan de vroedvrouw, en ze gruwde en walgde toen ze hoorde dat ze dat zelf was. Ze stond erop dat de baby's werden schoongemaakt en in een doek gewikkeld voor zij ze zou aanraken.

En wat dat andere betrof, die andere daad, daar was ze nooit zo dol op geweest. Ze vond die laag-bij-de-gronds en dierlijk. Soms kostte het haar tijdens de daad moeite zich geen voorstelling van zichzelf te maken – een vrouw die haar knieën in haar oksels drukt en een man die hijgt en kreunt terwijl hij in haar komt. Na Geraint deed de plek waar ze haar na de geboorte hadden dichtgenaaid, vreselijk pijn, vooral als ze te lang op de keukenvloer stond en de kou vanaf de tegels via haar benen omhoogkroop. Wanneer Huw 's avonds in haar kwam, was de pijn zo hevig dat ze er bijna zeker van was dat het litteken in haar vlees zou openscheuren.

Op een ochtend droomde ze dat er enorme hoeveelheden bloed uit haar stroomden en over de witte lakens, via het bloemetjestapijt de trap af liepen en op straat terechtkwamen, zodat alle buren het konden zien. Ze pakte het uiteinde van het rolvormige steunkussen en draaide het vijfenveertig graden zodat het dwars over het bed kwam te liggen. Meteen voelde ze zich beter en de rest van de dag besteedde ze aan het schoonmaken van haar kasten. Toen Huw die avond de trap op kwam, trof hij het zware steunkussen midden in het bed aan, waardoor hij was gescheiden van het warme, zachte vlees van zijn vrouw.

Het kussen bleef daar de rest van hun huwelijk liggen. Heel af en toe lukte het hem de Muur met succes te slechten, dan klom hij er stiekem overheen. Eenmaal toen hij zijn waardering had uitgesproken voor een appeltaart die ze had gemaakt, een volgende keer toen hij was thuisgekomen met een kerstgratificatie. Maar gewoonlijk zoog het matras zijn zaad op, als tranen. Of hij sloeg de hand aan zichzelf als hij achter in het huis in het toilet stond en door een gat in de muur kon zien hoe zijn vrouw de was ophing, waarbij haar jurk langzaam omhoogkroop.

De laatste keer dat Huw met succes over het kussen klom, was op de avond na het huwelijk van Alun. Mair was eenenveertig jaar oud, maar ze zag er nog slank uit in een pakje dat ze zelf had gemaakt. Ze had er knopen aangenaaid en was het draad daarvoor speciaal gaan halen in een dorp verderop. Huw dacht aan de kuiten die onder de rok vandaan kwamen en waagde het zijn hand aan de andere kant van het met veren gevulde kussen te leggen. Toen die hand niet met kracht werd weggeduwd, volgde zijn arm. Ten slotte durfde hij het aan zijn hoofd aan de andere kant van het obstakel te leggen.

Drie weken later bleven de gebruikelijke rugpijnen uit, maar Mair werd niet achterdochtig. Je kon niet zwanger worden op je eenenveertigste. Dat kon niet. Iedereen wist dat. Drie maanden later was ze daar nog steeds van overtuigd. Ze bleef het ontkennen. Het was onmogelijk, zoiets bestond niet. Er was in het dorp nog nooit een vrouw geweest die na haar veertigste een kind had gekregen. Zoiets kwam gewoon niet voor.

De eerste die er wat van zei, was mevrouw Williams, de buurvrouw. Misschien was het haar opgevallen dat de maandelijkse was aan de waslijn ontbrak, of misschien had ze gewoon eens goed naar haar gekeken. Op een dag kwam ze via de achterdeur de keuken binnen, waar Mair bewegingloos aan tafel zat. Ze had het hout geboend en stond op het punt het deeg te rollen, toen ze onder in haar buik ineens iets voelde bewegen.

'Wanneer ga jij eindelijk eens naar de dokter?' Mevrouw Williams legde haar knuisten op tafel.

Maar Mair versaagde niet. 'Waar heb ik een dokter voor nodig?'

Mevrouw Williams zuchtte en ging zitten. 'Ze zeggen,' zei ze en ze legde haar hand op die van Mair, 'dat er in Maesteg een man is die je iets kan geven om…' Ze wierp haar hoofd opzij. 'Je weet wel.'

'Wat?'

'Je weet wel,' zei ze nog eens, leunde voorover en fluisterde: 'Om het weg te halen.'

Mair blikte op en zag dat haar buurvrouw lief en bezorgd keek. Ze trok haar hand onder de hare weg. 'Ik weet niet waar jij het over hebt,' zei ze traag. 'Waarom ben jij mijn huis nog niet uit?'

In de dertig jaar die volgden, spraken ze elkaar geen enkele keer meer, al waren ze buren.

Mair had zich nooit ergens over geschaamd. Alles wat ze had gedaan, deed ze in de overtuiging dat het juist, goed en gerechtvaardigd was. Maar nu stond ze hier: een godvrezende vrouw met een ronde, van leven vervulde buik die wekelijks naar de kerk ging, die twee opgroeiende zonen had. Wat moesten de mensen wel niet denken? Het idee dat iedereen op straat naar haar kon kijken en kon zien wat ze gedaan had... dát... en onlangs nog... was te veel voor haar.

Toen ze zichtbaar zwanger was, kwam ze alleen nog maar in de keuken en de achtertuin, en af en toe ging ze even liggen in de voorkamer. Tegen mensen die aanbelden, zei ze door de brievenbus dat ze zich 'beroerd' voelde en geen bezoek kon ontvangen. Toen de zuster haar het bundeltje doeken gaf waarin haar dochter was gewikkeld, zei ze: 'Weg ermee', en ze verstopte haar hoofd in de kussens.

Caroline was vanaf het begin een moeilijk meisje. Als Mair naar haar keek, dacht ze vol schaamte aan de vingers van Huw die over het kussen kwamen. De manier waarop deze baby haar aankeek, was anders, verontrustend. Haar oogjes waren rond als kiezelstenen en ze had gebalde vuistjes. Mair had het vreemde gevoel dat het meisje geen woord geloofde van wat ze haar vertelde. Huw zei dat ze niet zo idioot moest doen, maar niet lang daarna vond ze zelf ook dat haar woorden nietszeggend waren.

'Het is een prachtige dag vandaag,' probeerde Mair terwijl ze de baby in haar stoeltje zette. De baby keek haar dan scherp aan en kauwde met een cynische blik op een stukje speelgoed. Mair keek naar buiten en stelde vast dat het regende, dat haar was, die buiten hing, nat werd.

Caroline bracht Mair van haar stuk. Het was zo'n pervers, eigenzinnig kind. Als Mair zei dat het misschien ging regenen en dat ze haar laarzen mee naar school moest nemen, liep Caroline naar de achterdeur, trok haar laarzen uit – die ze dus al aan had – en deed haar leren schoenen aan. Als Mair zei dat Caroline naar de kapper moest, ging ze met gekruiste benen op bed zitten en borstelde urenlang haar haren in de hoop dat het dan sneller zou groeien.

Mair werd bijkans gestoord van het lawaai dat haar dochter in huis maakte. Het geknetter van de transistorradio die Geraint ter gelegenheid van haar zestiende verjaardag had gekocht, het gebonk van die vreselijke laarzen van haar op de tegelvloer in de keuken, dat gezucht de hele dag door, het gerinkel van al die zilveren kettingen die ze om haar polsen had gehangen, het suizen van de lucht door die lange, sliertige haren.

En Caroline bleek haar neus op te halen voor eten – iets wat Mair haar nooit zou vergeven. Ze zei dat ze haar aardappelen te lang had gekookt, dat haar worteltjes geen smaak hadden, dat haar vlees draderig was en haar jus te vet. Ze at geen pudding, hield niet van kruisbessenvla en weigerde peperkoek, appelflappen en zelfgemaakte toffees. Ze at vrijwel niets, tot de botten zichtbaar werden onder haar kleren. Vanaf dat moment begon Mair het eten te hamsteren. Als Caroline haar gerechten niet at, wachtte ze wel tot iemand ze wel lustte. Maar op een dag kwam Caroline binnen met de mededeling dat ze geen vlees meer wilde eten. Mair gooide een steelpannetje naar haar hoofd, maar miste en beschadigde de deur van het dressoir.

Mair werd ziedend van die verspilling. Ze kon er niet bij dat uitgerekend haar dochter een complete maaltijd naar de vuilnisbak verwees. Jij hebt de oorlog niet meegemaakt, meisje, zei ze dan en ze moest vervolgens aanhoren hoe Caroline de rest van haar toespraak zelf afmaakte. Jij blijft zitten tot je hebt gegeten, schreeuwde ze haar toe, maar dan was Caroline al opgestaan en met zwiepende haren de voordeur uit gerend. Huw at door, met het hoofd over zijn bord gebogen. Als Caroline al iets at, deed ze dat als een gevangene die een maaltijd tot zich nam om kracht te verzamelen voor zijn ontsnapping de dag erna.

Op haar achttiende ging Caroline het huis uit. Huw vond het briefje, dat onder het deksel van de botervloot geklemd zat. Mair

was ontroostbaar. Ze strompelde naar bed, ging naast het steunkussen liggen en jammerde om haar Caro, haar kindje. Na een
week belde Huw, die helemaal de kluts kwijt was en nog geen ei
kon bakken, zijn zoon Geraint, die een arts waarschuwde.

Toen Mair de trap afdaalde, had ze zich aangekleed, haar haar
gedaan, haar mouwen opgestroopt en haar schort voorgebonden,
terwijl de medicijnen die de arts haar gaf hun werk deden in haar
lichaam. Ze las het briefje nog een keer over, trok de kachel open
en gooide het erin – maar de kachel brandde niet, dus Huw kon het
er later nog uitvissen.

'Ik zal nooit meer over haar spreken,' kondigde Mair aan.

En ze heeft woord gehouden, tot het moment in het bejaardenhuis, terwijl ze naar een tanker zat te kijken die langzaam voort-
dreef in het door olie vervuilde Bristol Channel en open zee koos.

Jake, die er niet het geringste vermoeden van heeft dat hij zijn sla-
peloosheid van zijn grootmoeder heeft geërfd, weet dat hij niet
meer zal slapen. Nadat hij het telefoongesprek met zijn moeder
heeft beëindigd en de hoorn op de haak heeft gelegd, loopt hij door
het in duisternis gehulde huis. Hij loopt door de keuken de bijkeuken in, wandelt door de woonkamer en loopt dan weer terug,
waarbij de deels verlichte tuin af en toe zichtbaar is, maar onder
een andere hoek aan het oog onttrokken blijft.

Het voelt alsof hij iets stiekems doet, iets verbodens, alsof hij
een kat is die in het huis is binnengedrongen. Hij eet een appel uit
de fruitschaal op de keukentafel, leest de lijstjes, briefjes en kran-
tenknipsels die op het bord in de bijkeuken hangen en kijkt naar de
foto's die op de vensterbank in de woonkamer staan: Mel op de lagere school met een ontbrekende voortand, Mel met haar broers,
het huwelijk van haar oudste broer in de kerk verderop.

Jake draait zich snel om en gaat voor de boekenkast staan. Bio-
grafieën van mensen van wie hij nog nooit heeft gehoord – cricket-
spelers, politici –, een paar romans, veel tuinboeken, een paar doe-
het-zelfboeken en drie atlassen. Hij neemt de grootste van de
plank en slaat hem open.

Hij kent het lijstje inmiddels: Kildare, Kilden, Kildepo Valley,
Kildonan. Op de plaats waar het zou moeten staan, tussen Kildo-

nan in Nieuw-Zeeland en Kilembe in Oeganda, staat niets. Helemaal niets. Geen spoor van de plek waarnaar hij is genoemd.

Vroeger heeft hij eens een Hollywood-musical gezien met Gene Kelly en Cyd Charisse, over een mythisch dorpje in de Schotse Hooglanden. Schotse nepaccenten, rode pruiken en overdadige dansnummers. Dat dorpje was eens in de tweehonderd jaar op een bepaalde dag te vinden, zoiets in ieder geval. De rest van de tijd was het van de aardbodem verdwenen. Hij denkt wel eens dat Kildoune ook zo'n plaatsje is, en het liefst zou hij alle atlassen bekijken waar hij de hand op kan leggen, want misschien kijkt hij een keer op de juiste dag en treft Kildoune aan tussen Kildonan en Kilembe.

Maar vandaag niet.

Jake opent de atlas bij Groot-Brittannië en vindt Aviemore, dat grofweg midden tussen de grillige kustlijn in het westen en de strakkere kustlijnen in het oosten ligt. Hij kijkt waar hij nu is, dan weer naar Aviemore, en ten slotte naar het knooppunt in het zuiden, Londen. Hij ziet dat er een door dwarsstreepjes onderbroken lijn loopt. Een spoorweg. De spoorlijn loopt in noordelijke richting, dwars door Engeland, dan langs de kust, gaat links langs de Firth of Forth, loopt door Edinburgh en vervolgt zijn weg in noordelijke richting.

Nina kwam ruim een uur te laat terug van school. Francesca was al twee keer naar de slaapkamer gelopen en had Stella gevraagd of ze wist waar haar zus was, maar Stella had geantwoord dat ze het echt niet wist.

Stella lag op bed te lezen toen Nina hun kamer kwam binnengestormd. Ze keek niet op. Achter zich hoorde ze dat Nina haar jas en tas op de vloer smeet. Ze voelde het bed schudden toen Nina erop viel.

'Waar kom jij vandaan?' vroeg Stella in de richting van het hoofdkussen.

'Even weg.'

'Heb je mama gezien? Ze is op oorlogspad.'

De voeten van de een lagen bij het hoofd van de ander, als sardientjes in een blik. Nina krulde haar hand rond Stella's voet.

'Ik heb gezegd dat ik muziekles had,' zei Nina.

'Maar dat was niet zo.' Stella rolde op haar rug maar kon het gezicht van haar zus niet zien, hoogstens een uitstekend kaakbeen.

'Dat weet ik.' Nina haalde uiterst voorzichtig een speldje uit haar haar en legde het op het nachtkastje. 'Ik heb een beslissing genomen,' zei ze lachend.

'Hoezo: een beslissing?'

Nina richtte haar hoofd op en keek haar vanuit de verte aan. 'Een belangrijke beslissing,' zei ze en ze fronste uitdagend met haar wenkbrauwen.

Stella zuchtte. Nina speelde dit soort spelletjes avonden achter elkaar. Ze speelde met de zilveren ring die om haar middelvinger zat en draaide hem rond. Hij zat altijd losser als ze het koud had.

'Ben je niet nieuwsgierig?'

'Zeker wel,' zei Stella ongeduldig. 'Maar dan moet je het wel nu vertellen. Binnen een minuut.'

Nina bestudeerde de nagels van haar rechterhand – bijna alsof Stella er niet was. Stella zuchtte, viel terug op het bed en pakte haar boek.

'Ken je Chris?' vroeg Nina onmiddellijk.

Stella wist precies wie ze bedoelde, maar om de een of andere reden die ze zelf niet begreep, deed ze alsof ze het niet wist. 'Chris Davis?'

'Nee. Chris Caffrey.'

'Is dat die jongen met die blauwe jas?'

'Nee.' Nina kraste met haar nagel over Stella's voetzool. 'Hij heeft een zwarte jas. En blond haar.'

Stella fronste haar voorhoofd, keek naar de gedrukte tekstkolommen en deed of ze las. 'Wat is er met hem?'

'Ik heb zojuist koffie met hem gedronken.'

Dit keer liet Stella het boek op haar buik vallen. 'Niet waar. Echt? Zonet? Waar dan? Hoe kwam dat zo?'

Nina haalde met opperste nonchalance haar schouders op. 'Ik heb hem na school opgewacht. We hebben een wandeling gemaakt in de Meadows.'

Stella stond perplex. 'Is dat echt zo?'

'Ja.'

'Vertel eens. Je bent naar hem toe gelopen en toen zei je: hé, Chris, zullen we een bakje koffie gaan drinken?'

'Zoiets, Stel.' Nina boog zich voorover, alsof ze een geheim wilde delen. 'Het was heel gemakkelijk.'

Stella keek haar zus aan. Ze zwegen allebei even. Toen draaide ze zich op haar zij en drukte haar gezicht in het kussen. Het rook naar het waspoeder dat hun moeder gebruikte, naar schimmelige veertjes, naar shampoo. 'Hij is toch… ik bedoel, hij is toch…'

'De knapste jongen van de school, bedoel je?' Nina wierp haar hoofd in haar nek. 'Dat weet ik. Daar gaat het juist om. Want ik heb een beslissing genomen.'

Stella zuchtte. 'Welke beslissing?'

'Ik ga hem verleiden.'

Ze vond het leuk om het woord 'verleiden' uit te spreken. Dat kon Stella zien. Ze vormde een fraaie boog met haar mond.

'Er moet een manier zijn,' ging Nina met gebalde vuisten verder, 'dat we een punt zetten achter al die ellende waarmee we te maken hebben gehad. En ik denk dat dit die manier is.'

'Wat bedoel je?' zei Stella spottend. 'Neuken met Chris Caffrey? Natuurlijk, Nina, daarmee lossen we al onze…'

'Ik ben er doodziek van, Stel.' Haar ogen glansden. 'Ik ben er doodziek van dat ik de idioot van de hele school ben. Jij niet?'

Stella zei niets.

'Jij niet?' drong Nina aan.

'Ja,' mompelde Stella, 'maar ik geloof niet dat dit de manier is om er iets aan te doen.'

'Nou, ik denk van wel. Kijk eens.' Nina gooide iets op het bed. 'Kijk daar maar eens in.'

Tegen haar zin in keek Stella naar het boek. *Seks: hoe en wat.* Stella bladerde er snel doorheen: pentekeningen van een man en vrouw met ineengestrengelde ledematen, in verschillende standjes. 'Heb je dit gekocht?'

'Nee.' Nina grinnikte. 'Gejat.'

'Nina…'

'Noem me geen Nina, zeg. Het ging prima. Ik word nooit gepakt.'

'Ja hoor.'

'Nee dus. Ik ben er veel te goed in.' Ze grinnikte nog eens en sloeg op Stella's been. 'Doe niet zo heilig. Kom, we gaan eens kijken.' Ze ging op haar buik naast Stella liggen, legde het boek tussen hen in en opende het.

Stella liet het zachte papier van de bladzijden langs het spiraalvormige profiel op haar vingers gaan. Negen vingers hadden een vrijwel identiek patroon, dat naar buiten week, als zand dat door het getij wegstroomt. Maar de vierde vinger van haar linkerhand vertoonde concentrische cirkels. De zwakste. Het was haar ringvinger, had Nina uitgelegd.

'Orale seks,' zei Nina. 'Bah.' Ze stak haar tong uit. 'Voorspel,' las ze. 'Laten we hier beginnen.'

In de periode dat Caroline met school begint, raakt Mair geobsedeerd door de dood. Niet door de dood in het algemeen, maar die van zichzelf. Op een ochtend wordt ze wakker en is ze ervan overtuigd dat ze zal sterven – en snel ook. Ze besluit Huw wakker te maken. Ze schudt hem, over het kussen heen, aan zijn arm.

'Huw, Huw.' Ze blijft schudden. 'Huw, word eens wakker.'

Geschrokken opent hij zijn ogen en kijkt naar het plafond. 'Wat is er, liefje?'

'Wat gebeurt er met Caroline als ik doodga?'

'Wat?'

'Als ik doodga,' herhaalt ze gejaagd en ze gaat rechtop zitten, 'wat gebeurt er dan?'

Huw sluit zijn ogen. 'Ga maar weer slapen,' zegt hij terwijl hij zich omdraait.

Maar dat kan Mair niet. Ze blijft als versteend op het matras liggen en denkt met afschuw aan haar jongste kind dat zonder moeder, zonder zorg en zonder opvoeding zal verworden tot een zwerfster en een schande zal zijn voor de familie. Ze vertrouwt haar schoondochters die taak niet toe, en haar zus ook niet, die is getrouwd met een man van mindere komaf dan zij en woont aan de andere kant van het dorp. Ze beseft dat er niemand is die ze kan vragen, niemand die haar er een rustig gevoel over geeft. Ze heeft geen minuut meer te verliezen. Mair gooit de dekens van zich af en stapt uit bed.

Als Caroline terugkomt van school, roept haar moeder haar boven. Op de drempel van de slaapkamer van haar ouders blijft ze staan. Op de vloer ligt een uitgespreide theedoek. Dat is op zichzelf al raar. Op de vloer liggen gewoonlijk geen theedoeken. En de sieraden van haar moeder liggen erop. Mair staat midden in de kamer en houdt met één hand haar keel vast. Caroline ziet dat ze die eeuwige krulspelden eindelijk uit heeft gedaan. En dat kan maar twee dingen betekenen: er is iemand dood of dit is op de een of andere manier een Speciale Gelegenheid.

'Wat is er, mam?' vraagt Caroline terwijl ze op de drempel blijft staan.

'Kom eens hier.' Haar moeder gebaart met haar hand dat ze binnen moet komen.

'Waarom?' vraagt ze, in de war door haar moeders rode wangen en regelmatige krullen, die het hoofd als een badmuts lijken te omvatten.

'Dit kind is gezonden om mij dwars te zitten,' zegt haar moeder terwijl ze haar hoofd ten hemel heft. 'Waar heb ik dit aan verdiend? Stel geen vragen,' zegt ze tot Caroline, 'en doe wat ik zeg. Kom hier.'

Caroline loopt de kamer door en houdt haar schooltas stevig vast. Haar moeder knielt voor haar neer en pakt haar bij haar schouders.

'Luister Caro, want dit is heel belangrijk. Luister je?'

Caroline knikt maar zegt niets. Het liefst wil ze weer weg; de vingers van haar moeder prikken in haar vlees.

'Ik wil dat je kijkt naar de sieraden op de theedoek. Goed kijken.'

Zij en haar moeder kijken naar de rood-wit gestreepte linnen doek. Een broche in de vorm van een zwaan, een ketting met geelachtige parels met een gouden sluiting, de verlovingsring van haar moeder met een diamant erin, een gitzwarte armband, een opaal op een dof geworden ketting en een paar oorbellen met blauwe kralen die je moet vastschroeven. Caroline herinnert zich dat haar moeder haar had verteld dat ze pijn deden aan haar oren.

'Heb je goed gekeken?' vraagt Mair.

'Ja.' Een van haar schoolsokken zakt langzaam af, maar ze durft zich niet te bukken om hem omhoog te trekken.

'Echt goed gekeken?'

'Ja.'

'Wat ja?'

'Ja, mam.'

'Als ik doodga,' begint ze terwijl ze Caroline aankijkt, haar nog steeds bij haar schouders vasthoudend, 'en je vader hertrouwt, dan zal zijn nieuwe vrouw proberen mijn sieraden te krijgen.' Ze schuift nog een stukje dichterbij. 'Ik wil dat jij mijn sieraden krijgt. Hoor je dat? Allemaal. Ze zijn allemaal van jou. Je moet ervoor zorgen dat zij ze niet krijgt. Of een van de tantes. Begrijp je dat?'

Caroline knikt, al begrijpt ze er helemaal niets van.

'En de zilveren melkkan, die beneden staat, is ook voor jou. En de houten *love spoon* die ik van je vader heb gekregen. Zorg dat zijn nieuwe vrouw die spullen niet in handen krijgt. Weet je wat?' Mair komt omhoog en trekt haar schort recht. 'We gaan ze verstoppen. Dat gaan we doen. Jij en ik. En we zeggen het tegen niemand, snap je?'

'Ja mam.'

Als Huw thuiskomt van zijn werk, zit zijn dochter aan de tafel met haar schoolboeken voor zich. Het is ijzig in de keuken. Carolines lippen zijn blauw van de kou.

'Wat is er aan de hand, liefje?' vraagt hij. 'Staat de kachel niet aan? Waar is je moeder?'

'Ze verstopt de sieraden voor je nieuwe vrouw.'

Caroline kan precies aangeven op welk moment haar moeder de greep op de wereld verloor. Nadat ze had gezien dat een van de buren een kinderwagen de heuvel op duwde, had ze aan haar moeder gevraagd hoe baby's werden geboren. Caroline keek haar moeder nieuwsgierig aan toen die met een zin begon, halverwege stopte, iets begon te tekenen, dat weer doorstreepte, bloosde, stamelde, stotterde en ten slotte iets zei over een goddelijk decreet, en over een vader en een moeder.

'Het heeft met liefde te maken,' verklaarde haar moeder, die opgelucht leek omdat ze eindelijk had gevonden wat ze wilde zeggen. 'En het gebeurt alleen maar als je getrouwd bent.'

Caroline weet nog dat er zich een idee in haar hoofd ontvouwde, en dat het had geleken alsof dat idee er altijd al geweest was maar dat ze er nooit aandacht aan had besteed: jij hebt ongelijk. Haar moeder had ongelijk. In alles.

Dat was een slechte gedachte, dat wist ze, en ze zou haar nooit hardop moeten uitspreken. Maar ineens zag ze in dat wat haar moeder zei, niet noodzakelijkerwijs waar was, terwijl ze dat wel altijd gedacht had, en ze zag in dat wat haar moeder zei, verband hield met een kleine, afgesloten wereld, waar Caroline geen deel van wenste uit te maken. Ze keek toe toen haar moeder haar foto's liet zien van haar broers met een stijve doopjurk aan, en ze luisterde toen haar moeder haar vertelde dat haar baby's op een dag dezelfde doopjurk zouden dragen. En hoewel ze pas negen jaar oud was, wist ze zeker dat dat nooit ging gebeuren.

Als Caroline weggaat, haalt ze de sieradenkist van haar moeder te voorschijn, die verstopt zat achter een losse plint in de voorkamer. Ze wil iets meenemen, de broche met de zwaan misschien. Niet omdat ze die ooit zal dragen, maar omdat ze haar wil meenemen.

Maar als ze het kistje openmaakt en de sieraden voor het eerst in tien jaar weer ziet, lukt het haar niet. Ze kan het niet. Ze slaagt er niet in ook maar een van die sieraden te pakken die haar moeder zo mooi vindt dat ze ze verstopt, maar nooit draagt. Ze doet het kistje weer dicht en duwt het terug op de geheime plaats. Ze neemt niets mee uit dit huis, helemaal niets. Alleen zichzelf.

Ze neemt de bus naar Cardiff. Ze huilt de hele reis dikke tranen, en maakt daarbij zo veel lawaai dat de buschauffeur vraagt of het wel goed met haar gaat. In Cardiff is ze opgehouden met huilen, maar daarvoor in de plaats bang. Ze is ervan overtuigd dat haar moeder elk moment te voorschijn zal komen en zal zeggen dat ze heus nog niet te oud is om een pak voor haar broek te krijgen. Maar het lukt haar naar Londen te liften, waar ze vraagt waar King's Road is. Ze loopt wat heen en weer en raakt wonderlijk genoeg in gesprek met twee vrouwen die haar vragen of ze bij hen in huis wil wonen. Ze begrijpt niet precies wat ze bedoelen, maar stemt toch toe.

Ze leert zichzelf haar klinkers mooi rond uit te spreken en haar r's en t's in te slikken. Ze wil niet dat men merkt waar ze vandaan komt, ze wil niet gebrandmerkt worden door een bepaalde plaats. Tijdens de discussies die ze in de in een kelder ondergebrachte commune voeren, moet ze telkens aan een bepaalde zinsnede denken, namelijk 'kind van het heelal'. Ze zegt dat niet tegen de mensen om haar heen, want de woorden zijn afkomstig uit een gebed dat haar moeder in een lijstje aan de muur in de keuken had hangen. Ze had nooit beseft dat dat soort dingen zich in haar hadden genesteld. Maar ze herinnert het zich weer als ze de straten van de stad verkent, de geografie van haar nieuwe leven. Het eindigt met de woorden: 'Streef ernaar gelukkig te zijn'.

Ze vindt het prettig om te kunnen denken dat ze niets onthouden heeft, dat het allemaal uit haar hoofd is verdwenen – de kerk, de gebeden, de saaie diners, het dorp met zijn steile straatjes, het eindeloze gepraat aan tafel, in de winkels en op school. Maar ze stelt vast dat die woorden op momenten van intense pijn of opperste vreugde naar boven komen: die zo lang begraven woorden, haar moedertaal. Ze zegt *'duw duw'* wanneer ze haar hand brandt aan de gasvlam. *'Cariad fach'* zegt ze tegen haar baby wanneer ze het slapende kind over het hoofd aait.

Jake sneed met zijn mes in het roze rundvlees op zijn bord en bracht het stukje naar zijn mond. Mel schepte nog wat gebakken aardappelen op en haar vader roerde met een lepel in de juskom. De hond zat met zijn neus omhoog de etensgeuren op te snuiven; er hingen lange speekseldraden aan zijn bek.

'...En ik zei dat ik altijd mijn bonnetjes bewaar, altijd, altijd...' zei Annabel. 'En ze weet dat ik wel al twintig jaar in die winkel kom, dus ik begrijp niet waarom het zo raar is dat ik het wil terugbrengen. Ik bedoel, ik ben waarschijnlijk een van haar trouwste klanten.' Ze schudt haar hoofd. 'Die ene keer. Precies die ene keer dat ik het bonnetje heb weggegooid.'

'Maar weet je wel zeker dat je het hebt weggegooid?' vroeg Mel met engelengeduld.

'Nou, ik weet niet wat ik ermee gedaan heb. Ik zeg alleen maar dat...'

'Jake, vertel eens,' onderbrak Andrew haar, en hij wendde zich met zijn wijnglas in de hand tot Jake, 'wat zijn je plannen, wat werken betreft?'

Het eten voelde plotseling ijskoud aan in zijn mond. 'Pardon?' wist hij nog uit te brengen.

'Jij zat bij de film toen je nog in Hongkong was, nietwaar?'

Jake verstevigde de greep op zijn bestek.

'Wat deed je precies?'

'Nou, eerst bouwde ik decors, maar nu ben ik regieassistent.'

Andrew keek hem aan en leek duidelijk geschrokken. 'En dat vind je... dat vind je leuk?'

'Ja,' knikte Jake. 'Erg leuk.'

'Hij vindt het heerlijk werk,' zei Mel en ze legde een hand op zijn been.

'Ik weet niet zoveel van die dingen,' begon Andrew onzeker. Jake werd zich er ineens van bewust dat er een fijnmazig, bijna ondoordringbaar web om hem heen gespannen werd. Was Andrew hiertoe aangezet door Mel? Of was hij gewoon paranoïde? 'Maar ik weet wel hoe het in Londen gaat.'

'Het?'

'Films. Het maken van films. Soho is... Soho is...' Andrew begon te hakkelen en zwaaide met zijn handen in de lucht. Mel en Annabel concentreerden zich op hun borden en sneden aandachtig hun groenten. Ze keken zijn kant niet op. 'Je zou kunnen zeggen dat het misschien wel het...' Hij keek even naar de gordijnen om inspiratie op te doen. Jake kreeg bijna medelijden met hem. '...Het zenuwcentrum van de Britse industrie is, en dat is... dat is een van de oudste en... een van de bekendste in de hele wereld.' Andrew nam een slok wijn.

Jake overwoog dat hij iets moest zeggen om aan te geven dat hij deze toespraak had begrepen. Hij zei: 'Juist.'

'Dus,' zei Andrew, die weer moed had verzameld, 'zou ik, als ik jou was...'

'Pap,' zei Mel vriendelijk, 'jaag hem niet op.' Jake was stomverbaasd. Zat zij hier dan niet achter?

'Ik jaag hem niet op, liefje. Ik wil alleen maar helpen. Misschien heeft hij', en Andrew wees met zijn mes op Jake, 'misschien heeft hij wel zin in een nieuwe baan, in plaats van hier thuis een beetje rond te hangen met twee vrouwen.'

'Niet met je mes wijzen, Andrew,' zei Annabel.

'Hij hangt niet rond, hij...'

'Alles wat ik wil zeggen, Jake,' zei Andrew tegen hem, 'is dat ik graag bereid ben je op een gegeven moment naar Londen te brengen, zodat je je cv bij bepaalde mensen kunt afgeven. Je snapt het wel. Netwerken.'

Jake maakte een buiging met zijn hoofd. 'Dank u.' Hij zag dat Annabel en Andrew een blik uitwisselden en besefte dat zij met z'n tweeën samenspanden, als je dat zo zou mogen noemen.

'En wanneer de tijd daar is,' zei Andrew met een veel zachter stemgeluid en hij leunde zo dicht naar Jake toe dat hij een stukje niet doorgeslikte aardappel op zijn tong zag liggen, 'dan wil ik jou en deze jongedame hier graag helpen met een geldbedrag voor een flat in Londen. Want ik begrijp wel dat jullie daar naartoe willen – jonge mensen zoals jullie. Geef maar aan als het zover is.'

'Wat fluister je daar, pap?' vroeg Mel.

'Nog wat vlees, Jake?' Annabel bood hem een stuk aan dat zwom in het vet en het bloed.

'Je geeft het aan, hè?' Andrew knipoogde naar hem en spoelde zijn mond met wijn.

'Eerlijk gezegd,' zei Jake, hij schraapte zijn keel en legde zijn vork neer, 'zit ik erover te denken even weg te gaan. Een paar dagen. Misschien een week of twee.'

'Echt waar?' Mel keek hem verbaasd aan. 'Waar naartoe dan?'

'Naar Schotland.'

'Dat heb je me niet verteld.'

'Nou ja, het is nog maar een vaag plan. Tot nu toe, dan. Ik wilde het je wel vertellen, maar...'

'Maar Jake, ik kan helemaal niet naar Schotland. Ik ben...'

'Nee,' zei hij voorzichtig, zich bewust van het feit dat Annabel en Andrew niet naar hun gesprek probeerden te luisteren. 'Nee. Ik zat eraan te denken om alleen te gaan.'

Mel legde haar bestek neer.

'Als jij het goed vindt,' dwong hij zichzelf eraan toe te voegen.

Mel keek hem vol ontzetting aan, alsof ze op het punt stond in huilen uit te barsten, maar ze deed haar uiterste best dat niet te tonen. 'Waarom naar Schotland?' vroeg ze met heldere stem.

'Daar heb ik altijd al heen gewild. En... ik dacht dat dit misschien het juiste moment was.'

'Je hebt gelijk, Jake,' kwam Annabel tussenbeide. 'Hij heeft gelijk, Melanie.' Ze legde haar hand op de arm van haar dochter. 'Hij is voor het eerst in Engeland. Hij moet op stap, het land bekijken. Je kunt niet de hele tijd binnen blijven zitten, toch?'

'Het is daar ontzettend koud,' zei Andrew. 'Speel je golf? Schitterende golfbanen hebben ze daar, gewoonweg schitterend.'

Mels gelaatstrekken ontspanden enigszins. Ze pakte haar servet op om haar mond schoon te vegen. 'Goed, als het maar niet te lang duurt.' Ze legde haar hand in zijn nek.

Francesca was de jongste van haar ouders' vijf kinderen, en ze woonden met zijn allen boven het café aan de hoofdstraat van Musselburgh. Het plaatsje lag even buiten Edinburgh, aan de kust, en er woonde slechts één andere Italiaanse familie: de twee broers van de kapperszaak. Eens per week nam Domenico met hen de bus naar Edinburgh. Dan bezochten ze een club voor Italiaanse mannen in Leith, waar ze *scoppa* speelden en wijn dronken. Francesca en haar broertjes en zusjes moesten op woensdagmiddag na school naar Italiaanse les, hoewel ze dat eigenlijk helemaal niet nodig hadden: hun ouders beheersten het Engels niet, dus werd er thuis altijd Italiaans gesproken. 'Mijn kinderen zijn Italiaans, mijn familie is Italiaans, mijn vrienden zijn Italiaans, en iedereen die hier werkt, is Italiaans. Waarom zou ik dan Engels moeten leren?' riep haar moeder uit wanneer Francesca haar smeekte Engels te leren omdat ze geen zin meer had om voor de zoveelste keer een brief van de gemeente, de belastingen of de school te vertalen.

Francesca's broers en zussen probeerden haar voor ze naar school ging, iets bij te brengen van de taal die buiten het café werd gesproken, maar daar had ze niet veel van onthouden. Op haar eerste schooldag begreep ze geen woord van wat de anderen tegen haar zeiden, en ze huilde dikke tranen. Haar klasgenoten hadden haar een 'vuile jankerd' genoemd en de mensen moesten lachen om haar accent, haar kleding en het eten dat haar moeder voor de lunch had meegegeven. Op een dag was ze op het speelplein naar een van haar zussen toe gelopen en had haar aangesproken in de taal die ze met haar ouders spraken. Haar zus had zich met een bleek en verschrikt gezicht omgedraaid en tegen Francesca gefluisterd: 'Spreek nooit Italiaans met mij.'

Haar broers en zussen gingen één voor één het huis uit. Haar oudste broer trouwde met een Italiaanse en vond werk in het bedrijf van haar familie, in Edinburgh. Haar twee zussen werden verpleegster en overnachtten meestal in het ziekenhuis. Haar andere broer ging naar Amerika, waar hij trouwde, scheidde en opnieuw trouwde. Later kwam hij terug om te helpen in het café.

Francesca maakte haar schoolopleiding af en dacht erover naar de universiteit te gaan, maar daar kwam het niet van. Ze werkte in het café, waar ze pastelkleurige bolletjes ijs in hoorntjes deed, en maakte lange wandelingen. Soms liep ze langs het kleine, baaivormige strand, of langs de particuliere school achter de hoge muur van grijze stenen naar de paardenrenbaan, waar de grond trilde onder de hoeven op het circuit. Soms wandelde ze een traject in de vorm van een acht over de drie bruggen van het plaatsje, waarbij ze telkens op de middelste stenen brug bleef staan om naar de zwanen te kijken die zich verzameld hadden in het riet en vergeefs probeerden tegen de stroom in te zwemmen.

En aldoor voelde ze een vage angst. Haar wereld was steeds kleiner geworden. Ze wist niets en kende niemand, althans, niemand buiten het kringetje van haar ouders. Hoe kon ze nu beslissen wat ze moest gaan doen als ze van niets wist? Soms was ze bang dat ze op een dag haar ouders moest verlaten, dat ze hen vaarwel zou moeten zeggen, maar soms vreesde ze dat ze hen nooit zou verlaten, nooit vaarwel zou zeggen. Ze was bang dat de mensen die ze in de straten van Musselburgh tegenkwam, haar uitlachten: daar gaat dat Italiaanse meisje dat niets te doen heeft. Niet lang daarna kwam ze het café helemaal niet meer uit.

Het was uiteindelijk haar oom die haar redde. Hij en haar vader zaten te praten aan een tafeltje. Francesca serveerde hen koffie, ging achter de bar staan en keek uit het raam. Elke zestig seconden verplaatste ze haar gewicht van haar ene op haar andere voet. Ze telde in haar hoofd het aantal malen.

Haar vader en oom Agostino spraken op gedempte toon. Vanuit haar ooghoek zag ze dat haar oom naar haar keek, en toen weer voor zich. Ze meende het woord *figlia* op te vangen. Dochter. Hadden ze het over haar? Francesca nam met een warme natte doek de brandschone aluminium bar af. Toen die in een mum van tijd droog was, deed ze het nog een keer.

Ze was dol op haar oom. Hij had een delicatessenzaak in Leith met zijn vrouw, die, zoals haar moeder altijd zei, 'nooit was gezegend met kinderen'. Maar ze vond het niet prettig dat hij over haar sprak. Ze hield de vaatdoek voor de derde maal onder de hete kraan toen haar vader haar riep. 'Kom eens hier,' zei hij. 'Kom eens bij me zitten.'

Francesca ging op het plastic bankje zitten. Via de spiegels aan de muur werd ze wel honderd keer door zichzelf aangekeken. Agostino boog zich over het tafeltje en kneep in haar wang.

'Je ziet er zo magertjes uit, *mia cara*. Geeft die broer van mij je wel genoeg te eten?' Hij tilde zijn espressokopje op, dat in zijn grote handen leek op een kopje uit een poppenhuis, en nam een slok. 'Luister, Francesca.' Hij pakte haar hand beet. 'Appollonia en ik vroegen ons af of je ons een groot plezier wilt doen.'

'*Si, mio zio, senz'altro.*'

'Nou, luister eerst maar eens naar wat ik je wil vertellen. Appollonia en ik zijn niet meer de jongsten. De winkel is groot. We hebben een meisje dat ons af en toe helpt,' zei hij terwijl hij zijn hoofd schudde en lachte, 'een rare Engelse studente, maar dat is niet voldoende. Ik heb het er met je vader over gehad en die heeft me verteld dat hij wel zonder je kan. Kijk, Appollonia en ik vroegen ons af of je bij ons zou willen komen werken voor een poosje. Je kunt boven de winkel wonen, bij ons. Misschien vind je het wel leuk om een tijdje in de stad te zijn. In een andere omgeving.' Hij drukte haar hand. 'We zouden heel erg blij met je zijn.'

Francesca keek haar vader aan, die haar toelachte en knikte. Ze nam Agostino's hand in de hare en slaakte een diepe zucht, van onder uit haar longen. '*Si, si, Zio Agostino, grazie. Mille grazie.*'

Op de eerste dag zette Appollonia haar achter de kassa, samen met de rare Engelse studente. Francesca had nog nooit zo iemand gezien: ze had valse wimpers opgeplakt, haar ogen opgemaakt met halvemaanvormige, blauwe oogschaduw en droeg een rokje dat haar billen ternauwernood bedekte.

'Ik ben Evie,' zei het meisje. 'Je hebt prachtig haar.'

'O,' zei Francesca beduusd, en ze greep de bos haar die in een vlecht over haar rug hing, 'dank je.'

Er kwam een vrouw die gesneden prosciutto wilde. Evie nam de enorme vleesklomp van de plank en legde hem op de snijmachine. 'Heb je het wel eens achterovergekamd?' vervolgde ze terwijl ze over haar schouder keek.

'Pardon?'

'Je haar.'

'Nou,' zei Francesca en ze keek naar haar handen, 'nee.'

'Dat zou je eens moeten doen.' In haar opwinding haalde Evie haar voet van het pedaal van de snijmachine. Het apparaat begon klagerig te zoemen en het mes draaide steeds langzamer rond. 'Het zou er prachtig uitzien in een suikerspin.'

Francesca keek haar perplex aan. 'Een suikerspin?' herhaalde ze. 'Mijn haar?'

'Ik doe het wel voor je. Ik heb krulspelden en haarlak.'

'Nou...'

'Jij weet niet wat een suikerspin is, nietwaar?'

'Is dat een haarstijl?'

'Mijn god.' Evie snoof minachtend en ging met haar handen in haar zij staan. Haar aandacht voor de ham en de klant was volkomen verdwenen. 'Waar heb jij gewoond, liefje? In een bunker of zo? Ik geloof...'

'Pardon.' De vrouw klopte met haar knokkels op de toonbank.

Evie draaide zich om. 'Rustig maar. Ik ben zo bij u. Ik geloof,' ging ze verder tegen Francesca, 'dat je eens bij mij thuis moet komen.'

'Ik... maar... ik...'

'Wat?'

'Dat moet ik even aan mijn moeder vragen,' mompelde Francesca.

'Je moeder?' Evie was stomverbaasd. 'Hoe oud ben jij eigenlijk? Twaalf?'

'Zo, schatjes.' Evie inhaleerde haar longen vol rook. Ze zaten in het schaarsverlichte café van een warenhuis. 'Ik hoor dat er sprake is van een man.'

Stella, die haar kop chocolademelk voor de helft had opgedronken, hoestte en schrok. Het eerste wat in haar opkwam, was angst, angst dat Nina dacht dat zij het had verteld. Maar Nina sloeg woedend met haar vuist op tafel. 'Hoe weet jij dat? Heeft mam...'

'Nee, nee,' onderbrak Evie haar, 'niet je moeder. Je vader.'

'Pap?' Stella was verbaasd. 'Ik wist niet dat jij en hij... Ik bedoel...'

Evie keek haar aan en lachte. 'Nee, dat klopt. Dat doen we ook nooit. Gewoonlijk niet. Maar hij belde me gisteren. Hij zei dat hij een van jullie had gezien in een innige omhelzing. Hij zit er vreselijk mee in zijn maag, die arme man.'

'Dus daarom wilde je ons zien,' zei Nina beschuldigend. 'Omdat pap je dat gezegd heeft, omdat...'

'Ik wilde jullie vandaag zien omdat ik jullie wilde zien.' Evie sloeg nerveus haar benen over elkaar, en daarna weer terug. Onder een strak zwartwollen rokje droeg ze laarzen met lemmetvormige hielen en lange veters, die het leer strak om haar benen trokken. Stella wilde zo graag zulke laarzen dat ze er naar van werd. Zou ze ooit zo kunnen worden? Volwassen zijn leek nog zo ver weg. Ze wist niet of ze wel zo lang kon wachten. 'Niemand vertelt mij wat ik moet doen, schat, dat weet jij ook wel.'

Stella doopte haar theelepel in haar warme chocolademelk en haalde hem er weer uit. Ze kon Nina wel vermoorden, die naast haar zat en probeerde te huilen. Dat was zo'n speciaal kunstje van haar. Het was haar oplossing voor bijna alles. Stella wist hoe ze het voor elkaar kreeg, want Nina had het haar ooit verteld: 'Denk heel intensief aan die keer dat Max werd overreden,' had Nina gezegd, 'ik bedoel: echt heel intensief, en dan komen de tranen vanzelf. Het is heel gemakkelijk.'

'Wat trekken jullie chagrijnige gezichten,' riep Evie uit. Ze richtte zich op vanachter de tafel en zwaaide met haar hand in de lucht. De ober zag haar onmiddellijk. Dat lukte Evie nou altijd. 'We nemen een stuk taart, en dan vertellen jullie me alles over je minnaars.'

Ze stond erop dat het karretje met taart naar haar tafel werd gereden en wilde van elk gebakje weten hoe het heette. De ober gaf haar zelfs een lepel waarmee ze de vulling van de profiterolles kon proeven, maar die vond ze 'veel te machtig'. Drie dames uit Morningside aan het tafeltje naast hen, keken geschokt toe. Na lang aarzelen kwamen er een moorkop, een chocoladegebakje en een religieuze op tafel.

'Godsamme, religieuze,' zei Evie net iets te luid, 'ik weet zeker dat die arme Franse nonnetjes zoiets nooit voorgezet kregen. Mmm.' Ze legde haar vorkje op het schoteltje. 'Goddelijk, nietwaar? Goed. Jullie jongens. Kom op, vertel me alles.'

'Ik heb geen...' begon Stella woedend, '...geen... vriendje. Ik heb er niets mee te maken.'

Evie keek haar met gefronste wenkbrauwen aan. 'Goed dan. En Nina?'

Nina schoof haar handen onder haar dijen. Ze had grote, heldere ogen. 'Ik begrijp je niet,' fluisterde ze ineens bedeesd en verlegen. 'Wat wil je weten?'

'Laten we eens beginnen met zijn naam.'

'Chris.'

'Zoals in Christopher?' Evie dacht even na. 'Een prima naam,' oordeelde ze. 'En verder?'

'Nou, hij is zestien. Hij zou in hetzelfde jaar als ik hebben gezeten, als...' Nina zweeg even. Evie knikte. 'En verder verzamelt hij lp's. Hij wil graag op gitaarles. Hij heeft krullen...'

'Donker of licht?' onderbrak Evie haar.

'Licht.'

'Blond? Prima. Blonde jongens zijn afhankelijker, vind ik. Donkere jongens zijn hartenbrekers.'

Stella keek naar Evie en wilde haar iets vragen, maar ze wist niet hoe.

'En vind je hem leuk?' vroeg Evie.

'Ja.'

'Echt leuk?'

Nina verschoof op haar stoel. 'Ik denk het wel, ja.'

'Mooi.' Evie lachte en veegde met een opgevouwen servet haar mondhoeken af. 'En ga je met hem naar bed?' vroeg ze op dezelfde toon.

Stella keerde zich om naar Nina en leek ineens geïnteresseerd. Moest ze de waarheid vertellen? Dat ze had geprobeerd hem te verleiden, maar dat hij tot nu toe had geweigerd? Zou ze Evie vertellen dat het haar maar twee keer was gelukt om Chris zijn onderbroek te laten uittrekken, en dat zijn erectie beide keren op slag was verdwenen? 'Zo ging dat,' had Nina haar verteld en ze had een naar beneden hangend kwastje aan haar jurk vastgepakt.

Evie keek hen aan. 'Schatjes, wees nou niet zo verlegen. Ik ben jullie moeder niet en ik ga het haar ook niet vertellen.'

De zussen zwegen. Nina keek naar Stella's knieën.

'Stella.' Evie richtte het woord voor het eerst aan haar. 'Vertel jij het dan. Jij zult het toch wel weten.'

'Tja.' Stella keek naar Nina, en daarna weer naar Evie. 'Nou...'

'Nee,' zei Nina met haar tanden op elkaar. 'We zijn niet met elkaar naar bed geweest. Ik kan nauwelijks geloven dat je me op deze manier uithoort. Het is ongelooflijk. Je... je overvalt me er totaal mee.' En ineens stroomden de tranen over Nina's wangen. God, wat was ze daar goed in. 'Ik kan nauwelijks geloven dat je me niet vertrouwt,' snikte ze en Stella keek haar deels met ontzag, deels met walging aan. 'Ik ga niet met hem naar bed. Dat beloof ik, Evie, dat beloof ik.'

'Liefje, beloof me dat soort dingen niet, alsjeblieft.' Evie was uiterlijk onbewogen door Nina's tranen. Francesca reageerde daar wel anders op. 'Luister.' Evie rommelde in haar tas. 'Dit is niet het soort advies dat jullie vader van me verwacht, maar geloof me: dit hebben jullie nodig.' Ze legde een klein, plat, blauw-wit doosje op tafel en schoof het in hun richting. Stella keek ernaar. Evies nagels waren bloedrood gelakt en in een punt gevijld. Op het doosje stond nog zo'n tekening van een man en een vrouw. DUREX, stond erop, DUREX DUREX. Stella keek naar de dames uit Morningside, en daarna door het raam, naar het Scott Monument. Toen ze weer voor zich keek, zag ze dat Nina haar hand op het doosje had gelegd en het probeerde terug te duwen naar Evie.

'Nee, nee.' Evie schudde haar hoofd. 'Je moet ze bij je houden. Echt. Houd ze bij je.'

'Maar...'

'Nina, neem ze nou.' Evie duwde het doosje met enig geweld

terug en Stella zag dat Nina tegen haar zin opgaf. 'En wat er ook gebeurt, zeg niet tegen die gekke katholieke moeder van je dat ik ze
je heb gegeven. Als ze ze vindt, ben ik onschuldig. Is dat duidelijk?'

Nina knikte. Stella knikte.

'Weet je hoe je ze moet gebruiken?'

Nina knikte nog eens.

'Zorg ervoor dat hij er een om heeft voor hij bij je in de buurt
komt. Begrijp je dat? Al is het maar een beetje in je buurt.'

Stella deed haar handen voor haar gezicht, dat gloeide. 'Evie,'
smeekte ze.

'Het is belangrijk, liefje,' zei Evie tegen haar. 'Het is belangrijk
dat jullie tweeën dit weten. Spermatozoïden zijn volhardende
kleine duiveltjes.'

'Ja,' bracht Stella met moeite uit.

'Ben ik duidelijk?'

'Ja,' zeiden ze tegelijk.

'Mooi dan.' Evie leunde achterover en drukte haar sigaret uit.
Nina was al bezig haar jas en tas te pakken. 'Tijd om te winkelen,
lijkt me zo,' zei Evie. 'Zullen we dan maar?'

De dag nadat Archie voor het eerst met Francesca is gaan wandelen in de Botanische Tuin, zit hij in het huis van zijn moeder naar
de hond te kijken – Jinty heet het dier. Ze schuurt met haar flank
tegen de bank en snuffelt met haar snuit aan de bekleding. Zijn
moeder zet thee in de keuken. Hij hoort het fluiten van de ketel en
het gerinkel van de porseleinen kopjes. Buiten begint het langzaam maar zeker te schemeren.

Eens in de twee weken stopt zijn moeder Jinty in bad, in de grote vierkante gootsteen in de keuken. Jinty ondergaat de vernede-
ring wel, maar niet zonder te rillen en te niezen. Het dier heeft een
klagelijke blik in de bruine ogen en piept zachtjes, waarop Archies
moeder antwoordt met een kordaat 'af!' Nadat Jinty is gewreven
met een handdoek en voor het haardvuur verder is opgedroogd,
volgt de pantomimeopvoering: het dier holt als een dolle door de
kamer en wordt er gek van dat ze nergens naar ruikt. Wanhopig
probeert ze elke geurtje dat ze kan vinden, op te snuiven. De voch-

tige, olieachtige geur van het vloerkleed, de prikkelende geur van het parket en de dierlijke geur van de paardenharen bekleding van de bank – alles is beter dan niets, oordeelt Jinty.

Archie kijkt toe hoe ze ligt te kronkelen op het wollen haardkleed tot ze niet meer kan.

'Kom hier, Jint.' Hij strekt zijn hand uit. 'Kom maar. Het is mooi geweest, nu.' De hond trippelt met wuivende staart voor hem en kijkt hem aan alsof hij in staat is haar te helpen.

Archie legt zijn hand tussen de oren van het dier. Al drie maanden lang koopt hij stukken kaas bij dat Italiaanse meisje met het zwarte haar. Elke middag is hij in de delicatessenzaak te vinden, ondanks het honende gegrinnik van het blonde meisje, en elke keer volgt hij een andere tactiek. Naar de bioscoop? Een kopje koffie, dan? Misschien ergens een kopje thee drinken? Een concertje? Francesca had met geloken ogen haar hoofd geschud, waarbij haar plooirok heen en weer deinde. Een tentoonstelling in het museum? Een theatervoorstelling? Een uitstapje naar zee? Ergens een dansje maken? Hij had zelfs overwogen voor te stellen naar de kerk te gaan, hoewel hij zeker wist dat ze rooms-katholiek was. En hij had nog nooit in zijn leven een voet gezet in een katholieke kerk, hij zou niet weten wat hij er moest doen. Maar toen had ze zich met gloeiende wangen over de toonbank gebogen en gezegd: 'Een wandeling, misschien.'

Ze kwam met haar moeder. En haar tante. De twee oudere vrouwen zagen er vrijwel identiek uit. Ze droegen lange, zwarte rokken en vesten die tot aan hun keel waren dichtgeknoopt en hadden hun haren in een knoetje in hun nek gebonden. Archie kon zijn ontzetting bij het zien van deze twee Baba Yaga's nauwelijks verhullen. Alletwee waren ze klein, bijna half zo klein als Archie zelf. Hij moest door zijn knieën gaan om hen de hand te kunnen schudden. De moeder had een grote, ingeklapte paraplu bij zich en keek hem met nauwelijks verhulde minachting aan. Geen van beiden spraken ze Engels, ze stootten klanken uit die op instructies leken – of misschien kritiek – en die bestemd waren voor Francesca.

Hij en Francesca liepen voorop, de gearmde Baba Yaga's vormden de staart van de stoet. Ze leken echt te genieten van de tuinen en bleven overal staan wijzen en kijken. De moeder, signora Ianelli, rook aan de bloemen. Vooral de rozentuin bleek in de smaak te vallen, maar dat gold ook voor de lavendelperken. De kassen vonden ze maar niets. '*Troppo caldo*,' oordeelden ze en ze wapperden met hun handen voor hun gezicht, in hun wollen rokken, hun wollen kousen, hun wollen vesten. Tussen de onbegrijpelijke kreten van de vrouwen door vroeg hij Francesca het een en ander, en hij kon zijn lachen nauwelijks inhouden toen ze vertelde dat ze in Schotland was geboren. Ze sprak nauwelijks Engels, vond hij, en als ze het al probeerde, was haar accent dermate sterk dat het leek of ze Italiaans sprak.

Hij nodigde hen uit voor een kopje thee, waardoor de tante leek te ontdooien. Zij was op de een of andere manier buitengewoon geïntrigeerd door de theepot. Francesca zat met haar handen in haar schoot. Signora Ianelli keek hem woest aan over de taartjes op tafel. Maar Archie gaf het niet zomaar op. Hij was het ziekelijke, beschermde kind van een weduwe, verliet nauwelijks het huis, laat staan dat hij vaak in Edinburgh kwam. Francesca was voor hem als een wind uit een andere richting. Terwijl ze daar thee zaten te drinken, kon hij de neiging nauwelijks onderdrukken om voorover te leunen en aan haar haren en haar huid te ruiken, het buitenlandse in haar op te snuiven, vast te stellen dat ze van ver weg kwam, uit een andere wereld.

Jinty loopt weg. Haar nagels tikken op het parket. Archies moeder komt de kamer binnen en zegt iets over de melkboer die één in plaats van twee melkflessen heeft neergezet. Archie vraagt zich een moment af hoe ze zou reageren als hij Francesca mee naar huis nam. Een buitenlandse, een immigrante, een katholiek meisje, een winkelbediende met een lage opleiding. Ze zou snikken in haar zakdoek en het schoolgeld, zijn dode vader en zijn zwakke gezondheid als kind ter sprake brengen.

Maar net als Jinty maakt hij zich zorgen over zijn minzaamheid, over het geurloze dat hem kenmerkt. Er is niets specifieks aan hem: hij is een welopgevoede, protestantse jongen uit de buurt van Edinburgh die zijn werk doet en bij zijn moeder woont. Af en toe loopt Archie in de avondmist naar huis en dan overweegt hij dat hij zomaar in het niets zou kunnen oplossen – zo onbetekenend en gewoon voelt hij zich. Hij wil iets waardoor hij opvalt, een geur, iets opmerkelijks, iets waardoor hij zich onderscheidt, zodat de mensen niet langer zeggen: 'Archie wie?', maar: 'Archie, die jongen die met die Italiaanse is getrouwd'.

Op de een of andere manier wordt hij op de familie even verliefd als op Francesca zelf. Hij geniet ervan dat Valeria vaten met water en meelzakken op haar hoofd draagt en dat ze de kraan in de keuken open laat staan omdat ze het zo fijn vindt dat ze stromend water hebben. Hij geniet ervan dat nichtjes, zussen, ooms en broers de hele dag door het café in en uit lopen. Hij heeft altijd gevonden dat hij en zijn moeder een te kleine gemeenschap vormden, te zeer op elkaar waren aangewezen. Hij vindt het prachtig dat ze met zijn allen rond de tafel zitten te genieten van pittige gerechten. Hij beschouwt de gemeenschap als druppels olie in het water: een opvallende, samenhangende aanwezigheid die niet wordt verstoord door het vreemde element eromheen.

Archie gaat naar de avondschool om Italiaans te leren. Zijn pogingen wekken de lachlust van Francesca op en de hoon van Valeria. Valeria heeft het niet zo op Archie. Ze wil niet dat deze sproetige, witte Schot, die er maar niet in slaagt haar taal onder de knie te krijgen, met zijn handen aan haar jongste dochter zit. Ze zegt tegen Francesca dat ze een leuke jongen moet zoeken – en Francesca weet dat ze daarmee een Italiaan bedoelt.

Maar Domenico bemoeit zich ermee.

'Als zij van die jongen houdt,' zegt hij op een avond, als ze al in bed liggen, 'dan houdt zij van die jongen.'

Valeria slaat geïrriteerd in haar kussen, maar ze weet wel dat ze met Domenico geen ruzie moet maken. Hij zou ongetwijfeld beginnen over haar eigen vader, die niet wilde dat ze gingen trouwen, en als ze daar op dit moment aan herinnerd zou worden, werd ze alleen maar nog chagrijniger.

Nina slaagde erin Chris – en zichzelf – te ontmaagden op de vloer van zijn slaapkamer, terwijl zijn ouders beneden naar het nieuws en het weer zaten te kijken. 'Ik heb geen maagdenvlies meer!' fluisterde ze tegen Stella, die in het andere bed lag. 'Ik voelde dat het knapte. Eerst rekte het uit, en toen knapte er iets.'

Drie weken later dumpte ze Chris en papte ze aan met ene Pete Gilliland, die in de zesde zat. Na een week liet ze ook hem in de steek en papte aan met achtereenvolgens Scott Miller, Angus McLaren, David Lochhead, Kevin Patterson en Patrick Caffrey (de oudere broer van Chris).

Stella zag dat haar zus haar oude huid verloor en zich een nieuwe aanmat. Nina kreeg gelijk. Nu ze een bepaalde reputatie had, bleek ze ineens populair te zijn bij de jongens. Ze werd niet meer gepest en niemand noemde haar nog 'Ghostmore'.

Stella zag dat Nina het op school nu veel gemakkelijker had, dat je door seks geaccepteerd werd, althans, door sommigen. Voornamelijk door jongens. Bovendien zag ze dat anderen – meisjes – je om dezelfde reden ineens bleken te haten.

Jake stapt op het rokerige, door het spitsuur drukke Euston Station op de trein. Hij heeft met nachttreinen gereisd door China, Mongolië en Vietnam, dus kijkt hij op van de fraaie pluchen bekleding. Hij is gewend aan kale matrassen en schillen, notendoppen, kakkerlakken en spuug op de vloer.

Jake ligt op zijn buik op de slaapbank en kijkt naar buiten. Een beroete bakstenen muur, een stukje loodgrijze lucht, rijen huizen met identieke schoorstenen, rode bussen, een sportveld, flatgebouwen, een billboard waarop een vrouw staat afgebeeld met open mond en het hoofd in de nek, achtertuintjes, alles flitst in duizelingwekkende vaart voorbij – een kind achter een piano, een vrouw die de was van het rek haalt, een man achter een fornuis, een paar dat elkaar omarmt, een man met een baby op schoot. Hij vindt het ongelooflijk dat hij nu over het eiland raast dat hij zo lang op de kaart heeft bekeken, dat hij bestudeerde, waarover hij heeft nagedacht.

De avond daarvoor waren ze naar bed gegaan en ineens had hij Mel achter zich gevoeld. Het matras ging op en neer terwijl ze dichterbij kroop. Hij voelde haar ademtocht tegen zijn schouderbladen en haar ronde knieën tegen de achterkant van zijn dijen. Hij schraapte zijn keel en schoof langzaam in de richting van de bedrand. Maar zij schoof achter hem aan en legde een arm over hem heen.

Jake keek naar de hand die over hem heen hing, de korte vinger-
tjes, de recht afgeknipte nagels. Op een opdringerige manier begon
ze zijn borst te aaien, in een onregelmatig tempo.

'Mel,' begon hij.

'Sst,' siste ze in zijn oor en haar hand ging naar beneden, aaide
zijn middel.

'Nee.' Het woord was eruit voor hij het wist. Hij kromp ineen
en zat het volgende moment op de rand van het bed. 'Nee,' zei hij
nog eens.

Mel had een minuut lang gezwegen. Hij voelde haar ogen in zijn
rug prikken. Daarna had ze zich snel omgedraaid en het dekbed
over zich heen getrokken.

Jake zucht en gaat staan. Hij duwt het kraantje in en bespren-
kelt zijn gezicht met water. Dan gaat hij weer op zijn slaapbank
liggen en kijkt naar de duister geworden wereld. Hij kan niet slapen. Zijn hersenen gaan tekeer als een motor die niet wil aan-
slaan. Het blauwe nachtlampje zoemt. Een vrouw hoest achter de
scheidingswand van de coupé, de conducteur schuifelt door de
gang, de trein, die hem door de nacht loodst, piept en kraakt onder
hem en suist langs dorpen die hij nooit zal bezoeken.

Stella heeft de ontbijttroep opgeruimd, de enorme vaatwasser
aangezet, de tafels afgenomen en de wandelverhalen aangehoord
van een hotelgast, die daarop in de mist rond de Laire Ghru verdwijnt.

In de keuken achter haar pakt Pearl met veel kabaal pannen van
de schappen. Stella mag Pearl wel – een vrouw van een jaar of vijftig die nachtdiensten draait in een bejaardenhuis en 's morgens in
het hotel werkt. Pearl slaapt 's middags en staat bijtijds op om het
avondeten te bereiden voor haar kinderen en kleinkinderen, die
bijna allemaal nog bij haar schijnen te wonen. Jaren daarvoor is
haar man 'ervandoor gegaan met de dorpsfiets'. Toen Stella haar
vroeg hoeveel kinderen ze had, antwoordde ze: 'Zes of zeven, nietwaar, zes of zeven.' En daarna moest ze zo hard lachen dat ze begon te piepen en haar inhalator erbij moest pakken.

Stella strekt haar benen onder het bureau. Buiten schijnt de zon
op de bomen, waarvan de takken al knoppen krijgen. Witte, uitge-

rekte wolken vliegen hoog in de blauwe lucht achter elkaar aan. Naast haar begint de telefoon te rinkelen. Ze neemt de hoorn van de haak. 'Goedendag, receptie, kan ik u helpen?'

Het is even stil op de lijn, en dan zegt een stem: 'Stella.'

Door dat woord is Stella in één keer haar weldadige, rustige stemming kwijt. Het was geen vraag die werd gesteld, het was een vlakke mededeling. Ze slikt en brengt de hoorn dichter bij haar oor. 'Hallo,' weet ze uit te brengen.

'Nou,' zegt Nina op ijskoude toon, 'ga je me nu vertellen waarom je me ontwijkt?'

Stella speelt met het spiraalvormige snoer. 'Ik ontwijk je niet. Ik...'

'Stella,' onderbreekt Nina haar, 'ik heb de afgelopen maand zeven... nee, acht boodschappen ingesproken. Ik heb je twee brieven gestuurd en vier kaarten. Je hebt niet een keer geantwoord. Niet een keer. Je bent weken achtereen volkomen onvindbaar en ik moet van mam horen waar je zit.' Ze neemt een trekje van haar sigaret. 'Wat is er verdomme aan de hand?'

Stella trekt een strak gezicht. 'Niets. Er is niets aan de hand. Ik heb het... ik heb het gewoon druk gehad.'

'Druk?' snauwt Nina. 'Loop me niet te bedonderen, Stel. Zoiets kun je tegen pap en mam zeggen, maar niet tegen mij. Je hebt alles in Londen achtergelaten en bent weggelopen, je...'

'Dat is niet waar...' stamelt Stella. 'Ik heb niet alles achter me gelaten, ik...'

'Wel waar.'

'Niet waar.'

'Stella. Ik heb naar je werk gebeld. Ze hebben me verteld dat je zonder iets te zeggen bent weggebleven.'

'Zo, heb jij dat gedaan?' Stella besluit dat ze maar het beste de aanval kan kiezen. 'Hoe durf jij je neus in mijn zaken te steken? Maar als je het dan echt wilt weten: mijn contract liep af en...'

'Mam zegt dat je in de buurt van Kincraig zit.'

Ze speelt haar troefkaart uit, en dat begrijpen ze alletwee. Stella houdt haar mond. Ze duwt haar nagels in het zachte, vlezige deel van haar handpalm. Ze weet niet meer wanneer ze Nina dat woord voor het laatst heeft horen uitspreken.

'Wat moet je daar?' vraagt Nina, en Stella wordt uiterst nerveus van de rust in haar stem.

'Niets,' fluistert ze.

Het is even stil.

'Alsjeblieft, Stel,' zegt Nina met een lage stem, 'wat is er gebeurd? Waarom ben je daar? Vertel het me.'

Stella kan niets zeggen. Ze hoort Nina ademen, maar niet zichzelf. Ze houdt waarschijnlijk haar adem in. Nina, niet doen, wil ze zeggen, niet doen. Alsjeblieft, doe dit niet.

'Stel,' zegt Nina rustig, 'je moet me vertellen wat er aan de hand is. Ik ben half gek geworden. Waarom heb je dit gedaan? Waarom ben je daarheen gegaan zonder... zonder het mij te vertellen? We weten allebei dat...' Ze zwijgt plotseling, alsof er iemand de kamer is binnengekomen. Stella hoort dat ze haar sigaretten pakt. 'Luister. Ik kom binnenkort naar je toe. Van het weekend, met de auto. Het zal maar een paar uur duren en...'

'Nee, dat moet je niet doen!' schreeuwt Stella. 'Dat lijkt me niet al te... ik bedoel, ik heb het echt druk. Ik heb nauwelijks vrije tijd.' Ze zucht diep. 'Ik moet nu ophangen, Nina. Het spijt me. Dag.'

Ze legt de hoorn op de haak en staat op. Ze beent weg, loopt de keuken door en de gang op. In een flits ziet ze Pearl, die verbaasd opkijkt. De telefoon rinkelt opnieuw als ze de trap aan de achterkant bereikt. Hij blijft maar rinkelen. Ze ziet het voor zich: de telefoon in de verlaten receptieruimte, de stilte tussen het gerinkel door, de bloemen die ernaast staan, de bloemblaadjes die op het bureaublad zijn gevallen, de lege stoel die achteruit is geschoven, het gras en de bomen achter de openstaande deur.

Dan hoort ze Pearl de receptieruimte binnenlopen en de telefoon opnemen. 'Hallo... Ja... Nee, ze is er even niet... Nee... Het spijt me... Ja, zonet was ze er nog, dat klopt, maar ze moest even weg... Dat klopt, ja... Zeer zeker... Prima. Tot ziens.'

Stella loopt de smalle trap op en hoort dat Pearl door de keuken de gang in loopt. 'Stella?' roept ze.

'Ja.' Haar stem weerkaatst tegen de houten wanden van het kleine trappenhuis – te hard, te snel ook.

'Dat was je zus.'

'O.'

'Ze zegt dat je haar moet bellen.'

'Goed. Dank je, Pearl.'

'Niets te danken. Ga jij de kamers nu doen?'

'Ja.'

'Goed. Dan zie ik je later.'

'Da's goed.'

Nina kijkt over het donkere gedeelte tussen hun bedden en ziet dat Stella weg is. De dekens zijn opzij geslagen, waardoor de lakens oplichten in het donker. Nina gaat rechtop zitten. 'Stella?' zegt ze. 'Stel?'

Het is donker in hun slaapkamer. Er staan meubelen tegen de muur. Hun schooluniformen liggen op de stoel, klaar om morgen te worden aangetrokken; de manchetten en broekspijpen hangen lusteloos naar beneden.

Er is iets waardoor Nina opkijkt, waardoor haar hart in haar keel begint te kloppen. In het duister boven haar doemt een schim op. Nina kijkt er een paar seconden naar en beseft dan ineens wat het is. Haar zus staat bewegingloos op de dwarslat aan het voeteneinde van haar ledikant en heeft haar blote voeten rond het hout gekruld.

Nina slaat haar dekens terug en stapt uit bed. Ze is niet bang in het donker. Ze is nergens meer bang voor. 'Onoverwinnelijk' is het woord dat daarbij hoort, heeft Stella haar verteld. Dat heeft ze in een boek gelezen. Nina loopt op haar tenen de kamer door.

Stella houdt zich perfect in evenwicht, als een zwemmer die klaarstaat om in het water te duiken. Ze zwaait niet met haar armen, wankelt niet en hoeft zelfs haar armen niet te spreiden. Nina begrijpt niet hoe ze dat voor elkaar krijgt, hoe ze zich op zo'n smal latje in evenwicht kan houden.

'Stel?' fluistert ze.

Ze moet haar niet wakker maken. Maak een slaapwandelaar nooit wakker. Stella kijkt naar beneden, naar een punt ergens in de verte. Nina weet waar ze is. Ze kan zich de steile rotswand voorstellen, ze ziet het water tegen de rotsen beuken. Ze vindt het niet leuk dat Stella daar zonder haar naartoe gaat, dat haar zus daar alleen is.

'Hé,' zegt ze en ze strekt haar hand uit. Ze krult haar vingers voorzichtig en langzaam om die van haar zus. 'Ik ben het,' zegt ze. 'Je bent aan het dromen. Kom op. Ga maar weer in bed liggen.'

Stella knijpt in haar hand en fronst haar wenkbrauwen.

'Kom op,' zegt Nina nog eens en ze trekt aan haar arm. 'Naar bed. Het is maar een droom.'

Stella laat zich naar beneden begeleiden. Nina trekt de dekens weer over haar heen, maar dan begint Stella te trillen en ze klemt haar kaken op elkaar.

'Het is goed, Stel,' mompelt Nina terwijl ze de dekens over haar zus legt. 'Het is goed.' Stella's lichaam is stijf, er is geen beweging in te krijgen. Nina zit naast haar op het matras en schuift Stella's haren uit haar gezicht, iets wat ze haar moeder heeft zien doen. 'Alles komt goed.' Maar haar zus ligt nog steeds te trillen. Nina buigt zich vooruit, zodat ze goed naar het slapende gezicht kan kijken. Ze neemt Stella's vuist in haar handen en knijpt er hard in. 'Hij krijgt je nu niet meer te pakken.'

'Nee, het spijt me.' De vrouw heeft lichtrode lippenstift op, die uitloopt in de rimpeltjes rond haar mond. 'Ik ken geen plaats hier in de buurt die zo heet.' En als ze dat heeft gezegd, slaat ze met een stapel papieren die ze in haar handen heeft, op de toonbank, alsof ze het gezegde kracht wil bijzetten.

Jake staat in een boekhandel in Aviemore, de enige plaatsnaam waar hij zeker van is, de enige die hij heeft ook. De rugzak van zijn moeder staat aan zijn voeten. 'Een dorpje, misschien? Of een gehucht... Of misschien...' Hij maakt wilde bewegingen met zijn handen. Ligt het nu aan hem of is deze vrouw zeldzaam onbehulpzaam? '...Nou ja, wat dan ook.'

Ze fronst en doet even alsof ze heel diep nadenkt, maar schudt dan haar hoofd. 'Ik ken geen enkele plaats die zo heet.'

Jake probeert te lachen, om op die manier te voorkomen dat hij zich over de toonbank heen buigt en haar door elkaar gaat schudden. 'Goed.' Hij raakt hier niet mismoedig van, dat doet hij niet, dat doet hij in ieder geval niet. Hij wist dat het moeilijk zou worden. Had hij nu werkelijk gedacht dat het ineens zou bestaan omdat hij hier naartoe was gegaan? 'Deze, alstublieft.' Hij legt de kaart op tafel en geeft haar een willekeurig bankbiljet uit zijn portemonnee. Ze haalt haar neus op en geeft hem twee verschillende biljetten en wat kleingeld terug.

Buiten in de harde wind probeert hij de kaart open te vouwen. Hij zal erop turen tot hij iets vindt wat hij herkent. Hier ergens moet het zijn. Hij wil niet opgeven nu hij zo dichtbij is. Het moet bestaan: er is immers geen reden waarom Tom erover zou hebben gelogen tegen zijn moeder. Misschien was het niet de naam van een dorp, wat hij en zijn moeder altijd dachten. Misschien was het wel een berg, of een dal, of een rivier, of nog iets anders. Je weet niet welke gebruiken de mensen hier volgen bij het geven van namen.

Maar de wind is te krachtig. De kaart klappert en wil zich uit zijn handen rukken. De lucht is dun en kraakhelder. Hij moet een onderkomen zien te vinden. Maar eerst wil hij ergens ontbijten. Dan kan hij de kaart op tafel uitspreiden en er rustig op turen – want hij zal het vinden, dat is zeker. Mevrouw Boekhandel kan zijn rug op.

Jake kijkt op, de straat in, en ziet voor het eerst de bergtoppen, die hoog de lucht in steken.

Het weer gaat tekeer tegen de ramen. De regen gutst langs het glas en de druppels glijden langzaam naar beneden, af en toe uit koers gebracht door de straffe wind. Stella zit op een kruk voor de toonbank van de Buttercup Tea Room, haar handen onder haar kin. Ze is met de auto de stad in geweest om bladerdeeg te halen voor de beef wellington van vanavond. Als voorgerecht *cullen skink* van Pearl, dan de beef wellington als hoofdgerecht en ten slotte een keuze uit twee desserts. Toen ze langs de tearoom liep, hield de Australische serveerster, Moira, haar staande en vroeg of ze tien minuten op de zaak wilde passen.

Auto's rijden af en aan door het stadje, dat als een lint langs de hoofdweg ligt. De mensen dragen regenkleding in primaire kleuren en haasten zich over de trottoirs. Het is niet druk in de tearoom: twee in tweed gehulde dames die, een koekje in de hand, druk zitten te praten, een onopvallende vrouw met een baby in een met een konijn versierde kinderstoel, en een jongeman. Met zwart haar, dat door de regen sprieterig rechtop staat, en een jas die op de schouders donker is van het hemelwater. Op zijn tafel staat een leeg bord vol kruimels. Een kapotte, oude rugzak staat naast hem op de grond. Hij behoort niet tot de mensen die dit stadje gewoonlijk bezoeken. Hij valt op. Zijn kleding klopt niet. Is niet geschikt. Geen tweed, geen Gore-tex, geen wol. Het zijn echte stadskleren die hij draagt. Hij ziet eruit als een stedeling, besluit Stella, die hier per ongeluk is terechtgekomen.

Hij bekijkt zijn muntgeld. Hij neemt de munten één voor één in zijn hand en bestudeert ze alsof hij ze nooit eerder heeft gezien. Dan moet hij wel een buitenlander zijn. Amerikaan, misschien? Nee, Stella denkt van niet. Hij ziet er Europees uit. Frans, misschien. Hij is moeilijk te plaatsen. Toch vindt ze hem op de een of andere manier wel aantrekkelijk. Zoals hij op zijn stoel zit. Het is een nogal truttig stoeltje, met een zitting in de vorm van een bloem en een rechte rugleuning, maar hij zit erop als op een bed: hij heeft zijn benen uitgestrekt, een van zijn armen hangt losjes langs zijn zij en met zijn schouders rust hij tegen de leuning. Hij ziet eruit alsof hij… Alsof hij net met iemand naar bed is geweest. Stella lacht in zichzelf. Niet elke dag kun je naar zo iemand kijken, en zeker niet hier.

Terwijl ze hem vanaf haar kruk observeert, heft hij ineens zijn hoofd op, alsof hij haar blikken gevoeld heeft. Zijn ogen dwalen door de tearoom tot zijn blik de hare ontmoet. Stella blijft hem onbewogen aankijken. Lachte ze nog steeds? Ze is er niet zeker van, maar ze heeft het vreselijke gevoel dat ze nog steeds een grijns op haar gezicht heeft. Ze kijken elkaar heel even aan. Dan laat hij zijn munten op tafel vallen en gaat recht op zijn stoel zitten. 'Mag ik nog een kopje thee?' vraagt hij.

Stella glijdt van haar kruk af. 'Natuurlijk.'

Ze kijkt naar het Giggia-apparaat naast haar, dat zucht en trilt als iemand die in tranen wil uitbarsten. Het is net zo'n machine als in het café van haar grootouders. Ze pakt een kopje en een theezakje van de plank boven haar, laat haar handen over de hendeltjes van de machine gaan en drukt er dan een naar beneden. Er stroomt heet water in het kopje, er stijgen stoomwolken uit op. Hij had een vreemde stem. Zonder accent. Hij is zonder twijfel een Brit. Zeker geen Schot, maar ook niet echt een Engelsman.

Ze schenkt wat melk in het kopje; een witte wolk trekt door het donkere water.

De serveerster loopt tussen de tafeltjes door op hem af met een dampend kopje thee in haar hand. Even schijnt er een zonnetje in de tearoom, dat de ramen doet schitteren. Jake kijkt naar de straat. Het zonlicht verlicht de natte gebouwen en de voorruiten van de auto's. Het weer lijkt hier uiterst onvoorspelbaar. Toen hij de trein uit kwam, was het zonnig en onbewolkt, maar plotseling was het gaan stortregenen, waardoor hij in een paar seconden doornat was geworden. Zijn huid is klam en koud, zijn kleren plakken ertegenaan.

Hij richt zijn blik weer op de tafel, op de vreemde munten die daar liggen, op zijn lege kopje en zijn lege bord, op de tearoom, op de vrouw die door de zaal loopt met zijn naam op haar borst. Kildoune, staat er op het gesteven katoen van haar jurk, Kildoune.

Jake kijkt haar aan. Ze heeft zacht, zwart haar dat schuin langs haar jukbeenderen valt, groene ogen en een huid die zo teer is dat hij een blauwe ader in haar nek ziet. Haar kleuren beheersen zijn gedachten: het donkere, het groen, het blauw, het wit, het rood van haar mond. En zijn naam op haar borst. In zwarte, cursieve letters.

'Uw thee,' zegt ze terwijl ze het kopje op tafel zet. Hij schuift de munten opzij, waarbij zijn hand de zachte, champignonwitte huid aan de binnenzijde van haar arm raakt. Tijdens de aanraking gaat er een zinderende vibratie door hem heen, alsof twee boodschappen elkaar kruisen in een telefoondraad.

'Wat is dat?' weet Jake uit te brengen.

De serveerster kijkt hem aan, in haar ene hand het lege presenteerblaadje. Ze fronst haar wenkbrauwen. 'Wat?'

'Dat.' Hij wijst op haar borst, op het woord dat daar staat. 'Dat,' zegt hij nog eens. 'Wat is dat?'

Ze raakt de geborduurde letters even aan. 'Kildoune?' vraagt ze, en Jake kan wel juichen en in zijn handen klappen, haar bij de schouders grijpen, haar op haar mond zoenen, de mond waarmee ze dat woord zojuist uitsprak. 'Dat is een hotel.'

'Een hotel? Waar?'

Ze wijst in een richting achter haar. 'Die kant op. Voorbij Kincraig.'

'Laat eens zien.' Hij zoekt in zijn tas naar de Ordnance Survey-kaart. Maar die weigert te gehoorzamen, laat zich niet gewoon openvouwen en blijft niet plat op tafel liggen. Hij is doodsbang dat deze vrouw – de enige die schijnt te weten waar en wat Kildoune is – als sneeuw voor de zon zal verdwijnen. Het liefst zou hij haar bij de arm grijpen en haar in de boeien slaan. 'Wijs het me eens precies aan,' zegt hij ongeduldig. 'Ik moet ernaartoe.'

Ze kijkt naar hem alsof hij stapelgek is. En dat is op dat moment misschien ook wel zo. Ze pakt het presenteerblaadje in haar andere hand en werpt een blik over haar schouder. 'Het is nogal...' Ze wacht even en kijkt naar zijn gehavende rugzak. '...Nogal chic,' besluit ze haar zin met onzekere stem.

'Nee, nee.' Jake legt de kaart plat op tafel. Onder zijn handen voelt hij de kruimels. 'Ik wil er niet logeren, ik wil er gewoon...' Hij wordt afgeleid, merkt op dat ze een gealarmeerde blik in haar ogen heeft. Donkergroene ogen met lange, omhooggekrulde wimpers. Ze hoeft dit allemaal niet te weten. Doe gewoon, zegt hij tegen zichzelf, adem eens diep in. 'Ik wil het gewoon... zien.'

'O.' Ze buigt zich over de kaart en Jake ziet een waarschuwende tekst in de hals van haar jurk: NIET MET VUUR IN AANRAKING BRENGEN. Hij kijkt naar haar wervels, naar haar ruggengraat die verdwijnt tussen de witte kreukels. 'Goed,' zegt ze terwijl ze het topje van haar vinger over de kaart beweegt, 'eens kijken...'

Op dat moment weerklinkt de deurbel. De eerste serveerster, een kleine dame met rode wangen, komt binnen. 'Stella, je bent geweldig!' roept ze uit. 'Dankjewel zeg. Goeiemorgen.' Als ze vlak bij hen is, blijft ze stilstaan. Ze kijkt naar Stella, dan naar Jake, dan weer naar Stella. 'Is alles goed gegaan?'

'Ik laat deze jongen even zien,' zegt Stella en ze wijst op hem, 'waar Kildoune ligt.'

'O.' Het Australische meisje duwt Stella met haar elleboog weg. 'Dat zal ik je wel even laten zien.' Ze kijkt hem stralend aan, haar gezicht te dicht bij het zijne.

Jake kijkt niet naar de plek die ze aanwijst op de kaart, maar naar het meisje. Stella. Ze loopt door de zaal, in de richting van de bar. Ze pakt een jas en loopt naar de deur.

'Werk jij daar soms?' vraagt hij terwijl ze langs hem loopt – zo dichtbij dat hij haar zou kunnen aanraken. Iets anders weet hij niet te zeggen. Hij wil haar vasthouden, hij wil niet dat ze weggaat, ze moet bij hem blijven. Hij wil niet dat ze de deur achter zich dichttrekt en voor altijd verdwijnt.

Ze kijkt hem aan met haar heldere, groene ogen. Lacht ze hem toe? Nee.

'Ja,' zegt ze, 'ik werk daar.' Dan wendt ze zich tot het Australische meisje, dat het heeft over bustijden en de mogelijkheden om te lopen. 'Ik heb haast, Moira. Tot later.'

Bij de deur trekt ze de capuchon over haar hoofd en buiten draait ze zich om om de deur dicht te trekken. Op het moment dat die bijna dicht is, heft ze haar hoofd op. Ze kijken elkaar een ogenblik aan. Dan sluit ze de deur en verdwijnt uit het zicht door de regen en het condensvocht op de ramen.

Stella had met haar beddengoed een tent gemaakt door de hamer van hun croquetspel midden op het bed te plaatsen – het benedenbed, want Nina wilde altijd boven – en dook er verrukt in. Op de plek waar ze elke nacht op haar buik lag te slapen, stond nu een tentvormige, geheime ruimte met schuine wanden. Het licht gloeide rood door de gehaakte sprei.

Het was nog vroeg. Te vroeg voor haar ouders – in het weekeinde mochten ze hen niet voor achten wakker maken. Nina sliep nog.

Stella wurmde zich de tent uit – haar voeten eerst – en liep door de kamer. Ze verzamelde al haar beren met hun verbaasde koppen en haar poppen met ogen die rammelden in hun plastic kassen. Ze legde ze in haar tent, keurig op een rij, en zette de poppen die het waagden als een dronkelap tegen hun buurvrouw aan te gaan liggen, rechtop.

'Dit is onze tent,' legde ze uit en ze ging op haar buik liggen. Haar benen staken onder de lakens uit, maar wat zou dat? Voor het grootste deel lag ze in de tent, in die nieuwe, geheime ruimte. 'Onze geheime tent.' De poppen leken niet onder de indruk.

Na een poosje had ze er genoeg van ze rechtop te zetten en in allerlei volgordes te leggen, en haar arm werd moe van het vasthouden van de croquethamer. Ze stond op; haar haren waren in de war en statisch. Ze liet de tent in elkaar vallen. Het bed bood nu de aanblik van een met lakens en dekens overdekt matras, met hier en daar de mysterieuze vormen van de poppen en beren. Stella zag een vilten poot en de uitgestrekte hand van een pop. Ze hief haar hoofd op en keek afwachtend naar het dekbed boven haar. Nina sliep toch niet meer?

Stella richtte zich op en drukte met haar vingers tegen de metalen spiraal boven haar. Niets. Ze deed het nog eens. Weer niets. Ze ging op haar rug liggen, zette haar voeten tegen de spiraal en duwde. Nina's lichaam ging omhoog en viel weer terug. Stella wachtte even. Toen hoorde ze een zacht, onverstaanbaar geluid.

Stella gleed uit bed en beklom de houten ladder. Ze haakte haar ellebogen achter de rand van het bovenste bed en keek naar haar zus.

Nina lag op haar zij. Haar ogen bewogen onder haar oogleden.

'Wat zei je?' vroeg Stella.

Nina's ogen gingen even open, en daarna weer dicht.

'Zei je iets?' fluisterde Stella en ze blies hard in Nina's gezicht. 'Ben je wakker, Nina? Ben je wakker? Ik heb een tent gemaakt. Wil je hem zien? Hij is echt mooi. We kunnen er samen in. Denk ik.'

Nina mompelde iets.

'Wat?' Stella boog zich voorover.

Nina deed haar ogen open. 'Ik voel me niet lekker,' mompelde ze.

Stella duwde de slaapkamerdeur van haar ouders open en hoorde de onderkant ervan over het tapijt schuren. Het was stil en benauwd in de kamer. Er schenen zonnestralen door de reten tussen de gordijnen. Het tapijt was versierd met bloemen, die allemaal met elkaar verbonden waren. Stella stapte van de ene bloem op de andere, tot ze bij haar vader was. Een deel van zijn gezicht was aan het zicht onttrokken door het kussen. Een van zijn armen strekte zich uit achter hem; de hand lag op de ronde heup van haar moeder. Er kwamen kleine haartjes uit zijn kin – miljoenen kleine haartjes. *'By the hairs on my chinny-chin-chin.'* Stella leunde gefascineerd voorover.

'Pap,' fluisterde ze. 'Pappie.'

'Ga naar bed, Stella.' Zijn stem was luid en duidelijk. Bijna alsof hij wakker was. Maar zijn ogen bleven dicht.

Stella draaide zich om en en liep over de bloemen naar de deur. Terug in haar kamer sleepte ze een kruk naar de kast, ging erop staan en greep met haar handen de speelgoeddokterstas die daar lag. Ze zette het kapje met het rode kruis op haar hoofd en beklom opnieuw de ladder.

'Zo, patiënt,' zei ze, neerknielend op het bed. 'Ik ga eens even naar je hart luisteren.'

Nina keek lusteloos toe terwijl Stella de plastic stethoscoop in haar oren stopte en de schijf op Nina's pyjama drukte. Eerst hoorde ze niets, maar toen weerklonk een onregelmatig bonken, ongeveer zo langzaam als de klok in de woonkamer van haar grootouders. Stella nam de stethoscoop uit haar oren.

'En dan nu even je temperatuur.'

Ze duwde de thermometer in Nina's mond. Nina sloot haar ogen en haar hoofd viel naar opzij. Misschien wil ze alleen gelaten worden, dacht Stella.

Ze was een poosje bezig de spullen uit de tas te halen en weer in te pakken en lag met haar benen op die van Nina. Ze luisterde even naar het suizen en kloppen van haar eigen hart. Ze wikkelde een verband af en rolde het weer op. Toen hoorde ze dat Nina een vreemd, gorgelend geluid maakte. Stella smeet het verband in de tas, duwde de sloten dicht en kroop naar haar zus toe.

Nina's ogen waren dicht. Ze was weer gaan slapen. De plastic thermometer met de inktrode streep erop lag tussen haar lippen, die bleek en bloedeloos leken. Haar haren plakten als zeewier tegen haar schedel. Stella boog zich over haar heen en stelde vast dat haar ogen in feite half openstonden en dat haar irissen omhoog gericht waren, zodat alleen het oogwit zichtbaar was. Haar ademhaling klonk anders dan normaal – te snel, niet diep genoeg.

'Nina,' begon ze. Ze pakte haar hand. Die voelde vochtig en

warm aan. 'Nina?' Stella greep Nina's pols en schudde die heen en weer. De arm viel slap neer en bleef langs de rand van het bed hangen.

Stella klom de ladder af en liep door de kamer en over de gang naar de slaapkamerdeur van haar ouders. Ditmaal stapte ze niet op de bloemen.

'Pappie.'

'Mmm.'

'Pap.'

'Stella, ik heb je gezegd...'

'Pap, er is iets met Nina.' Stella had niet beseft dat ze bang was, tot ze haar eigen stemgeluid hoorde, hoog en dun. Ineens barstte ze in snikken uit. 'Word nou wakker,' snotterde ze.

De ogen van haar vader gingen open. Hij keek een ogenblik naar zijn jongste dochter, zwiepte zijn benen buiten het bed en ging naar hun kamer. Stella trippelde achter hem aan.

'Ze... ze zei dat ze zich niet lekker voelde,' zei Stella door haar tranen heen, 'en toen... ging ze weer slapen en toen...'

Haar vader keek naar Nina en legde een hand op haar voorhoofd. 'Jezus,' mompelde hij en het volgende moment schreeuwde hij: 'Francesca! Francesca!'

In de lobby schud ik het water uit mijn haar en wurm me uit het regenpak, dat aan mijn vochtige kleren plakt. Ik bedenk dat ik een ander uniform moet aantrekken omdat dit nat is, dat de houten eenden afgestoft moeten worden en dat ik het bladerdeeg meteen naar de keuken moet brengen. Maar dan loopt mevrouw Draper langs me heen. Ze blijft staan als ze me daar zo ziet staan, druipend van het water.

'O, daar ben je, Stella. Kom eens met me mee. Ik wil je met iemand laten kennismaken. Een nieuw personeelslid. Weet je nog dat ik tegen je zei dat ik iemand nodig had die buiten wat klusjes kon doen? Onderhoud, schilderwerk, dat soort dingen, weet je nog? Iemand die jou kan helpen als het zomers te druk wordt. Ik weet zeker dat je iemand kunt gebruiken die je een handje helpt...'

In het kantoor van mevrouw Draper staat een man bij het raam met zijn rug naar me toe. Als we binnenkomen, draait hij zich om.

Ik had niet beseft dat hij zo lang was. Ik moet omhoogkijken om hem recht in de ogen te zien. Ik heb mijn regenpak nog steeds in mijn handen.

'Nog maar eens goedendag,' zegt hij tegen me, lachend.

III

STELLA WORDT MET EEN SCHOK WAKKER. HAAR HART BONST achter haar ribben. Ze ligt op haar buik, het linnen kussensloop tegen haar mond en neus gedrukt.

In één beweging draait ze zich om en gaat rechtop zitten. De caravan is leeg, ze voelt de ijskoude ochtendlucht op haar huid, de boomtakken zwiepen tegen het dak. Ze kan tot aan de deur kijken. Niets. Alles is goed, zegt ze tegen zichzelf, alles is goed. Maar haar hart blijft bonzen.

Ze droomde dat ze een kind was, dat ze op een rand stond waar brak water naar beneden viel en op de rotsen kletterde, die ze niet kon zien.

Ze worstelt zich uit bed en uit de dekens en lakens, die rond haar verstrengeld blijven. Dan loopt ze naar de spiegel. Het spiegelbeeld is volwassen. Absoluut volwassen. Stella kijkt eens wat beter. Haar huid vertoont plooien van het beddengoed, ze heeft bleke lippen en haar pupillen zijn groot. Alles is goed. Het is jaren geleden gebeurd. Jaren geleden. Maar op de een of andere manier lijkt het soms anders.

Stella draait weg van de spiegel. Het licht achter de jaloezieën is grijswit. Het is nog vroeg. Ze gaat terug naar de slaapkamer en huivert omdat ze met haar blote voeten over de koude vloer loopt. Dan pakt ze haar klok. Kwart voor zeven. Ze gaat nu toch niet meer slapen, dus trekt ze haar uniform over haar hoofd en doet ook nog eens twee truien aan.

Ze loopt naar de oude stallen om haardhout te pakken, en als een pijl komt de hond kwispelend zijn kennel uit gevlogen en loopt enthousiast piepend naast haar. Stella aait hem tussen zijn oren en dan wandelen ze samen verder, de hond met zijn neus over de grond.

Ze lopen langs het oude, opgeknapte varkenshok naast de stallen en even verbaast het Stella dat de gordijnen dicht zijn. Ze neemt de mand met hout over in haar andere hand.

'Die waren we helemaal vergeten,' zegt ze tegen de hond. 'Nietwaar?'

De hond staat stil, kijkt met gespitste oren op en luistert of ze iets zegt wat hij herkent.

Jake heeft geen zin om op zijn eerste ochtend de keuken binnen te gaan. Mevrouw Draper had hem verteld dat hij na negenen kon ontbijten, als de ergste drukte voorbij was. Maar hij blijft met zijn handen in zijn zakken in de lobby staan. Vanachter de klapdeuren van de keuken klinkt gelach, een korte schreeuw, een radio die speelt en het gekletter van borden en bestek – de geluiden van mensen die gewend zijn samen te werken.

De deur gaat open en hij ziet het meisje uit het café verschijnen. Stella. Ze heeft een brede band in haar haar. Ze loopt door de lange, smalle gang en verdwijnt in een kamer aan het eind.

Jake staat ongeduldig onder aan de trap te wachten. Hij voelt zich een beetje gespannen. Hij heeft vannacht geen oog dicht gedaan, lag tot 's ochtends vroeg naar de verspringende cijfers op zijn digitale horloge te kijken en dacht voortdurend: je bent in Kildoune, je bent in Kildoune. Hij vindt het ongelooflijk. De nabijheid en lichamelijke aanwezigheid van Tom is verbluffend. Overal waar hij kijkt ziet hij voorwerpen die door zijn vader kunnen zijn aangeraakt: de trapleuning, het lichtknopje, de stenen drempel, de open haard. In de keuken hoort hij een hees gezang, dan iets dat op de grond valt, en ten slotte een vloek. Hij kijkt naar beneden: het ingewikkelde patroon van wijnranken in de vloerbedekking kronkelt zich rond zijn voeten, alsof het de bedoeling is dat hij struikelt en valt. Dan kijkt hij naar boven: de trap slingert zich naar de eerste verdieping, en nog net ziet hij een gewei dat recht boven hem hangt.

'Wil je een ontbijt?' zegt een stem. Stella staat bij de klapdeur met een stapel vuile borden in haar handen.

'Ja.' Jake loopt naar haar toe. Hij voelt dat hij lacht. Lacht hij te uitbundig? Misschien wel. Zij lacht helemaal niet. 'Dat zou geweldig zijn.' Hij trekt zijn handen uit zijn zakken en wijst op de borden. 'Kan ik je misschien helpen?'

Stella schudt haar hoofd en houdt de deur met haar voet voor hem open. 'Het gaat wel hoor. Loop maar naar binnen.'

In de kleine keuken is het warm en buitengewoon licht. Overal hangen dampen en het ruikt er naar gemalen koffie. Bij de gootsteen staat een kleine, stevige vrouw met een mond vol gebroken tanden. En bij het fornuis staat een in witte kokskleding gehulde man met een langwerpig, puntig stuk keukengereedschap. Op het vuur staat een pan met sissende, ineenschrompelende repen spek.

Stella zet de stapel borden op de tafel en haalt een notitieblokje te voorschijn. 'Braadworstjes voor twee personen,' zegt ze snel en hard om boven het lawaai uit te komen, 'de een met champignons, de ander zonder, en die zonder met roerei, en die andere met gebakken ei. Ja?'

De kok knikt zonder zich om te draaien. 'Duidelijk.'

'Dit is Jake,' zegt ze. 'En die lust ook wel een ontbijtje.'

'Begrepen,' zegt de kok nog eens.

De vrouw bij de gootsteen werpt een natte theedoek over haar schouder. 'Ik ben Peril,' zegt ze tegen hem.

'Pardon?' Jake leunt geschrokken over de balie. Ze kan toch geen 'Peril' heten?

'Peril,' zegt ze nog eens.

Stella staat bij de broodrooster en kijkt hem aan. Dan kijkt ze naar de vrouw. 'Peeuuurrllll,' verduidelijkt ze, de klinkers vlakker uitsprekend. 'Peuuurl.'

'O.' Ineens wordt het Jake duidelijk. 'Pearl.'

'Nou ja,' zegt Pearl en ze brult van het lachen. 'Peurl. Peril. Peurl.'

Ze lachen alletwee. Zelfs de kok draait zich om en lacht zijn tanden bloot.

'Pearl,' zegt Stella, 'kun jij Jake laten zien waar de verf, de ladder en dat soort dingen staan? Mevrouw D. wil dat hij vandaag begint met het schilderen van de kozijnen.'

Pearl loopt een gang in en giechelt nog steeds. 'Kom maar mee, jongen.'

Tegen het middaguur is het windstil en vochtig; de lucht is zwanger van regen die nog niet gevallen is. Jake trekt zijn T-shirt uit en heeft alleen nog een spijkerbroek aan. In zijn hand houdt hij een verfbrander. Hij is blij dat hij iets te doen heeft, een concrete taak kan verrichten. Anders zou hij waarschijnlijk verdwaasd rondlopen. De verf bolt op door de hitte van de brander, komt van het kozijn af en valt in snippers op de grond. Het zweet staat op zijn voorhoofd en kriebelt op zijn slapen. Met een krabber schraapt hij de rest van de verf van het kozijn.

Vanbuiten lijken de kamers van het huis donker en peilloos diep, alsof je een meer in kijkt. Jake loopt rond het gebouw, zet de ladder tegen de stenen muren, telt de kozijnen, berekent hoeveel verf hij nodig heeft en controleert of het hout verrot is. Toen mevrouw Draper had gevraagd of hij ervaring had met het schilderen van kozijnen, had hij niet verteld dat hij alleen maar kozijnen op filmsets had geschilderd, vensters die uitzicht boden op niet-bestaande landschappen, op digitale hallucinaties, op niets. Maar hij had niet de indruk dat het veel uitmaakte – zoveel anders kon het niet zijn.

Als hij de verfbrander op de kozijnen van de eetzaal richt, ziet hij binnen het bleke, ovale gezicht van Stella opdoemen.

Natuurlijk had Jake niet verwacht dat zijn vader hier daadwerkelijk zou zijn. Hij verwachtte ook niet dat hij bij het hek van deze mystieke plek met de naam Kildoune met open armen ontvangen zou worden en direct een belangrijke rol zou spelen in zijn vaders leven. Maar toch was er diep binnen in hem een klein stemmetje dat bleef fluisteren: misschien is hij er, stel je eens voor dat hij er is, het zou kunnen dat hij er is. Natuurlijk probeerde hij het logisch te beredeneren, natuurlijk was hij ervan overtuigd dat hij zijn vader niet had gevonden als hij Kildoune had gevonden – maar toch was hij teleurgesteld.

Jake besefte pas sinds zijn komst hier hoe graag hij de man wilde vinden. Altijd had hij tegen zichzelf gezegd dat het niet uitmaakte, dat zijn moeder voldoende was voor hem, dat zij het gemis ruimschoots wist op te vangen. Maar nu hij hier staat, voor Kildoune, waar hij alleen maar onbekenden ontmoet, kan hij die leugen niet meer volhouden. Het moederschap is duidelijk gedefinieerd. Die negen maanden die je doorbrengt met een ander wezen in je buik vormen de garantie voor een levenslange, ongeschreven overeenkomst die nooit kan worden opgezegd. Maar het vaderschap is vaag en veel minder duidelijk omschreven en stelt soms bijna niets voor: een cel met een staart die een lege ruimte in wordt geschoten.

Hij weet niet wat hij precies verwachtte. Hij verwachtte niets en alles. Hij heeft zijn hele leven over Kildoune nagedacht, het zich voorgesteld, het opgebouwd en weer afgebroken. Maar dit had hij in ieder geval niet verwacht: een fraai bakstenen huis, een vochtig dennenbos, uitgestrekte, met wolken bezaaide luchten en een vrouw met een lange hals die hem aankijkt met een zware, ondoorgrondelijke blik – als een kat.

Stella komt de voordeur van het hotel uit gelopen met in haar hand een bord met een broodje erop. Ze moet haar ogen dichtknijpen vanwege de felle zon, die is doorgebroken en de wolken heeft doen verdampen. De lucht is vervuld van de zoetige, dampige geur van varens en veen.

Ze kijkt om zich heen en ziet dan aan de overkant van het grindpad en het grasperk de driehoek van een ladder tegen het huis aan staan. De nieuwe jongen, Jake, staat boven aan de ladder en krabt geestdriftig verf van het bovenste kozijn. Hij heeft zijn T-shirt rond zijn hoofd geknoopt, helemaal in Beau Geste-stijl.

'Ik heb een broodje voor je gemaakt,' roept Stella als ze onder aan de ladder is aangekomen, en ze toont hem het bord. 'Ik zet het hier wel neer.'

'Nee.' Hij legt zijn krabber neer en haalt het T-shirt van zijn hoofd. 'Wacht even. Ik kom beneden.' De ladder wiebelt en slaat tegen de pui als hij naar beneden klimt. Stella houdt de ladder vast zodat hij minder schommelt. 'Dank je.' Hij grinnikt en springt vanaf de derde tree naar beneden. 'Fantastisch.' Hij pakt het bord. 'Ik sterf van de honger.'

Stella dwingt zichzelf een andere kant op te kijken als hij zijn T-shirt aantrekt. Op de grond liggen harde, droge verfkrullen. Ze wacht tot hij iets zegt. Hij wilde haar toch iets vragen? Maar hij zegt niets en lacht als hij het broodje naar zijn mond brengt. Het is een vreemde, persoonlijke lach – zijn mondhoeken krullen langzaam omhoog terwijl zijn blik over haar gezicht, haar haren, haar hals glijdt.

'Schiet je een beetje op?' vraagt ze ineens.

Hij knikt terwijl hij kauwt en slikt. 'Het gaat heel aardig. Sommige kozijnen zien er slecht uit, ze zijn een beetje verrot, maar mevrouw Draper heeft gezegd dat ze daarvoor een geschikt iemand zal laten komen.'

'Geschikt?'

'Ja. Niet zo iemand als ik, dus.'

'Hoezo? Ben jij niet geschikt dan?' Ze heeft er meteen spijt van.

Hij kijkt haar aan en begint opnieuw te lachen. 'Nee, niet echt. En jij?'

Stella besluit die opmerking te negeren. 'Waar kom jij eigenlijk vandaan?' vraagt ze.

'Hongkong.'

Ze begint te lachen. 'Hongkong?'

'Is dat zo grappig?'

'Ik weet niet.' Ze moet haar best doen niet opnieuw te gaan lachen. 'Ik had eerlijk gezegd iets anders verwacht.'

'Hoezo? Wat had je dan verwacht?'

'Ja, dat weet ik eigenlijk niet. Londen, misschien.'

Hij schudt zijn hoofd en trekt een grimas. 'Ik dacht het niet. Ik ben er bij elkaar misschien veertig minuten geweest, maar ik vond er weinig aan.' Hij kijkt haar aan met zijn blauwe ogen. 'En jij?'

'Wat is er met mij?'

'Jij komt ook niet uit deze buurt, toch?'

'Hoe kun jij dat nu weten?'

Hij haalt zijn schouders op en neemt een hap van zijn broodje. 'Ik weet het gewoon.'

'Hoezo?' vraagt ze, terwijl ze weet dat ze het gesprek op dat moment had moeten beëindigen en weg had moeten lopen.

Hij loopt een stukje achteruit en bekijkt haar van top tot teen. Stella krijgt het warm onder haar kleren. 'Je haar,' zegt hij terwijl hij aftelt op zijn vingers, 'je schoenen, je accent...'

'Mijn accent?' zegt Stella spottend. 'En wat weet jij daarvan, meneer de buitenlander?'

'Niet veel. Maar ik kan je verstaan,' zegt hij terwijl hij haar midden op haar borst aanraakt, 'en dat kan ik van de meeste andere mensen hier niet zeggen.' Hij haalt zijn schouders weer op. 'Volgens mij kom jij gewoon niet uit Invernessshire.'

Stella staart hem aan. Op een vreemde, onverklaarbare manier is ze woedend op hem. Maanden is ze hier alleen geweest zonder lastiggevallen te worden, en nu komt er vanuit het niets ineens een vent die haar persoonlijke vragen gaat stellen. Waarom ben jij hier eigenlijk, wil ze hem vragen, waarom ben jij gekomen?

'Ga je me nu nog vertellen waar je vandaan komt?' vraagt hij. 'Of is dat een geheim?'

'Het is een geheim!' flapt ze eruit.

'Goed.' Hij lijkt onaangedaan. 'Jij mag het zeggen.'

Stella draait zich om, het grind onder haar voeten kraakt, en loopt snel weg.

'Hé!' roept hij haar na terwijl ze wegbeent. 'Ik wil je nóg iets vragen!'

'Wat dan?' Ze houdt niet in en roept het zonder om te kijken. Hij heeft haar kwaad gemaakt, maar hij weet niet waarom.

'Hoe lang is hier al een hotel gevestigd?' vraagt hij.

Nu stopt ze, merkt hij op, en draait zich half om. Door de felle zon neemt haar schaduw een evenwichtige, zwarte vorm aan – ineengedoken en elk moment bereid een volgende stap te maken. 'Vijfentwintig jaar, denk ik,' zegt ze. 'Zoiets moet het zijn.'

Jake vergelijkt dit met zijn eigen levensloop alsof hij twee centimeters naast elkaar uitrolt. Dat betekent dat Tom nog vier jaar over had om naar India te gaan, zijn moeder tegen te komen, hem te verwekken en... wat nog meer? Wat heeft hij in die tijd nog meer gedaan? God zal het weten. Heeft hij hier in een commune gewoond? Maar dit gebouw lijkt niet geschikt voor een commune – te groot, te statig. Is hij ergens anders naartoe gegaan? Is hij verder getrokken? Hij is niet hier, dat weet Jake nu wel zeker, maar het is mogelijk dat Tom nog in de buurt is, dat hij misschien in een andere commune zit, of een gewoon leven leidt in een twee-on-der-een-kapwoning, en alleen al daarvan krijgt hij kippenvel in zijn nek. Even vraagt hij zich af hoe Tom zou reageren als Jake ineens voor zijn neus zou staan en hij zijn jeugdige evenbeeld zou zien, zijn eigen verleden, zijn dubbelganger.

'Vijfentwintig jaar?' herhaalt hij.

'Ja.' Stella heeft zich nu helemaal omgedraaid, en haar schaduw draait met haar mee. 'Waarom vraag je dat?'

Dat gaat hij haar niet vertellen, zeker niet. 'Zomaar. Ik...' Maar dan verandert hij van gedachten. 'Ja.' Hij denkt even na. 'Iemand... die ik ken heeft hier... misschien ooit gewoond. Lang geleden. Een... een familielid van me.'

'O.' Stella knikt. 'Ik snap het. Dan moet je bij Pearl wezen. Die weet alles.'

'Goed. Ik zal het haar vragen.' Jake wuift naar haar terwijl hij de ladder weer op klimt. 'Dankjewel.'

Stella stapt niet in de ambulance met Nina en haar moeder. Ze kijkt toe terwijl de twee mannen haar zus vastgespen op de brancard op wielen. Nina's hoofd ligt naar opzij en ze hebben er een soort plastic masker op geplaatst. Het elastiek waarmee dat masker blijft zitten, maakt dat haar haren in een bol overeind komen te staan. Stella wil de haren rechtstrijken. Ze weet zeker dat Nina niet zou willen dat haar haren zo raar overeind staan.

Hun moeder draagt een broek over haar nachthemd en heeft een jas van Archie rond haar schouders geslagen. Ze staat met blote voeten op het asfalt. Er staan veel mensen uit de buurt te kijken hoe het meisje van Gilmore wordt afgevoerd. Stella wilde dat ze haar moeder in deze uitdossing niet konden zien. Francesca stapt de ambulance in voordat de brancard erin wordt geschoven, dus ze zit al te wachten als Nina erin wordt getild. Daar is Stella blij om. Ze zou het niet fijn vinden om daar alleen in het donker te liggen, te midden van draadjes, riemen en buisjes. Dan slaan de mannen de deuren dicht.

Stella en haar vader volgen het geluid van de sirene van de ambulance. Stella zit achter haar vader, die zelf altijd achter het stuur zit. Het lijkt niet juist dat de helft van de auto leeg is. Ze kijkt naar de lege plaatsen, waar normaal gesproken haar moeder en Nina zitten. Ze is bang dat de auto zonder hun gewicht zal kantelen en omvallen.

Bij het ziekenhuis grijpt haar moeder, nog steeds op blote voeten en in haar nachthemd, zonder iets te zeggen haar hand en blijft maar herhalen dat alles goed komt. Stella wordt op een stoel gezet die wiebelt als ze beweegt.

Eerst verdwijnt haar vader, dan haar moeder, en dan verdwijnen ze allebei. Er komt een zuster langs die haar een mand met speelgoed in vrolijke kleuren geeft, waar ze te oud voor is. Stella schuift haar stoel naar voren en naar achteren en kijkt hoe het licht uit het dakraam in de gang weerkaatst op het glimmende linoleum. Dan telt ze het aantal geluiden dat ze hoort. Ze komt tot tweeënveertig en geeft het op. Ze beseft dat ze honger heeft, maar weet niet tegen wie ze dat moet zeggen. Ze trekt haar veters uit haar schoenen, knoopt ze aan elkaar en windt het touw in kunstige figuurtjes rond haar vingers, iets wat Nina en zij altijd samen deden als ze zich verveelden. Maar er is niemand die de fraaie, elkaar kruisende symmetrische vormen kan namaken, en bovendien weet ze niet meer wat er na het derde touwfiguur komt. En als ze dat figuur toch probeert te maken, raakt alles in de knoop en legt ze de veters in haar schoot.

Haar grootouders verschijnen op het moment dat het licht door het dakraam bijna op haar been valt. Stella is verbaasd hen te zien. Haar grootmoeder kust haar voortdurend op haar voorhoofd en knijpt haar overal. Haar grootvader verdwijnt, vervolgens haar grootmoeder, en ten slotte komen ze samen met haar ouders terug.

Ze staan met hun vieren in de gang en zijn druk aan het discussiëren boven haar hoofd. De volwassenen blijven haar maar aanraken – op haar hoofd, haar schouders en haar armen. Stella vindt dat niet prettig en wil wegkruipen. Maar dan kijkt ze op, ziet het gezicht van haar vader en stelt vast dat het nat is. Zijn ogen zijn troebel, zijn wimpers plakken aan elkaar. Stella gruwt ervan. Haar vader huilt nooit. Nooit. Vaders huilen niet. Dat weet ze. Ze kijkt naar haar moeder en ziet dat ook zij rode ogen heeft, en bovendien een vochtige zakdoek in haar handen.

Stella begint te huilen. Aanvankelijk heel zachtjes, waarbij de tranen uit haar ooghoeken over haar wangen rollen. Ze houdt de kluwen van veters voor haar gezicht en snuit haar neus erin. Ze kijkt nog eens naar haar ouders en wordt bevangen door paniek, alsof ze een elektrische schok krijgt. Ze slaakt een diepe zucht en huivert.

'WAAR IS NINA?' brult ze. 'WAAR IS ZE? WAAR IS NINA?'

Binnen een paar seconden, zo lijkt het, is ze in het café in Musselburgh. Ze zit op de bar, met bungelende benen. Haar grootmoeder voert haar ijs met een lange zilveren lepel en zegt troostende Italiaanse woordjes tegen haar. De ramen zijn beslagen, maar ze kan nog net zien dat het regent. Vreemd genoeg zitten haar veters weer in haar schoenen – niet op de manier die ze prettig vindt, gekruist, maar recht. Haar grootvader staat in de hoek te telefoneren, met een sigaret in de hand waarmee hij de hoorn vasthoudt. Stella wil hem vertellen dat hij een sigaret tussen zijn vingers heeft, want zelf lijkt hij het te zijn vergeten: de as valt op zijn vest.

'Waar is Nina?' zegt ze.

Haar grootmoeder kijkt haar aan met haar bruine ogen. 'Je weet toch waar ze is? Dat heb ik je verteld. Weet je nog?'

'*Dov'è Nina*?' probeert ze in het Italiaans.

'Weet je nog, het ziekenhuis?' zegt haar grootmoeder vriendelijk, en dan zegt ze nog meer, maar dat verstaat Stella niet helemaal. Ze ziet dat de lippen van haar grootmoeder bewegen, en ze kan de geluiden ook horen, maar ze kan er geen woorden van vormen.

'Waar is Nina?' vraagt ze nog eens. 'Dov'è Nina? Waar is Nina?'

Stella had haar 'bevlieging', zoals Nina het noemde, in de zomer dat ze negentien was. Ze waren inmiddels van school en het grootste deel van het jaar van elkaar gescheiden – Stella zat op een universiteit in Londen en Nina, aanvankelijk, op de kunstacademie in Edinburgh – ze had het een half trimester volgehouden. Toen de mentor haar zei dat ze een weefgetouw moest maken waarop ze de resterende tijd haar eigen wollen jurk moest weven, had ze tegen hem gezegd dat hij de pot op kon.

Wekenlang hing ze rond in haar kamer, luisterde naar muziek, plukte aan haar wenkbrauwen, verfde haar haren in verschillende kleuren en schreef lange, verontwaardigde brieven aan Stella – tot Francesca met haar naar een secretaresseopleiding ging. Voorzien van een 'vaardigheidsdiploma' blind typen (dat Nina overigens kreeg door het meisje in de bank naast haar om te kopen en te laten typen) kreeg ze een tijdelijke baan bij een chirurgische praktijk. De jonge maar ambitieuze arts die aan het hoofd stond, was geschokt door haar typevaardigheid, maar besloot desondanks met haar te trouwen.

Stella kwam terug van haar geheime, nieuwe leventje in Londen en trof een huis aan dat beheerst werd door huwelijksbrochures, trouwjurkpatronen, plattegronden, cadeaulijsten, kleurstalen en catalogi van cateringbedrijven. Haar moeder was zo gespannen dat de pezen in haar nek zichtbaar waren onder haar huid. Haar vader verstopte zich de hele dag in zijn kantoor. In plaats van een zus die op de kunstacademie zat, met verfspatten bekladde jurken droeg, achter de jongens aanzat, te veel wodka dronk en haar medicijnen vergat, zag ze zich nu gesteld tegenover iemand die haar handen manicuurde, met makelaars praatte, overlegde over de stof voor de jurken van de bruidsmeisjes, en die op maat gemaakte rokken, hoge hakken en zijden sjaaltjes droeg. En elke dag zat er tijdens het avondeten een vreemdeling in pak aan tafel die haar zus aansprak als 'mijn verleidelijke invalster'.

Stella ging naar de stad, nam van haar rekening al het geld op dat ze had verdiend door elke zomer als serveerster bij haar grootouders te werken. Ze liep over Princes Street naar een reisbureau, waar ze een folder met de aankomst- en vertrektijden van de treinen in Europa, een treinabonnement en een reisgids kocht.

Ze had haar koffer onder haar bed vandaan getrokken en vertrok halverwege de ochtend, toen Francesca en Nina weg waren om jurken te passen bij de kleermaker. In een slordig en onherkenbaar handschrift had ze een briefje geschreven: 'Ben naar Europa, kom terug voor het huwelijk', en ze keek voortdurend over haar schouder toen ze door Arden Street naar de bushalte liep en op het perron in Waverley stond te wachten op de trein die haar vrijheid en vrede zou brengen. Ze werd pas rustig toen ze op het schommelende, stampende nachtveer naar Calais zat en werd omringd door dronken, snurkende mannen, snoepende kinderen, de penetrante geur van benzine en opgewarmd voedsel en mensen in slaapzakken. Stella was nog nooit in het buitenland geweest.

Ze nam een hele serie treinen dwars door Frankrijk. In Parijs kocht ze een bakje witte perziken en at de vruchten één voor één op terwijl ze met open ramen langs maïsvelden en wijngaarden reed, en de geurige, warme lucht het rijtuig binnen waaide. Midden in de nacht kwam ze in het zuiden aan en daar stapte ze op een trein waar op de zijkant MARSEILLE → ROMA vermeld stond.

Vroeg in de ochtend kwam ze aan. De spieren in haar armen deden zeer omdat ze tijdens het doezelen haar tas stevig had vastgehouden. Ze klauterde de trein uit en liep het station door, op weg naar het zonlicht. In de taal die ze van haar moeder had geleerd, vroeg ze de weg, zonder te weten of dat zou werken. Deze vreemdelingen begrepen haar echter niet alleen, ze zeiden ook nog iets terug. Ze vond het wonderbaarlijk, op het magische af, dat mensen die niet tot het wereldje van haar familie behoorden, deze woorden, deze grammatica en deze syntaxis beheersten.

Bij het Colosseum, dat eruitzag als een brede mond vol afgebroken tanden, at ze haar laatste perzik op, met op haar schoot een uitgevouwen stadsplattegrond. Ze ging naar het huisje met de roze muren waar de beroemde jonge dichter stierf, beklom de Spaanse Trappen en daalde ze weer af en ging pootjebaden in een fontein die de vorm had van een schip. Eigenlijk wilde ze alle voorbijgangers aanhouden, hen bij de arm pakken en in hun ogen kijken. Overal zag ze mensen met haar kaaklijnen, haar jukbeenderen en haar wenkbrauwen. Herken je me niet, wilde ze hun vragen, ongetwijfeld ken ik jou.

Ze wilde alles zien. Ze reisde verder het land in, nam de ene trein na de andere, beklom de wenteltrap van een gestreepte *campanile*, bezocht een stad die duizenden jaren onder de vulkanische as bedolven was geweest, zwom in de azuurblauwe Adriatische Zee en at in betegelde gelateria strachiatelli-ijs, waarvan de smaak haar zo bekend voorkwam dat ze moest glimlachen.

In een dorp waarvan ze de naam nog kende uit de verhalen die haar grootvader had verteld over zijn komst naar Schotland, nam ze een bus waarvan de kaartjesverkoper had gezegd dat hij naar de streek van haar grootouders zou rijden. Het was niet gemakkelijk om hun dorp te bereiken. Niemand ging daar eigenlijk naartoe, zei de verkoper. Ze stapte over in Agnone en liftte vervolgens mee met een gezin, dat tot vlak bij haar bestemming zou rijden. Stella zat achterin, ingeklemd tussen de kinderen en met haar tas op haar schoot. De auto kwam steeds hoger op de berg, de lucht werd dunner en boven de weg rezen bergtoppen op.

Het gezin zette haar af en ze moest het pad beklimmen dat haar grootvader zestig jaar daarvoor was afgedaald. Toen ze de laatste haarspeldbocht genomen had en het dorp zag liggen, besefte Stella dat ze nooit had geloofd dat de plaats waarover ze hadden verteld en waar ze vandaan kwamen, echt bestond en ook tijdens hun af-wezigheid niet was opgehouden te bestaan.

Een uur lang zat ze op de tweebogige brug boven de plek waar de rivier zich splitste en schepte er een heimelijk genoegen in een ronde bus anijssnoepjes te kopen bij de drogist. Ze liep rond in de lege, met kinderkopjes geplaveide straatjes en keek naar de keuri-ge stapels houtblokken, de potten met geraniums, de kippen die op de grond pikten en de fontein met haar versleten randen. Ze keek naar de lege vensters van de bouwvallige huizen die verlaten waren, en vroeg zich af waar Valeria had gewoond. Er kwam een oude man langzaam de heuvel op gelopen, en toen hij haar in het portiek van een bouwval zag staan, mompelde hij: '*Scozia*. Ze zijn allemaal vertrokken naar *Scozia*.' Stella stond op het punt achter hem aan te lopen en te vragen of hij zich Valeria en Domenico her-innerde – hij was zo'n beetje van hun leeftijd, hij moest ze wel ge-kend hebben – maar bleef toch waar ze was. Ze wilde zich niet be-kend maken en geen sporen nalaten.

Ze stond in een telefooncel midden op het plein, en terwijl het licht in het water weerkaatste vroeg ze zich af waar ze vannacht in godsnaam moest slapen en ze bedacht hoe lawaaiig motorfietsen zijn en wat ze als lunch zou gebruiken.

Nina antwoordde nadat de telefoon twee keer was overgegaan. 'Jij zit flink in de moeilijkheden,' zei ze.

'Dat weet ik,' antwoordde Stella. Ze schopte haar schoenen uit en hees zichzelf op het metalen zitje. Haar lichaam was warm tot op het bot in dit land, en haar gewrichten waren soepel en los. Ze had zich hier misschien Schotser kunnen voelen dan ooit tevoren, maar het was net of alle moleculen in haar het klimaat herkenden. Ze hoorde haar moeder schreeuwen in het café in Musselburgh. 'Is zij het? Is zij het?'

Stella hing op. Ze keek nog eens naar het sijpelende water van de riviertjes, naar de zon die in het water weerkaatste en naar de mistige silhouetten van de bergen. Ze sprong weer naar beneden en ontdekte dat iemand vanonder de glazen deur haar schoenen had gestolen. Blootsvoets liep ze door de kerk. De fresco's wierpen een blauw en gouden licht op haar huid.

Zonder Stella te raadplegen leek men het erover eens te zijn dat ze bij haar grootouders zou logeren zolang Nina in het ziekenhuis lag. Ze kreeg de achterkamer en sliep in het bed dat haar moeder had gedeeld met haar zusters. Het was een tweepersoonsbed, waarvan de houten plank aan het hoofdeinde zo hard glom dat je het vage spiegelbeeld van je gezicht erin kon zien – en bovendien zat er een kuil midden in het matras. Als Nina bij haar had geslapen, zouden ze elke nacht tegen elkaar aan zijn gerold.

Wekenlang verkeerde Stella in wat haar vader een 'roes' noemde. Ze zat op een stoel in de keuken, naast haar grootvader die gekookte aardappelen, erwten en vis maakte voor de *scozessi*, en dan staarde ze met bungelende beentjes in de verte. Ze sprak niet en zei niets, maar stelde enkel vragen: waar is Nina? Wanneer komt ze terug? Gaat ze dood? Wanneer mag ik haar zien? Zonder haar wist Stella niet hoe ze zich moest gedragen, hoe ze haar dagen moest vullen of wat ze moest zeggen.

Haar grootvader maakte haar favoriete gerecht – gnocchi – en voerde het haar zelf, alsof ze nog een baby was. Er druppelden tranen van haar gezicht in de pomodori-saus, maar Domenico roerde ze er gewoon doorheen en zei dat ze dienden als kruiden. Haar moeder kwam haar eens per week opzoeken, ging met haar wandelen over de bruggen van de stad, hield haar hand al te stevig vast en huilde in haar zakdoek.

Op een dag kwam Valeria het café binnen met een schort van blauwe katoen, net zo een als ze zelf hadden maar dan in een kindermaatje, en bond hem voor Stella's kleren. Het was zomervakantie, legde ze uit, en dat betekende dat het extra druk zou worden en dat ze haar hulp wel konden gebruiken. Stella bracht glazen limonade naar de klanten en mocht de saus over de *plombières* gieten. Ze vertaalde de iets ingewikkelder verzoeken van de klanten, zodat haar grootouders begrepen wat ze wilden. Ze zat op de bar en vertelde het aan haar grootmoeder, die klaar was, maar nog steeds zat te eten en misschien nog wel een kopje koffie lustte. 'Wat moesten we zonder jou?' zei haar oom Giancarlo soms zelfs wel enige keren per dag. Stella huilde alleen 's nachts, als de kamer leeg en groot leek.

Het leek of ze al maanden, nee, al jaren in Musselburgh had gewoond toen Valeria haar meenam naar het ziekenhuis om Nina te bezoeken. Stella was verbaasd. Al weken had ze gevraagd of ze Nina mocht zien en haar grootouders hadden aldoor geantwoord: nee, maar waarom schrijf je haar niet? Stella wist niet waarom haar grootmoeder ineens van gedachten was veranderd.

'Waarom gaan we nu ineens wel?' vroeg ze toen ze in de bus zaten.

Valeria deed alsof ze het niet hoorde. Ze rommelde wat met de kaartjes en stopte het kleingeld terug in haar portemonnee.

'Waarom mag ik er nu wel naartoe?' drong Stella aan, 'maar daarvoor nog niet?'

Valeria zuchtte. 'Daarom,' zei ze en Stella zag dat ze haar hoofd afwendde en haar neus snoot.

Haar grootmoeder hield haar hand met beide handen vast toen ze door de gangen liepen, een trap bestegen en vervolgens door een glazen gang moesten. Ze liepen langs lege rolstoelen, gesloten deuren, verpleegsters met piepende schoenen, mensen in ochtendjassen, artsen met stethoscopen, een man met twee bossen oranje bloemen in zijn handen en een vrouw zonder haar. Voordat ze twee zware klapdeuren door gingen, wachtte haar grootmoeder even om Stella's kraagje recht te doen.

'*Sei pronto?*' vroeg ze en ze aaide Stella over haar wang. '*Andiamo.*'

Ze liepen door een lange gang, met aan de ene kant ramen en aan de andere een muur die geelgroen was geschilderd.

Het was er doodstil. Ineens dacht Stella dat ze naar de wc moest, maar aan het strakke gezicht van haar grootmoeder kon ze zien dat ze dat nu niet moest vragen. Aan het eind van de gang bleven ze staan.

Valeria boog zich voorover en tilde Stella op. Voor zich, achter het glas, zag ze, als op een tv-scherm, haar ouders. Haar moeder zat op een stoel naast het bed en haar vader stond naast haar. Op het bed lag een mager wezentje met holle ogen en een geschoren hoofd dat haar recht in de ogen keek. Stella zag dat het was gekleed in een nachtpon met bloemen erop, waar zij er zelf ook een van had.

'Lach eens,' fluisterde haar grootmoeder, 'lach eens tegen haar.'

Stella trok haar mondhoeken omhoog tot een lach. Door de lucht in het ziekenhuis voelden haar tanden droog en koud aan. Ze hief haar arm op een wuifde.

'Goed zo,' moedigde Valeria haar aan. *'Brava regazza.'*

Stella vroeg: 'Waarom zwaait Nina niet terug?'

'Ze kan zich niet bewegen, liefje.'

Stella zwaaide en zwaaide. In de ruimte aan de andere kant van het glas zwaaide haar moeder terug, en haar vader ook. Ze bleven alledrie fanatiek zwaaien, alsof er iets heel ergs ging gebeuren als ze daarmee zouden ophouden.

'Kijk nog eens goed naar haar,' fluisterde haar grootmoeder – maar zo zacht dat Stella er niet zeker van was of ze het wel goed had verstaan. 'Zodat je het je later kunt herinneren.'

Het plafond boven haar is vlekkerig en grijswit. Nina kan de scheuren die erdoorheen lopen wel dromen – als rivieren die door bergen stromen, gezien vanuit een vliegtuig.

Nina heeft nog nooit in een vliegtuig gezeten. Maar zo stelt ze het zich voor als ze hoog boven de aarde zou vliegen, net onder de watachtige witte wolken. Ze zou naar beneden kijken en de gerimpelde aarde onder haar aan zich voorbij zien trekken, en ze zou de bewegende schaduw van het vliegtuig zien, veroorzaakt door de zon.

Ze beweegt haar ogen in hun kassen. Het kost haar veel moeite, alsof er gewichten aan hangen, alsof de machine binnen in haar langzaam maar zeker kapotgaat.

De kamer is donker, de jaloezieën zijn dicht. De lamellen zijn omlaag getrokken, maar vanaf de plek waar ze ligt kan ze zien dat het buiten aardedonker is. Ze is verbaasd. Waren haar ouders hier niet, een paar minuten geleden? Of was dat lang daarvoor? Ze weet het niet meer. Vaag herinnert ze zich Stella. Met hun grootmoeder in de gang, ze keken naar binnen. Maar misschien heeft dat nooit plaatsgevonden. Ze weet niet meer wanneer ze haar zus voor het laatst heeft gezien.

Ze slaat haar ogen op en kijkt naar de klok die aan de muur tegenover het bed hangt. Ze ziet de secondewijzer verspringen en stoppen, verspringen en stoppen, maar wanneer ze zich op de grote en de kleine wijzer probeert te concentreren, vervagen en verdwijnen die.

Tot haar verrassing ziet ze aan haar rechterzijde een verpleegster zitten. Ze zit in een stoel. Ze heeft vurige, levendige ogen. Nina weet niet waarom er de laatste tijd altijd een verpleegster naast haar bed zit. Vroeger was dat niet zo.

Ze kijkt naar beneden, haar ogen glijden over het lichaam van de vrouw, gehuld in een ziekenhuisdeken. Ze wist bijna zeker dat ze haar armen over elkaar had, dat ze met haar vingers haar ellebogen vasthield. Maar nu ziet ze dat haar armen langs haar lichaam hangen. Haar voeten staan in een symmetrische V op de grond, met de deken er deels overheen.

Buiten de kamer, achter de lachende gezichtjes van stripfiguren die tegen het raam zijn geplakt en waar ze hoofdpijn van krijgt, hoort ze een geluid. Er rent iemand door de gang. Voetstappen op het linoleum. Nina kent dat linoleum. Ze herinnert zich het donkerrode, bobbelige oppervlak en het gevoel dat haar dat gaf als ze er op slippers overheen liep. Op de laatste dag dat ze nog kon lopen, had ze dat gedaan. Helemaal alleen. Helemaal naar de toiletten. Ze wilde niet gedragen worden, nee, dat wilde ze niet. Ze had getrild en geslingerd, ze had zich aan de muur moeten vasthouden met haar vingertoppen, het had lang geduurd en ze had veel pijn gehad. Maar het was haar gelukt.

Er rent een klein iemand voorbij. Een jongen van de zaal verder-op. Nina heeft hem al eerder gezien. Op zeker moment kwam hij haar kamer binnen en vroeg haar hoe ze heette. Maar nog voor ze kon antwoorden, had de verpleegster hem weggestuurd. Hij rent en trekt een infuusstandaard achter zich aan, als een treintje aan een koordje. Als hij langs haar deur komt, houdt hij abrupt op met lachen.

Dan hoort ze iets anders. Voetstappen die achter hem aan ko-men. Zware voetstappen. Van een volwassene. Een verpleegster.

'Kom terug,' roept de verpleegster. 'Ik meen het.'

'Je kunt me toch niet krijgen!' gilt het jongetje en zijn stem klinkt ver weg, alsof hij een hoek is omgeslagen. Nina denkt dat er in die richting een hoek is, en dat je dan in een langere gang komt. Dat zag ze altijd als ze haar kamer uit ging.

Dan sist de verpleegster, die buiten staat, met een lage stem: 'Houd je stil.' Houd je stil. Nina zal zich die zin later nog vaak her-inneren. 'Er ligt daar een klein meisje te sterven.'

Heel eventjes heeft Nina medelijden met dat kleine meisje en ze vraagt zich af hoe oud ze is, hoe oud je moet zijn om dood te gaan, en of het kleine meisje bang is en of ze alleen zal zijn daar, aan de andere kant, en dan wendt Nina haar blik naar de verpleeg-ster naast haar bed om te zien of zij ook medelijden heeft. Maar de verpleegster kijkt knorrig en op de een of andere manier be-schaamd. Ze staat op uit haar stoel, gooit de deur dicht en contro-leert of hij wel goed dicht zit.

Wanneer ze terugkomt en gaat zitten, kijkt ze Nina niet aan. Nina staart naar haar, ze kijkt en ze kijkt en ze kijkt. Maar de ver-pleegster kijkt niet op. En dan heeft Nina het begrepen.

Pearl heeft de opdracht gekregen vijfentwintig vergulde kande-laars in een bak kokend heet water met een ammoniakoplossing schoon te maken. Als er iets is waar mevrouw Draper niet tegen kan, dan is het wel kaarsvet op haar kandelaars. Maar ze kan ook niet tegen smerige plinten, stoffige gordijnkappen, oude zeep, pot-pourri die nergens meer naar ruikt, krassen op een tafelblad, bor-den met barsten erin, opkrullende kleden en voetafdrukken op stoelzittingen.

De ammoniak stijgt omhoog uit het hete water, waardoor Pearls ogen vochtig worden. Er stromen warme tranen over haar gezicht – maar niet van verdriet. Haar handen zijn rood en vurig in het water terwijl ze het kaarsvet er met haar nagels af probeert te pulken. Ze neuriet het liedje dat haar jongste kleinzoon zong toen ze hem vanochtend naar school bracht: 'Hij liet zijn bakkebaarden staan, de wind stak op en woei naar binnen, arme oude...'

'Pearl?'

Vlakbij hoort ze een stem en ze schrikt op, waardoor de kandelaars in het water tegen elkaar aan stoten. 'Jezus!' roept ze tegen Jake, met haar hand tegen haar borst gedrukt. 'Ik schrik me dood.'

'Sorry,' zegt hij. Er zit verf in zijn haar. En dat is jammer, want hij heeft mooi haar. Veel jongens van zijn leeftijd schijnen het de laatste tijd af te knippen, net als haar zoon. Ze millimeteren het. Maar Jake heeft vrij lang haar dat een beetje wild zit.

'Kijk,' zegt ze, 'daar heb je terpentine voor nodig.' Ze wijst op zijn hoofd.

Jake woelt met zijn vingers door zijn haar en voelt de harde stukjes. 'O. Ik wist niet dat dat erin zat.'

'In de kast, daar.' Ze duwt hem zachtjes de kant van de kast op. 'Achterin. En daar vind je een doek.'

Jake schenkt een scheut stinkende terpentine op een oude lap en kijkt in de weerspiegeling van de glazen deur terwijl hij zijn haren schoonmaakt. 'Eh, Stella zei tegen me...' mompelt hij, 'dat... Ik vroeg me af...'

Pearl kijkt op van de kandelaar die ze juist wilde insmeren met zilverpoets. 'Ja?'

'Weet u nog dat hier een commune was?'

'Een wat?'

'Een commune. Dat is... dat is een huis waar mensen samenwonen. Jonge mensen, misschien. Zo'n vijfentwintig, dertig jaar geleden.'

Pearl wrijft over de bobbelige rand van de kandelaar en lijkt verbaasd. 'Uhm..'

'Volgens mij was dat hier, in Kildoune.'

'Een commune, zeg je?' Ze ziet in de glimmende kandelaar haar lippen dit nieuwe woord vormen en dan valt het kwartje. 'O, jij bedoelt de hippies.'

'Ja.' Jake loopt op haar af alsof hij haar wil omhelzen. 'Ja,' zegt hij nog eens en hij pakt de doek in één hand, 'de hippies.'

'Ja,' zegt ze voorzichtig. De geur van terpentine hangt zwaar om hem heen.

'Herinnert u het zich?'

'Ja.' Ze knikt. 'Zeker.' Ze lacht even. 'Het was moeilijk ze over het hoofd te zien.'

Hij kijkt haar nu met grote, starende ogen aan. 'Woonden ze hier?'

'Ja. Dat wil zeggen: niet in het grote huis, maar erachter.'

'Kijk eens aan. Herinnert u zich... Ik bedoel: wat herinnert u zich van hen?'

'Nou...' begint ze.

Doordat hij zo gespannen is, voelt ze zich ongemakkelijk, en alsof Jake dit aanvoelt, zegt hij: 'Kijk, een familielid van me woonde daar.' Hij wacht even. 'Hier, bedoel ik. In de commune. Ik probeer iets meer te weten te komen... over hem.'

Pearl fronst haar wenkbrauwen, denkt diep na, en somt vervolgens alles op wat ze zich kan herinneren, zoals ze dat vroeger op school ook moest: 'Van die ouwe vent, meneer Grant, mochten ze in de schuur daarachter zitten. Ze zijn er flink lang gebleven. Vier, misschien wel vijf jaar. Zoiets. Ik werkte toen voor hem – ik kookte en maakte schoon, maar eerlijk gezegd was het ondankbaar werk. Het schoonmaken, bedoel ik.'

'En u zag ze regelmatig? En praatte u ook met hen?'

'O, ja. Ze waren reuzevriendelijk. De meesten waren heel jong. Ze hadden rare kleren aan, weet je wel. Mensen uit de stad klaagden er wel over. Maar ik heb altijd gezegd dat ze geen kwaad in de zin hadden.'

'Kunt u me laten zien waar het was? De... de schuur, zei u?'

Pearl en Jake wandelen door het bos. Haar handen voelen prettiger aan nu, nu ze niet meer in die ammoniakoplossing zitten. Jake blijft dicht bij haar en volgt elke beweging die ze maakt.

'Kijk eens aan,' zegt ze en ze wijst op een laag, langwerpig, stenen gebouw dat tussen de bomen schemert. Het golfplaten dak is deels ingestort en een van de ramen is verdwenen. Er groeit een lange, wuivende plant uit de schoorsteen. Terwijl ze staan te kijken, vliegt er een zwerm vogels met klapperende vleugels uit het gat in het dak.

'Het was een oude rommelschuur, waar iemand op een gegeven moment een dak op heeft gezet. De hippies hebben een tuin aangelegd, waar ze groenten en dat soort dingen verbouwden. Maar daar zie je nu niets meer van.'

Ze komen bij de deur en Jake stapt naar binnen.

'Ik ben hier in tijden niet meer geweest,' roept ze hem na. Ze blijft met haar armen over elkaar buiten staan. Ze houdt er niet van vervallen huizen te betreden, en dat geldt zeker voor schuren. Dat vindt ze een beetje eng. 'Mevrouw Draper zegt aldoor dat ze het wil opknappen. Verwarming aanleggen, dat soort dingen. Dan kan ze het als vakantiehuisje verhuren. Maar ze is er nog niet uit, geloof ik. Ikzelf geloof het pas als het gebeurd is. Staat er nog wat? Meubelen of zo?'

'Uhm...' Jake klinkt ver weg, alsof hij wordt afgeleid. 'Hier en daar.' Het is even stil. Een totale stilte. De bomen om haar heen ritselen en zuchten; af en toe komt er wat zonlicht doorheen.

'Wat dan?' zegt Pearl, om maar iets te zeggen. Ze houdt niet van dit bos, en ze vindt het al helemaal niets om er middenin te staan en zo direct gegrepen te worden door datgene waardoor je in het bos gegrepen wordt.

'Pardon?' vraagt Jake eindelijk.

'Wat dan?' gilt ze. 'Wat voor meubelen.'

'Eens kijken, ik zie... ik zie een oude bank.' Zijn stem klinkt vanachter de dikke stenen muren nu eens ver weg, en dan weer dichterbij. Hij is de zaak grondig aan het onderzoeken, lijkt het. 'En... en een bed, en ook nog een matras. Allemaal verrot.'

Pearl strijkt haar schort recht als hij de deur weer uitkomt. Hij moet bukken en houdt zijn hand omhoog om de deurstijl te pakken – om te kijken hoeveel ruimte hij heeft, om zijn hoofd te beschermen, om de koude steen tegen zijn vingers te voelen, ze weet het niet, maar terwijl hij het doet, wordt haar ineens duidelijk wat ze daar doen, wat hij hier doet, wie hij is, en waarom hij is gekomen. Ze heeft eens iemand anders gezien die precies datzelfde deed op precies dezelfde plek, iemand die op hem leek. Iemand die er, jaren geleden, precies zo uitzag als hij nu. Ze was hem helemaal vergeten, maar nu ze Jake zo onder die deurstijl ziet staan, herinnert ze het zich ineens weer. Pearl kijkt naar Jake terwijl ze samen op die open plek bij de schuur staan, en ze ziet het, ze weet het, ze begrijpt het.

'Wat is er met hen gebeurd? Weet u dat?' vraagt hij.

Ze schraapt haar keel. 'Ze zijn weggegaan, jongen, allemaal. Toen mevrouw Draper de boel kocht, toen...' Ze breekt haar zin af, want ze denkt dat hij het misschien niet wil horen.

'Heeft ze hen eruit gegooid?' zegt hij.

Pearl knikt.

'En u weet niet waar ze naartoe zijn gegaan?'

Ze schudt haar hoofd.

'Niet een van hen?'

'Nee. Het spijt me.'

Als ze teruglopen over de met naalden bedekte, moerassige grond, raakt Pearl even zijn schouder aan, heel lichtjes.

Stella zit met haar voeten op een van de laden van het bureau ingewikkelde vierkantjes en driehoekjes te tekenen op een krant. Ze heeft late dienst, en dat betekent dat ze tot na middernacht in de receptieruimte moet blijven om telefoontjes te beantwoorden en gasten te helpen. Ze vindt het niet erg. Ze heeft wel een hekel aan de wandeling terug naar de caravan, door het donkere bos dat allerlei spookachtige geluiden maakt. En op een bepaald punt op het pad kun je in de verte de rivier horen ruisen.

Ze trekt haar mouwen over haar handen en stelt ineens geschrokken vast dat er iemand achter haar staat. Ze draait zich om. Het is de nieuwe jongen. Stella kijkt hem sprakeloos aan en heeft nog steeds de pen in haar hand. Hij lijkt even verrast te zijn haar te zien als zij hem, want hij staat met zijn ene hand in de lucht en zijn mond halfopen.

Stella probeert tot zichzelf te komen. Waarom kijkt ze hem zo aan? Waarom kijkt hij haar zo aan?

'Hallo,' zegt ze, ze haalt haar voeten van het bureau en legt de krant neer. 'Alles goed met jou?'

'Ja,' zegt hij, maar het klinkt niet alsof hij het meent.

Hij ziet er een beetje vreemd uit, alsof hij een geest heeft gezien.

Zijn haar staat overeind, zijn ogen zijn wijdopen. In zijn hand heeft hij een biljet van twintig pond, ziet ze. Stella moet een lach onderdrukken. 'Is dat voor mij?'

'Wat?'

'Dat.' Ze wijst op het bankbiljet.

'O.' Zijn gezicht ontspant zich. 'Nou ja, in zekere zin. Ik vroeg me af of je wat kleingeld voor me hebt. Voor de telefoon.'

'Natuurlijk.' Stella buigt zich voorover en zoekt in de bureaula naar het geldkistje. Jake staat vlak bij haar, merkt ze. Een beetje te dicht bij haar. Ze laat de wieltjes onder de stoel iets naar opzij rollen, zodat het onderstel tegen zijn voet komt.

'Au,' bromt hij terwijl hij een stapje terugdoet.

'O, sorry.' Ze schuift een haarlok achter haar oor, onderdrukt een glimlach en pakt een door mevrouw Draper beschreven briefje van een stapeltje paperassen, waarop staat: £ 20 voor *Jake Kildoune, bij wijze van voorschot.*

Stella fronst haar wenkbrauwen en leest het briefje nog eens. Jake Kildoune? Heet hij zo? Heet hij Kildoune? Ze draait zich om en kijkt hem aan, het papiertje nog in haar hand.

'Is er iets?' vraagt hij. 'Ik kan altijd…'

'Nee, nee,' zegt ze snel. 'Er is niets. Ik wilde even…' Ze zwijgt. Jake Kildoune. Ze heeft er niets mee te maken. Ze draait zich om en kijkt nog eens naar de stapel briefjes en het kleingeld. 'Ik vroeg me af hoeveel je eigenlijk nodig had.' Stella begint muntstukken van twintig pence te tellen. 'Ik kan je één… Nee, wacht eens, twee pond in munten van twintig en vijftig geven, en…'

'Ik moet intercontinentaal bellen,' zegt hij.

'O.' Ze schudt haar hoofd. 'Goed. Ik… Natuurlijk.'

Ze kijken elkaar weer aan als ze de munten in zijn tot een kommetje gevouwen handen giet. Hij is de eerste die wegkijkt. Ze wijst de telefoon aan, die achter een boeket droogbloemen in de gang staat. Ze heeft de krant weer opgepakt en is juist begonnen aan een nieuwe tekening met ingewikkelde vierkantjes als ze het geld in het apparaat hoort vallen. Jake zegt: 'Caroline, ik ben het.'

Stella bekijkt een artikel over een portefeuillewisseling in het kabinet. Caroline? Dat zal zijn vriendinnetje wel zijn. Ze trekt haar mouwen weer over haar handen en huivert. Het is ijskoud.

Ze begint weer vierkantjes te tekenen, en ditmaal kleurt ze elk tweede vierkantje in. Ze luistert niet, ze luistert echt niet. Het is een privé-gesprek en bovendien: ze is de krant aan het lezen.

Ze slaat het blad om en bekijkt een advertentie. Jake vertelt Caroline iets over een nachttrein, en dat hij 's ochtends vroeg in Schotland aankwam.

'Ik heb het gevonden, Caroline. Ik heb het gevonden. Ik ben er.' Zijn stem slaat bijna over, waarna Stella haar hoofd opheft. 'Nee, nee,' zegt Jake snel. 'Hij is weg. Al heel lang, als ik het goed heb begrepen... Ja... Ja... Ik weet het...' Stella hoort dat hij een diepe zucht slaakt. 'Het is een hotel... Nee... Hij zat in een van de bijgebouwen... Ja, vandaag, vanmiddag. Iemand heeft het me laten zien, iemand die het zich nog wel kan herinneren... Ja... Het was zo raar. Veel raarder dan ik had gedacht...'

Geschrokken buigt Stella zich weer over haar vierkantjes. Waar het ook over gaat, dit wil ze helemaal niet horen. Verwilderd kijkt ze om zich heen. Ze zit aan vier kanten ingebouwd: het bureau, de archiefkast, de elektrische straalkachel en een stapel papieren. Ze kan niet weg zonder dat hij het hoort. Ze weet dat de deur piept, dat de veren van de stoel geluid zullen maken en dat ze niet over de stapel papieren heen kan zonder de straalkachel te verplaatsen, wat een geluid zal maken alsof iemand op een bekken slaat. Dan beseft hij hoe dichtbij ze eigenlijk is, en dat ze alles gehoord heeft. En voortdurend spookt hetgeen hij heeft gezegd, door haar hoofd: het familielid over wie hij het had, het familielid dat hier ooit woonde, zijn achternaam die op het voorschotbriefje vermeld stond, hij en Pearl die samen naar de schuur in het bos liepen, de manier waarop hij praatte, want zo praat je niet tegen je vriendin, zo praat je tegen je ouders, je moeder, het ongeloof op zijn gezicht toen hij het woord op haar uniform zag, in de tearoom in Aviemore. Stella heeft medelijden met hem. Ze weet niet wat ze zeggen zal wanneer hij na zijn gesprek door de gang loopt, ze weet absoluut niet wat ze zal zeggen, want wat moet je zeggen als je zo'n gesprek hebt afgeluisterd...

Ze hoort een hard, schril geluid, waardoor ze opspringt en haar pen laat vallen. Het is de interne telefoon; mevrouw Draper zegt iets over een zending handdoekjes die morgen wordt afgeleverd, en is Stella er zeker van, absoluut zeker, dat de kast is leeggeruimd en schoongemaakt, want als dat niet zo is, dan heeft ze morgen tegen een uur of elf een groot probleem: drieduizend papieren handdoekjes en nergens een plek om ze neer te leggen.

Caroline blijft nog even bij de telefoon zitten, met haar hand op de hoorn. Ze draait zich om en kijkt uit het raam. Ze bedenkt dat ze onkruid moet wieden in het perkje met pompoenen, dat ze de rozen moet snoeien, dat ze kunstmest rond de erwten moet strooien. Dat is tuinieren: er is altijd wel iets wat moet gebeuren, je loopt voortdurend achter de feiten aan.

Het is bijna twaalf uur 's middags. De zon staat op zijn hoogste punt, er zijn geen schaduwen. Haar zoon is duizenden kilometers ver weg, bij hem is vandaag nog niet begonnen. 'Ik heb het gevonden,' had hij gezegd. Hij was ernaar op zoek gegaan, precies zoals ze al gedacht had, en hij had het gevonden.

Ze vindt eigenlijk dat ze dit moment op de een of andere manier moet markeren – de datum en tijd op een briefje moet schrijven, bijvoorbeeld, of een foto van haar zoon moet pakken en in tranen uitbarsten. Maar ze voelt er eigenlijk geen behoefte toe. Momenten die je raken komen altijd onverwacht. De momenten waarvan je weet dat ze komen, de momenten waarop je hebt gewacht, hebben bijna altijd iets onwerkelijks, alsof je erop hebt geoefend: je hebt ze je immers zo vaak voorgesteld.

Er zijn dingen die ze nooit tegen Jake heeft gezegd: Dat ze vanuit Kathmandu weer is teruggegaan naar Delhi. Dat ze, doodop maar verwachtingsvol, de hele stad heeft afgezocht en bij elke ashram naar een lange Schot met de naam Tom heeft gevraagd. Dat ze op drie motorfietsen die op de zijne leken, briefjes heeft geplakt. Dat ze er stellig van overtuigd was dat hij dit moest weten, en dat ze zich tot die tijd een bedriegster voelde, een dief. Dat ze vier dagen in een kamer had zitten huilen voordat ze de kracht had om te vertrekken. Dat ze na Jakes geboorte brieven naar Kildoune had gestuurd, bij Aviemore, Invernessshire, maar dat ze nooit antwoord had gekregen.

Caroline staat op, wurmt haar voeten in haar klompen en pakt haar tuinhandschoenen van de plank. Niet voor het eerst denkt ze aan die ene, eenzame spermacel die zich in haar omhoog heeft gewerkt. Ze vindt het opnieuw onbegrijpelijk dat zoiets plaatsvond op het moment dat ze bezig was met iets anders: met slapen, rondwandelen, neuken, op een motorfiets rijden of praten met Tom. Het lijkt raar en pervers dat iets zo gedenkwaardigs als het begin van haar zoon onopgemerkt voorbij heeft kunnen gaan. Je zou toch denken dat er onmiddellijk een of ander teken gegeven zou worden, dat je ogen van kleur zouden veranderen, je huid donkerder zou worden of dat je bloed in een hoger tempo door je aderen zou stromen. Je zou zeggen dat er op het beslissende moment iets te horen zou zijn geweest: een knal, het lawaai van een botsing.

Caroline denkt daarover na terwijl ze haar huis in Auckland uit loopt en via de achterdeur op haar klompen het trapje afdaalt.

Jake weet dat hij Mel zou moeten bellen, dat dat echt noodzakelijk is, maar hij zit nog vijf minuten met het wisselgeld te spelen en daarna blijft hij nog tien minuten bij de munttelefoon in de gang zitten en denkt na over wat hij zal zeggen, waar hij waterdichte schoenen vandaan moet halen, hoe hij de smaak van wild kan vergelijken met die van rundvlees, dat iemand de ene helft van het plafond in de gang in een andere tint wit heeft geschilderd dan de andere, dat het Britse muntgeld licht aanvoelt in de hand, Stella's ogen, het verroeste bed in de schuur, dat hij mevrouw Draper het liefst de nek om zou draaien, de hete lucht van de verfbrander, het gezin waarvan hij de bagage eerder die dag naar boven bracht, dat Hing Tai nog niet wakker is maar dat zijn moeder binnenkort al aan de lunch zit, de ronde opgezwollen eeltknobbels aan de zijkanten van Pearls voeten, en dat ze om die reden gaten in haar schoenen had moeten knippen.

Hij neemt de hoorn van de haak en hoort de lage zoemtoon. Hij gooit een paar munten in het apparaat. De munten vallen vrijwel direct in een metalen bakje dat te klein is, waarna Jake op handen en voeten tracht enkele munten onder de kruk vandaan te halen. Hij begint opnieuw, hoort de zoemtoon, maar werpt het geld niet snel genoeg in het apparaat. De verbinding lijkt verbroken. Toch heeft de machine een muntstuk van vijftig pence ingeslikt: Jake hoort dat de munt ergens in het apparaat blijft steken.

Hij drukt zijn vingertoppen tegen zijn voorhoofd, slaakt een diepe zucht en probeert het nog eens.

'Hallo?' Andrew.

'Hallo, met Jake.'

'Jake!' Andrew spreekt zijn naam op vrolijke toon uit, maar dat zal hij geveinsd hebben, want daarna is het even stil en hoort Jake hem denken wat hij nu toch eens moet gaan zeggen. 'Hoe is het… eh… het golfen?'

'Nou, ik heb eerlijk gezegd nog niet…'

'Dat moet geweldig zijn. Heb je het leuk daar?'

'Ja, het is…'

'Wat voor weer is het? Vreselijk, zeker? Het kan echt heel erg zijn. Toen ik in Schotland was, heeft het de hele tijd geregend.'

'Ja.' Jake kijkt naar het kleine groene schermpje waarop staat aangegeven hoeveel tegoed er nog in het apparaat zit. Er is niet veel meer over – het apparaat heeft tijdens het telefoontje naar Nieuw-Zeeland geld gevreten. Hij voelt dat er zweetdruppels op zijn voorhoofd staan. 'Is…'

'Goed. Ik vermoed dat je geen zin hebt de hele tijd met mij te gaan zitten kwekken. Ik zal Melanie halen. Wacht even.' Andrew legt de hoorn met een klap neer.

'Dank u,' zegt Jake, tegen niemand.

'Jake?' Ze klinkt opgetogen, waardoor zijn maag ineenkrimpt.

'Hallo. Hoe gaat het? Hoe voel je je?'

'Goed,' zegt ze. 'Maar ik mis je wel.'

'O.' Hij hoort dat hij een nerveuze lach niet kan onderdrukken. 'Nou, wat heb je zo'n beetje gedaan?' Hij begint zich op zijn hoofd te krabben, en als hij daar eenmaal mee is begonnen, kan hij er niet meer mee ophouden. Hij vindt het een lekker gevoel, dat krabben van zijn nagel over zijn schedel.

'Het gaat lekker. Ik ben gisteren bij de specialist geweest en die zei ook dat het goed ging.'

'Dat is goed nieuws, Mel. Geweldig. Daar ben ik blij om.' En dat is hij ook.

'Hoe gaat het met jou?' vraagt ze snel. 'Ik bedoel, gaat het goed?'

'Ja.'

'Je klinkt een beetje…'

'Een beetje wat?'

'Een beetje vreemd.'

'Nee, nee, het gaat… Alles loopt… prima.'

Ze gaat ineens iets zachter praten. 'Mam heeft de druk opge-voerd.'

'De druk?'

'Je weet wel. Dat we een datum moeten bepalen.'

Hij heeft moeite te begrijpen wat ze bedoelt, maar als het tot hem doordringt, krijgt hij zin om nog harder op zijn hoofd te krab-ben.

'Ik zei dat we het nog wel even konden uitstellen, maar zij zegt dat alle goede data ver van tevoren geboekt worden.'

'De goede data? Zijn die er dan?' Als hij dit zegt, krijgt hij de in-druk dat hij gek wordt. 'Ha ha ha,' zegt hij.

'Nou ja, schijnbaar,' zegt ze. 'Hoe dan ook, laten we het daar nu maar niet over hebben. Heb je het fijn daar? Zeg me eens waar je zit en wat je hebt gezien.'

'Ik zit in een hotel,' flapt hij eruit.

'Waar?'

'Kildoune.' Er lijkt een probleem te zijn met het filter dat ervoor zorgt dat wat je denkt verschilt van wat je daadwerkelijk zegt. Waar is het gebleven? Hij heeft dat filter nu echt nodig.

'Kildoune?' herhaalt ze. 'Maar… maar dat is…'

'Mijn naam!' zegt hij meteen. 'Dat weet ik!'

Het is even stil in Norfolk. Hij kent het bezorgde gezicht dat ze nu trekt. 'Ben je er daarom naartoe gegaan?' vraagt ze ten slotte.

'Ja,' zegt hij. Hij gaat rechtop zitten. Misschien helpt dat. Bloed-toevoer van de ruggengraat naar de hersenen. Of zoiets.

'O.'

Opnieuw is het stil.

'Luister, ik blijf hier nog even…'

'In het hotel?'

'Ja. Ik knap een klusje voor ze op en…'

'Een klusje? Wat voor klusje?'

'Nou, ik schilder het houtwerk…'

'Schilder jij het houtwerk?' zegt ze, op een toon alsof ze zegt:

maak jij een pornofilm? 'Je bent te gast in een hotel en dan bied je aan om...'

'Nee, nee, ik ben geen gast. Ik ben een...' Hij wacht even om na te denken. Wat is hij eigenlijk? Juist op dit moment heeft hij eigenlijk geen idee. 'Ik knap een klusje voor ze op,' herhaalt hij dan, zonder overtuiging. Hij heeft vaag het idee dat hij deze zin zeer recent al eens heeft uitgesproken, maar hij is er niet zeker van.

'Maar Jake...'

Ineens hoort hij gepiep op de lijn en dan is ze verdwenen, alsof een of andere telecommunicatiefee heeft besloten tussenbeide te komen en haar van hem te scheiden. Jake zit met de hoorn aan zijn oor te kijken naar het groene schermpje, waarop het getal 'oo' hem tegemoet flikkert.

Als Stella eindelijk in de ziekenzaal van Nina mag komen, is de zomer al voorbij en verdwenen in een holletje. Stella gaat weer naar school, en haar grootmoeder heeft besloten dat ze geen uniform meer draagt, maar een jurk, en daarom heeft ze koude benen.

Stella kijkt niet naar Nina als Domenico haar de kamer binnenduwt. Ze kijkt niet op terwijl ze over de vierkante linoleumtegels loopt – ze stapt alleen op de zwarte, zijdelings, als een krab, maar dat wil ze niet al te opzichtig doen, want dan merkt haar moeder het en die zou het niet goed vinden, en dat zou ze haar dan later vertellen. Ze kijkt pas op als ze naast het bed staat en met haar hand het laken vastpakt.

Van dichtbij is Nina gekrompen, klein geworden – als een stuk zeep. Haar haren zijn afgeschoren, zodat je haar kleurloze schedel kunt zien. De botten van haar gezicht steken uit. Stella herkent haar aan haar ogen. Die zijn nog hetzelfde als vroeger, die zijn hetzelfde als haar eigen ogen.

'We krijgen een katje,' zegt Stella.

Nina antwoordt niet, ze kijkt alleen maar zoals ze nog nooit heeft gekeken. Dat verbaast Stella. Tijdenlang hebben ze samen gezeurd of ze een kat mochten.

'Hij heeft streepjes,' voegt Stella eraan toe. Ze kijkt achter zich, naar haar grootvader. Domenico knikt haar bemoedigend toe en duwt haar verder vooruit, zodat ze nu tegen het bed gedrukt staat.

Waarom kijkt Nina haar zo aan? Stella zou zich het liefst tussen het bed en de hand van haar grootvader uit wurmen en deze zaal uitrennen, waar het zo raar ruikt. Ze vindt het hier niet prettig. Ze vindt het niet fijn hoe haar zus, of dat meisje van wie ze zeggen dat het haar zus is, haar aankijkt.

Stella schommelt heen en weer op één been. 'Hij is er nog niet, want hij moet eerst zelf zijn melk kunnen drinken.'

Ze ziet dat Nina kijkt naar de jas die ze draagt. Ze herinnert zich dat het vroeger Nina's jas was. Ze probeert het nog eens. 'Hoe zullen we hem noemen?'

'Max,' zegt Nina.

'Goed.'

Ze voelt dat de volwassenen om hen heen kijken en luisteren, alsof Nina en zij een toneelstukje opvoeren. Ze vraagt zich af wat ze nu moet zeggen. Iedereen lijkt op haar te wachten. Ze gaat de dingen na die haar moeder heeft gezegd: onthoud dat ze niet kan lopen, ze heeft een virus in haar hersenen, een virus is een ziekte, en praat niet over school, want daar wordt ze misschien somber van.

Ze kijkt naar Nina's armen, die naast haar lichaam liggen. Ze lijken niet meer met haar verbonden te zijn en zien er broos uit, als glazen staven die zo kunnen breken. De huid aan de binnenkant van haar ellebogen is donker, met donkerpaarse vlekken.

Nina ziet dat ze ernaar kijkt. 'Ze nemen elke dag bloed af,' fluistert ze.

'Echt?' Stella vindt het afschuwelijk. 'Hoe dan?'

'Met een naald. En een spuit. En soms komt het bloed er ineens uit, en dan blijft het er maar uit stromen, maar soms ook prikt de naald niet in de ader en dan moeten ze hem er uit halen, en opnieuw beginnen.'

'Doet dat pijn?'

'Ja,' zegt Nina en er verschijnen tranen in haar ogen, 'en soms...'

'Waarom laat je Nina het boek niet zien dat je voor haar hebt meegebracht?' Francesca staat nu naast haar.

Het boek gaat over een dierenfamilie uit Finland, dat, zo zei Domenico, heel ver weg ligt en waar het ijskoud is. Haar oom heeft het haar voorgelezen. Stella probeert het uit haar jas te wurmen, maar dan stelt Nina haar een vraag. 'Hoe is het met Miranda?'

Miranda is Nina's schoolvriendin. Haar beste vriendin. Ze heeft geel haar, waar haar moeder krullen in legt. Stella kijkt snel even naar Francesca, en dan weer naar haar zus. Nina's hoofd wordt door twee kussens omhooggehouden. Alleen haar ogen bewegen. Stella kan toch niet vertellen dat Miranda nu met Karen omgaat, en het al tijden niet meer over Nina heeft gehad? En dat niemand meer touwtjespringt – Nina was de beste van de hele school in touwtjespringen – en dat Nina's klas een schoolreisje heeft gemaakt naar de Botanische Tuin, en dat het gymnastiekclubje van Nina allemaal medailles wint, zonder haar.

'Goed,' zegt Stella.

Ze denkt aan de aderen die door Nina's lichaam lopen; dat die nu wel leeg en uitgedroogd zullen zijn, zoals de rivierbedding die ze tijdens een vakantie in de Borders hebben gezien. Ze strekt haar arm uit en raakt Nina's vingers aan, gewoon om er zeker van te zijn dat ze er echt is, dat ze nog steeds dezelfde is. De vingers voelen stijf en vochtig aan, ze trekken.

'Als je dat doet,' zegt Nina tegen haar met haar ogen dicht, 'voel ik dat in mijn andere arm.'

Stella vindt dat fascinerend. Ze laat Nina's hand los, loopt naar het voeteneind en pakt Nina's rechtervoet beet. 'Houd je ogen dicht,' zegt ze. 'Niet stiekem kijken. Welke voet heb ik vast?'

Er verschijnen rimpels op Nina's gezicht, ze denkt na. 'Links?'

'Nee!' gilt Stella.

Nina doet haar ogen open. Ze giechelen allebei. 'Nog een keer,' zegt ze. 'Doe het nog maar eens.'

Achter hen schuiven de volwassenen met de stoelen en beginnen te praten. Nina sluit haar ogen om niet in het verblindende tl-licht te hoeven kijken en Stella staat op het punt Nina's rechterknie vast te pakken.

Stella stuurt met een hand haar auto de kronkelende oprijlaan van het hotel op. Met haar andere hand houdt ze een half opgegeten appel vast en probeert ze tegelijkertijd de cassetterecorder aan te zetten, die om de een of andere reden dienst weigert.

Ze gaat een stukje rijden. Ze zou het nooit toegeven, maar dat vindt ze leuk. Niet in Londen of in Edinburgh, waar autorijden neerkomt op het zoeken van een parkeerplaats en eindeloos wachten voor de stoplichten. Maar hier kun je rondtoeren door bossen, langs rivieren en rotsgebergten, terwijl de takken tegen je voorruit zwiepen en de scherpe, schone lucht door je auto stroomt.

Stella drukt op alle knopjes van de recorder, maar geeft het dan met een diepe zucht op. Boven aan de oprijlaan geeft ze een ruk aan het stuur en draait de weg op. Ze heeft haar zonnebril met roze glazen opgezet, waardoor het landschap een ander aanzien krijgt: weelderig en vreemd, met een purperen lucht.

Ze heeft nog geen kilometer afgelegd of ze ziet iemand lopen in de berm, waar bomen met zilverkleurige stammen staan. Al van verre weet ze dat hij het is, en terwijl de afstand tussen hen steeds kleiner wordt, overweegt ze of ze zal stoppen. Waarom zou ze, ze kent hem nauwelijks, wat betekent hij nu eigenlijk voor haar, zwaaien zou toch voldoende zijn, waarom zou ze stoppen, dat hoeft helemaal niet, ze gaat niet stoppen, dat doet ze niet, ze gaat alleen maar zwaaien.

Maar de banden schuren op het asfalt en de auto stopt, waardoor ze eerst vooroverbuigt en daarna terugvalt tegen haar stoelleuning. Verbaasd kijkt ze naar beneden. Haar voet staat op de rem. Jake kijkt door het linkerraampje verwachtingsvol naar binnen.

Ze leunt opzij en draait het raam naar beneden. 'Hallo,' zegt ze zo onverschillig mogelijk. Ze veegt haar haren uit haar gezicht. Opnieuw staat hij te dichtbij. 'Ben jij een wandelingetje aan het maken?'

Hij knikt. 'Wat is dat?' vraagt hij grinnikend op die voor hem kenmerkende manier. 'Jij bekijkt het leven door een roze bril?'

Stella lacht. Daar had ze nog nooit over nagedacht. 'Dat zou best eens kunnen.'

'En hoe ziet die wereld er dan uit?'

'Als door een roze bril.' Ze zorgt ervoor dat ze hem recht aankijkt. 'Wat dacht jij dan?'

Het is even stil, en hij bekijkt haar gezicht nauwgezet, alsof hij er een tekening van wil maken. 'Waar ga je naartoe?' vraagt hij.

'Ik rijd gewoon een stukje.'

Hij kijkt langs haar heen, de auto in. 'Is er nog ruimte voor een passagier?'

Zonder haar antwoord af te wachten gaat hij rechtop staan en loopt om de auto heen. Stella vindt het afschuwelijk. Ze wil niet dat hij bij haar in de auto komt, ze wil niet dat hij bij haar in de buurt komt. Terwijl hij voor de auto langs loopt, overweegt ze het knopje in te drukken, zodat hij er niet in kan.

Maar het is al te laat. Hij is er al, hij leunt naar binnen, zijn schouders vullen de ruimte en hij haalt de rotzooi van de passagiersstoel – schoenen, een boek, landkaarten, flessen water en een paraplu – en legt de spullen op de achterbank. 'Het is hier zo mooi,' zegt hij. 'Maar dat is niet de juiste uitdrukking, eigenlijk. Het is meer opwindend dan mooi. Gewelddadig, extreem.'

Stella ziet dat zijn haren bijna even zwart zijn als de hare, dat de ruggen van zijn handen onder de verfspetters zitten, dat een van zijn snijtanden is afgebroken, en dat de zomen van zijn hemd gerafeld zijn. Hij bukt zich om in te stappen, strekt dan zijn benen en zoekt met zijn hand naar de hendel onder de stoel om die naar achteren te duwen, terwijl hij vertelt dat hij bij een rivier kwam waar hij niet overheen kon.

'Autogordel,' zegt ze, want ze moet toch iets zeggen. Hij lijkt een vreemde stemming in haar op te wekken, zoals een stemvork alleen maar haar geluid voortbrengt als je haar op een tafelblad zet.

'Goed, goed,' mompelt hij. Achter zich grijpend voegt hij eraan toe: 'Niet boos worden, hoor.'

Stella duwt de handrem naar beneden en ze beginnen te rijden. De weg kronkelt langs een wei waar koeien met de kop naar beneden staan te grazen. Dan zien ze een grote beuk en een BED AND BREAKFAST-bordje. Er komt een tegenligger aan, waardoor Stella langzamer gaat rijden en voorzichtiger stuurt.

'Zo,' zegt hij.

Ze kijkt hem even aan, en richt haar blik dan weer op de weg. Hij zit haar aan te kijken.

'Wat?' vraagt ze.

'Vertel eens iets.'

'Wat?'

'Alles. Iets.'

'Hoe bedoel je?' Ze duwt haar bril steviger op haar neus.

'Nou... Hoe lang ben je hier al? Laten we daar maar eens beginnen.'

'Ben jij altijd zo nieuwsgierig?'

'Ja.' Hij schuift wat heen en weer op zijn stoel, verstelt de hoofdsteun, en opent en sluit het handschoenenkastje. 'Ik geloof van wel.'

Stella draait haar raampje omlaag met schokkerige bewegingen en wil haar half opgegeten appel naar buiten gooien, die helemaal bruin is geworden. 'Nou...'

'Wacht, wacht even.' Hij legt zijn hand op haar arm. 'Die eet ik wel op.'

'Echt?' Ze moet een bocht nemen en glijdt tegen hem aan.

'Ja. Geef maar.' Hij neemt de appel van haar over en zorgt ervoor dat die niet tussen hen in valt. Dan hoort ze dat hij er zijn tanden in zet. Het is nogal intiem wat hij doet, zijn mond naar een plek brengen waar de hare ook al was. 'Goed,' zegt hij met volle mond. 'Waar waren we?'

'Je was me aan het ondervragen,' zegt Stella. 'En...'

'En jij werkte niet echt mee.'

Ze lacht. 'Dat klopt.'

'Ga je me nog vertellen hoe lang je hier al bent?'

'Nee.'

'Waarom niet?'

'Daar heb ik geen zin in.'

'Waarom niet?'

'Ik weet niet. Gewoon geen zin in.'

'Je zou een goede spion zijn, wist je dat? Laat je ooit iets van jezelf zien?'

'Nee.'

'Aan niemand?'

'Niet echt, nee.'

'Nou nou,' mompelt hij, kijkend naar het voorbijglijdende landschap. 'Een mysterieuze vrouw.'

Ze rijden een helling op, en daarna beginnen ze aan een afdaling, in zijn vrij. Stella voelt zich ineens een idioot. Ze kan eigenlijk geen reden verzinnen waarom ze hem niet zou vertellen hoe lang ze hier al is. 'Ik ben hier sinds februari,' zegt ze gedwee.

Hij draait zich naar haar toe. 'En waar zat je daarvoor?'

'In Londen.'

'En daar werkte je in een hotel?'

'Nee, ik was... Ik ben radioproducer.'

'Echt waar?' Hij klinkt verrast en lijkt die mededeling even te moeten verwerken. 'Dus... Ik hoop niet dat je het vervelend vindt dat ik het vraag, en dat doe je waarschijnlijk wel, maar wat doe je hier dan?'

Stella kijkt hem even aan, met toegeknepen ogen. 'Hoe bedoel je?'

'Nou, je bent radioproducer en verdient nu je geld met het schoonmaken van toiletten.' Jake haalt zijn schouders op en neemt nog een hap van de appel. 'Hoe zit dat dan?'

'Hoe dat zit?'

'Ik bedoel: ben je niet een beetje overgekwalificeerd? En waarom hier? Dit is nou niet een omgeving waar je toevallig terechtkomt.'

'Ik heb geloof ik geen zin om daarover te praten,' zegt ze in haar achteruitkijkspiegel. 'En trouwens,' kaatst ze terug, 'ik zou hetzelfde tegen jou kunnen zeggen. Jij was filmregisseur, zei je tegen mevrouw Draper, en nu...'

'Regieassistent.'

'Hoe dan ook. Waarom schilder je dan nu kozijnen?'

Jake krabt zich op het hoofd. 'Ik heb geloof ik geen zin om daarover te praten,' zegt hij grinnikend.

'Prima hoor.' Stella zet de richtingaanwijzer aan en slaat linksaf. 'Dan staan we quitte.'

Ze rijden over een met bomen omzoomde weg, aan het eind waarvan een meer ligt, dat zich uitstrekt tussen henzelf en een steile, rotsige heuvel. The Lochans, noemt ze het. Het is een rustig plekje dat door het dichte bos vanaf de weg niet zichtbaar is. Als je niet wist dat het er was, zou je het nooit vinden. Het zuivere, glasheldere water is bijna zwart door de veenbodem. De oever is zacht en bezaaid met dennennaalden, die door het water allemaal een kant op wijzen, als spijkers die door een magneet worden aangetrokken.

De lucht boven hen is hoog en blauw. Ze wandelen over een labyrint van met uitwerpselen besmeurde loopplanken. Uit de heide vliegen kleine, bruingevleugelde vogeltjes piepend op. Hij stelt haar vragen – algemene vragen – en na enig aandringen vertelt ze dat ze opgroeide in Edinburgh, dat ze het leuk vindt om bij de radio te werken, dat ze het spannend vindt dat er daarbuiten een onzichtbare wereld is die luistert, dat ze nog nooit in Hongkong is geweest, dat ze ooit op een zee-egel stapte in de Zuid-Chinese Zee en uren huilend in het zand had gezeten om de naalden er één voor één uit te halen.

Hij vraagt haar wat een 'rommelschuur' is, en na die vraag blijft ze stokstijf voor hem staan, draait zich om en kijkt hem aan. Je weet niet wat voor rommel erin zit, zegt ze. Ze heeft een blauw T-shirt aan en terwijl ze hem een lesje geeft in Schotse geschiedenis, merkt hij op dat ze telkens op een bepaald punt in haar nek wrijft.

Op een merkwaardige manier wekt dat zijn sympathie op, dat wrijven over die schijnbaar pijnlijke plek in haar nek. Eigenlijk zou hij haar hand willen weghalen en zijn eigen hand leggen waar de hare lag. Hij stelt zich haar warme, strakgespannen huid voor. En terwijl hij haar iets over grootscheepse emigratie hoort zeggen, vraagt hij zich af welke geur zijn vingers zouden meenemen.

Toen het ziekenhuis eindelijk had toegestaan dat Nina de buitenwereld weer in ging, droeg hun vader haar vanuit de auto het huis binnen. Stella keek van achter het raam aan de voorkant toe, en zag dat haar vader het in dekens gewikkelde pakketje in zijn armen nam en over het pad tilde. Nina leek zoveel kleiner dan vroeger.

Stella was zo opgewonden dat Nina weer thuiskwam dat ze er niet over had nagedacht hoe het zou zijn als dat werkelijk gebeurde. Maar haar ouders liepen op hun tenen en zeiden dat zij dat ook moest doen. Haar moeder liep tussen de keuken en de woonkamer heen en weer met dienbladen, en Nina lag bewegingloos op de bank naar buiten te kijken.

Twee keer per dag tilde Francesca Nina op de vloer om de rekoefeningen te doen die de fysiotherapeut had opgedragen. Dat deed zo veel pijn dat ze elke keer moest huilen. En Francesca, die net zo'n hekel had aan de oefeningen als Nina, huilde ook, maar alleen als Nina het niet kon zien. Sinds Nina ziek was geworden, had hun moeder voortdurend gehuild: in bad, in de keuken, met haar rug naar de deur, in de tuin, in haar slaapkamer en op straat toen Stella en zij een aardige buurman troffen die vroeg hoe het ermee ging. Maar nooit als Nina erbij was. Stella had altijd zakdoekjes bij zich, die ze aan haar moeder gaf wanneer het nodig was.

Als Stella thuiskwam uit school, sloeg ze de bladzijden om van de boeken die Nina graag wilde zien, ging bij haar zitten als ze tv keken, vertelde haar wat ze die dag op school had gedaan, en op een keer pakte ze een paar schoenen die Nina aanhad voordat ze ziek werd. Stella zocht een eeuwigheid achter in hun kast voordat ze ze gevonden had.

'Hier,' fluisterde ze, want zonder het tegen elkaar te zeggen begrepen ze allebei dat dit iets was wat ze stiekem moesten doen, iets wat aan een volwassene niet was uit te leggen. 'Ik heb ze gevonden.'

Stella legde de schoenen op de deken die over Nina heen lag. Het waren blauwleren schoenen met gaatjes in bloemmotief, smalle, koperen sluitingen en een T-vormige strook dwars over de voet. Francesca kocht elk voorjaar nieuwe schoenen voor hen, dus deze had Nina vaak genoeg gedragen om de contouren van haar voeten erin te zien; bovendien zaten er slijtplekken op de neus, was de hiel enigszins afgesleten en zaten er krassen op het leer.

'Draai ze eens om,' zei Nina.

Stella deed een hand in elke schoen, voelde de spiegelbeeldige vorm van de voeten van haar zus en draaide de schoenen om. Ze keek naar Nina's gezicht, die met een ernstig gezicht vaststelde dat de zolen zo glad waren als kiezelstenen en versleten door het lopen, door het rennen, door het voortdurende heen en weer wandelen over het trottoir, over paadjes, over het gras – alsof ze zich ervan wilde overtuigen dat er ooit een tijd was geweest waarin ze dat had kunnen doen.

Stella keerde de schoenen weer om, en toen viel er een hoopje zand uit op de deken. Zij en Nina keken ernaar – een piepklein zandkasteel. Stella herinnerde zich dat oma Gilmore hen had meegenomen naar het strand van Portobello op de dag voor Nina ziek was geworden, en dat ze samen langs de zee hadden gerend met zeewier achter zich aan, alsof ze een staart hadden, en dat hun grootmoeder had geschreeuwd dat ze moesten uitkijken voor het tij 'want anders gaan jullie schoenen eraan'.

Nina keek een andere kant op en hield haar blik strak gericht op de stof van de bank.

'Zal ik ze weer meenemen?' vroeg Stella.

Nina knikte.

Het virus waardoor Stella's zus getroffen werd, was zo zeldzaam dat het in medische handboeken slechts terloops behandeld werd. Het vrat zich in haar hersenen in, en vernietigde haar schakelcellen, waardoor ze maandenlang verlamd was en zich niet meer kon bewegen.

Nina moest alles opnieuw leren: lopen, schrijven, trapklimmen, zwemmen, een bal vangen, haar bestek gebruiken, rechtop zitten, fietsen, haar evenwicht bewaren, springen, boompjeklimmen, dansen, staan, pianospelen, eten, een kopje naar haar mond brengen, rennen, knopen dichtmaken, zich aankleden, haar veters strikken, een pen, een vork of een mes vastpakken, boterhammen smeren, een blik opentrekken, een sleutel in een sleutelgat steken, tandenpoetsen, haren kammen. Elementaire dingen, maar de meeste mensen hoeven die maar een keer te leren.

Op school hoefden ze maar even naar haar te kijken – een trillend meisje dat onvast op haar benen stond met een spookachtig gezicht – om te beslissen dat ze haar niet terug wilden. Ze zeiden dat ze naar een school voor gehandicapten moest. Met andere woorden: ze wilden er een ander mee opzadelen. Francesca en Archie maakten er, geheel tegen hun gewoonte in, ruzie over met de onderwijsraad, het schoolbestuur, de koppige hoofdmeester en met het hun vertegenwoordigende parlementslid. Ze hielden vol dat hun dochter aan het begin van het nieuwe schooljaar voldoende hersteld zou zijn voor haar vroegere lagere school; daar zouden ze wel voor zorgen. Ze waren niet van plan haar naar een instituut te sturen en haar daar aan haar lot over te laten. Vanaf dat moment huilde Francesca niet meer. Zomaar ineens. En Stella was er vast van overtuigd dat niets haar moeder ooit nog aan het huilen zou brengen.

Toen de school uiteindelijk gedwongen werd Nina aan te nemen, zetten ze haar één jaar terug, in een klas met kinderen die bijna twee jaar jonger waren dan zij. Stella's klas.

Iedereen draagt een nieuwe trui en heeft een nieuwe pennendoos of een nieuwe pen. Dit jaar beginnen ze met het schrijven met inkt. Stella ziet de scherpe vouwen in de pas aangeschafte hemden van de jongens, en in de gepoetste, krasloze neuzen van haar schoenen ziet ze de hoge ramen van het klaslokaal weerspiegeld. Sommigen zien er anders uit na de lange vakantie: Lydia is bruin en haar haren zijn geel (ze is naar Florida geweest, Stella herinnert zich dat ze dat vorig jaar aan iedereen vertelde) en Anthony Cusk is ineens een stuk langer geworden.

Stella kijkt naar haar vriendin Rebecca. Rebecca is het meisje naast wie Stella sinds de eerste klas heeft gezeten – haar beste vriendin. Stella heeft haar de hele zomer niet gezien. Rebecca zit nu naast Felicity, en die twee buigen zich over iets heen. Stella komt half omhoog en rekt zich uit om te kijken. Een boek? Een stripalbum? Ze kan het niet zien.

Ze voelt dat Nina naast haar zit. Nina heeft haar handen in haar schoot gelegd. Stella weet dat ze dat doet om te voorkomen dat ze gaan trillen. Nina draagt de groene, katoenen jurk die Stella het jaar daarvoor droeg en kijkt naar het tafelblad van haar bank, dat onder de inktvlekken en met passers getrokken cirkels zit. Haar haren zijn weer gegroeid, maar niet overal even snel, waardoor hun moeder op haar lip bijt als ze het probeert te kammen.

Mevrouw Saunders staat voor de klas en klapt in haar handen. 'Luister!' roept ze. 'Allemaal!' Ze lacht, maar met een blik die is gericht op de muur achter hen. 'Deze ochtend gaan we schrijven over wat we hebben meegemaakt tijdens de zomervakantie. Maar eerst wil ik Nina Gilmore begroeten.'

Nina veert op als ze haar naam hoort, stelt Stella vast. Haar rechterbeen begint onvrijwillig te trillen en Stella ziet dat ze het met haar hand probeert te onderdrukken.

'Nina is erg ziek geweest en heeft in het ziekenhuis gelegen, ze was ziek in haar hersenen,' vertelt mevrouw Saunders. 'Ze is een heel jaar lang niet naar school geweest. Dus we zijn allemaal erg blij dat ze weer terug is en we zullen haar zo goed mogelijk helpen, toch?'

Iedereen draait zich naar hen toe. Onder de tafel legt Stella haar hand op die van Nina en ze voelt haar spieren ongecontroleerd trillen. Ze drukt zo hard ze kan. Het been stopt met trillen. Nina probeert niet te huilen, ziet Stella. Ze zit met haar hoofd naar beneden en houdt haar lippen stijf op elkaar. Ze grijpt Nina's vingers beet. Niet huilen, denkt ze en ze stuurt die boodschap via haar arm naar Nina, alsjeblieft niet huilen.

'Luister,' zegt mevrouw Saunders en draait zich om naar het schoolbord, 'pak allemaal je schrift en schrijf op een nieuwe bladzijde, in mooie letters…'

Stella wordt afgeleid door Anthony Cusk, die zich omdraait en haar aankijkt. Of kijkt hij naar Nina? Ze weet het niet zeker. Dan richt ze haar blik weer op mevrouw Saunders en probeert erachter te komen welke instructies ze geeft. Maar Anthony maakt bewegingen met zijn mond, hij wil iets zeggen, en zijn vergeelde tanden worden zichtbaar. Wat zegt hij? Stella probeert niet te kijken, maar ze kan het niet helpen. Hij zegt iets zonder geluid te maken en wijst op Nina, en dan op zijn slaap. Stella herkent het woord 'hersenen'.

Ze kijkt niet meer, ze kijkt recht voor zich. Heeft Nina het gezien? Ze weet het niet zeker. Haar zus neemt haar pen in de hand en begint de letters op te schrijven in haar ongelijkmatige, slordige handschrift. Stella pakt haar eigen pen, maar ze kan het niet laten om nog een keer naar Anthony te kijken. Waarom zegt hij dat? Hij trekt nu rare gezichten, krult zijn onderlip en steekt zijn tong uit. Mevrouw Saunders zegt iets over alinea's en mooie, duidelijke zinnen. Stella wordt nerveus, want ze heeft de uitleg compleet gemist en weet niet precies wat ze nu moet doen. Ze heeft mevrouw Saunders zo lang niet als juffrouw gehad dat ze niet meer weet of die boos wordt als ze vraagt het nog eens uit te leggen. En waarom doet Anthony Cusk zo vervelend tegen haar zus?

Er vliegt iets door de lucht en het volgende moment wordt Stella op haar wang geraakt, waardoor ze opveert en nog juist een kreet weet te onderdrukken. Het voorwerp valt op de grond. Het is een prop papier, afkomstig uit een schrift. Doordat Stella is opgesprongen, springt Nina ook op. De hand waarmee ze schrijft, begint te trillen en haar pen tikt tegen het tafelblad: een irritant, aanhoudend geluid dat de rust in het lokaal verstoort.

Nina laat haar pen vallen en grijpt met haar andere hand haar arm. De kinderen draaien zich om. Stella ziet dat Felicity naar hen kijkt en zich vervolgens omdraait om iets in het oor van Rebecca te fluisteren. Even later zit iedereen te giechelen.

'Stilte!' roept mevrouw Saunders. 'Iedereen stil!' Ze kijkt de klas rond. Dan zegt ze op een andere, geduldiger toon: 'Nina, heb je misschien iets nodig?'

Tijdens de pauze loopt Nina met gebogen hoofd naast haar. Ze ziet niet dat de kinderen uit haar oude klas op het schoolplein naar haar kijken, ze ziet niet dat de kinderen naar haar wijzen en anderen aanstoten, ze ziet niet dat kinderen besmuikt lachen, ze ziet niet dat Miranda snel wegduikt. Maar Stella ziet het wel, alles. Nina loopt alsof haar enkels zijn samengebonden – onvast, slingerend, aarzelend.

Achter de schutting spelen kinderen 'Annemarie Koekoek', en Rebecca staat met haar gezicht naar de groenige, stenen muur gewend terwijl de anderen op verschillende afstanden van haar stilstaan – doodstil. Stella blijft aan de kant staan en bukt zich om haar kniekousen op te trekken.

Felicity heeft juist haar tweede stap genomen maar blijft staan, met gespreide benen. 'Wil je meedoen?' vraagt ze aan Stella.

Stella kijkt naar haar zus en dan weer naar haar klasgenoten die, stelt ze vast, haar anders, waakzamer aankijken dan vroeger. 'Ja,' zegt ze en ze schraapt haar keel. 'Ja, graag.'

Felicity verlaat haar plek en loopt over het asfalt op hen af, haar handen in haar zij. Stella ziet de armband om haar pols waar de zon in weerspiegeld wordt, ze ziet haar halfgesloten ogen terwijl ze Stella aankijkt, ze ziet haar glanzende, springerige haar. Voor hen blijft ze stilstaan en ze kijkt hen peinzend aan. Dan opent ze haar dunne mond juist ver genoeg: 'Goed, jij mag meedoen, maar

jij niet.' Ze wijst op Nina, waarbij ze haar arm zo ver mogelijk uitstrekt.

Stella voelt woede in zich opkomen. 'Als zij niet mee mag doen,
dan doe ik ook niet mee.'

'Goed.' Felicity draait zich om. 'Alsof ons dat iets kan schelen.'

Stella draait zich om naar Rebecca. Maar Felicity haakt haar
arm in die van Rebecca en samen kijken ze Stella aan. Hoewel
Rebecca niet opkijkt maar met vuurrode wangen naar de grond
staart, is het meer dan genoeg.

Stella pakt Nina's hand. 'We wilden toch niet meedoen,' mompelt ze. 'Kom maar, Nina.' Ze draait zich om en trekt haar zus
mee.

Als Jake bij het hotel aankomt, is het diner al achter de rug en zitten de gasten aan de koffie, althans, dat leidt hij af uit het werk van
het meisje dat staat af te wassen.

De kok, die alleen maar enkele woorden uitspreekt, zet een
bord risotto voor hem neer en het meisje zoekt een vork voor hem.
Een paar minuten lang is het stil; ze zitten alledrie te eten. De afkoelende oven maakt een tikkend geluid, de vaatwasmachine
draait en dreunt, en Jake eet zo snel hij kan. Al die frisse lucht
maakt hem hongerig. Hij is lichtelijk teleurgesteld dat hij Stella
nergens ziet. Hij overweegt een gesprek te beginnen, maar besluit
dat toch maar niet te doen. De kok jaagt hem angst aan.

'God,' roept het meisje uit en ze kijkt op haar horloge. 'Zit ze
nou nog steeds te bellen?'

De kok haalt zijn schouders op en mompelt iets onverstaanbaars. Hij maakt nog een bord eten klaar, maar ditmaal met meer
zorg, merkt Jake op.

'Dat zal dan wel,' beantwoordt het meisje haar eigen vraag.

'Wie?' vraagt Jake.

'Breng dit even weg, wil je?' Ze geeft Jake het bord en wijst op de
deur die naar de receptieruimte leidt. 'Ze zal wel sterven van de
honger. En zorg ervoor dat mevrouw D. je niet ziet.'

Jake duwt de deur open en ziet tot zijn verrassing dat Stella achter het bureau zit. 'Mmm... mmm,' mompelt ze in de hoorn van
de telefoon. Haar gezicht klaart op als ze hem ziet – of misschien

komt dat wel door het eten. Met handbewegingen geeft ze aan dat hij het bord uit het zicht moet zetten, achter een vaas. Jake geeft haar de vork. Hij vraagt zich af of hij terug moet gaan naar de keuken, maar er is iets waardoor hij besluit te blijven.

'Misschien kunt u...' begint ze, maar de stem aan de andere kant van de lijn klinkt luid en ongeduldig. 'Ik begrijp het,' zegt Stella en ze rolt met haar ogen terwijl ze Jake aankijkt. 'Ik begrijp het. Nou, misschien is het een goed idee om...'

Opnieuw wordt ze onderbroken. Ze neemt een hap risotto en begint te kauwen. Ze maakt met haar hand het gebaar van iemand die maar doorratelt, maar dan moet ze de hap snel doorslikken. 'Zoals ik al zei zijn er geen kamers met twee bedden beschikbaar dat weekeinde. Ik begrijp uw probleem volkomen. Maar misschien...'

De man heeft zijn probleem nog lang niet uitgelegd. Jake wipt van de ene voet op de andere en laat zijn blik over het bureau glijden. Hij ziet een stapel brochures, prijslijsten, een vaas met abnormaal grote margrieten, en hij ziet dat Stella met haar vingers op een grote agenda trommelt.

'Nou, zolang uw vrouw er geen bezwaar tegen heeft om op een kampeerbed te slapen, kunnen we...' Ze schudt haar hoofd terwijl de stem aan de andere kant van de lijn doorratelt. 'Als een tweepersoonsbed echt onmogelijk is, kunt u misschien overwegen te...'

'Scheiden?' schrijft Jake op een stukje papier en laat het haar zien. Stella draait zich snel om en houdt haar hand voor haar mond.

'Goed. Prima.' Er lijkt nu een einde aan het gesprek te komen. 'Geen probleem, hoor, Stella,' zegt ze. 'Tot ziens, ja, tot ziens.'

Ze gooit de hoorn op de haak en verbergt haar gezicht in haar handen. 'Mijn god,' kreunt ze. 'Ik wil niet dat die vent hier komt! Hij is vreselijk! Stel je voor dat je met zo iemand getrouwd bent! Denk je dat zijn vrouw op de achtergrond stond en gehoord heeft dat hij tegen een volmaakt vreemde vertelde dat hij onder geen beding in hetzelfde bed wil slapen als zij, zelfs niet voor een nacht?'

'Misschien was ze intussen bezig een ontsnappingspoging te organiseren,' zegt Jake. 'Bijvoorbeeld door de beddenlakens aan elkaar te binden. En arsenicum in zijn eten te doen.'

'Laten we het hopen.' Stella begint razendsnel haar risotto op te eten. 'Ik ben uitgehongerd. Ik dacht dat ik zou flauwvallen. Stel je voor dat ik dood was gegaan. Het laatste wat ik gehoord zou hebben, was zijn stem.'

'Terwijl hij vroeg om een kampeerbed voor zijn vrouw.'

Stella grinnikt. 'Trouwen,' zegt ze en ze haalt haar schouders op.

Jake kijkt naar beneden en haalt een hand door zijn haar. Ze heeft haar schoenen uitgedaan, ziet hij. Nu ziet hij haar blote voeten. Ze heeft haar teennagels helderrood gelakt. Hij stelt zich voor dat ze daarmee bezig is: ze zit voorovergebogen in haar caravan, neemt een kwastje vol vloeibare nagellak en smeert het voorzichtig op haar teennagels.

Ze kijkt hem met een verbaasd gezicht aan – een tikje wantrouwig, zelfs. Heeft ze gezien dat hij naar haar voeten keek? Misschien wel.

'Ik kan heel veel over je vertellen door naar je voeten te kijken,' zegt hij snel. Ze moet vooral niet denken dat hij een perverse voetfetisjist is.

'O ja?'

'Zie je dit?' Jake buigt door zijn knieën en wijst op haar tweede teen. 'De vriend van mijn moeder, die reflexoloog is, heeft me verteld dat...'

'Wacht eens even,' onderbreekt ze hem. 'Heeft jouw moeder een vriend die reflexoloog is?'

'Die had ze.' Jake lacht. 'En ze had er nog meer.'

'O.' Hij ziet dat ze haar oordeel over hem aanpast, of dat over zijn moeder, misschien.

'In ieder geval,' vervolgt hij, terwijl hij nog steeds geknield voor haar zit, 'kan ik zien dat jij Romeinse voorouders hebt.'

Ze lacht en hij voelt dat zijn eigen gezicht daardoor ontspant. Hij probeert te vergeten dat hij haar zo zou kunnen aanraken. Als hij zou willen, of zou durven, zou hij omhoog kunnen komen en haar kunnen kussen – in één snelle beweging.

Waar was hij gebleven? Jake probeert zich te concentreren. 'Op een bepaald moment,' begint hij met onzekere stem, 'heeft een van jouw voorouders zich onder de vijand gemengd en...'

Hij wacht weer even, want ze lacht nog steeds, maar nu hysterischer dan strikt noodzakelijk. 'Wat is er zo grappig?'

'Heb ik Romeinse voorouders? Nou, fijn dat je het me laat weten.'

'Je wist het al?' zegt hij, enigszins terneergeslagen.

'Eh, ja.' Ze slikt haar laatste hap door en legt haar vork neer. 'De naam van mijn moeder is Ianelli.'

'Aha.'

'Haar ouders zijn hier in de jaren dertig naartoe gekomen. Ze is voor de volle 100 procent lid van de Emigrantenfamilie. En ik dus ook.'

'De Emigrantenfamilie?' herhaalt Jake terwijl hij op zijn hurken gaat zitten.

'Dat is een uitdrukking van mijn moeder. Schots-Italiaans, begrijp je. Engels-Iers. Brits-Chinees, of Brits-Aziatisch, of... Nou ja, wat je maar wilt.'

'De Emigrantenfamilie.' Jake zegt het nog eens. 'Dat vind ik leuk.'

Het is even stil. Ze kijken elkaar aan.

'Nou, vertel me nog eens iets over mijn Romeinse voeten,' zegt ze ineens.

'Goed. Tang heeft me verteld...'

'Tang?'

'De ex-vriend. Een van de ex-vrienden.' Terwijl hij dit zegt, vraagt Jake zich af hoe ze zou reageren als hij haar zou aanraken. Zou hij dat durven?

'Hij vertelde me...' begint hij, en dan doet hij het. Hij strekt zijn rechterhand uit en legt die rond Stella's enkel, waar hij haar kloppende aderen ziet onder een bijna doorzichtige huid. Hij ziet haar blik vertwijfelen, bijna paniekerig worden, en hij weet zeker dat ze haar been zal terugtrekken. Maar dat doet ze niet. Ze staat toe dat hij haar voet optilt en op zijn knie legt. Hij voelt dat haar botten een plekje zoeken in een kuiltje boven zijn knieschijf. Haar huid is verrassend warm in zijn hand.

'Tang vertelde me,' zegt hij nog eens en hij is zich ervan bewust dat zijn stem iets anders klinkt nu, zachter, 'dat het typisch Romeins is als je tweede en je derde teen even groot zijn als je grote teen.' Jake raakt elke teen aan en voelt het harde scharlaken vernislaagje. 'En die gemene centurions hebben hun zaad over de hele wereld verspreid. Waardoor heel veel mensen afwijkende voeten hebben.'

'Afwijkend?' reageert ze direct.

'Ja. Ik ben bang van wel. Als je tweede teen extra lang is, schuif je iets naar binnen, naar de bal onder je voet, waardoor je op lange termijn pezen en zenuwen beschadigt.'

Stella is even stil. Het enige waar Jake aan kan denken is dat hij haar enkel tussen zijn handpalmen houdt.

'Dat is interessant,' zegt ze met haar hoofd op haar schouder. 'Maar het is klinkklare onzin.'

Jake doet alsof hij verontwaardigd is. 'Hoe kun je dat nu zeggen?'

'Jij wilt me wijsmaken dat er een mensenras is geweest dat een gigantisch rijk heeft veroverd, daardoorheen is gemarcheerd, maar last had van aangeboren voetafwijkingen?' Ze trekt haar voet terug, staat op en pakt haar bord. 'Dat lijkt me onzin,' zegt ze nog eens. 'En trouwens,' voegt ze eraan toe terwijl ze langs hem heen loopt naar de keuken, 'er is niets mis met mijn voeten.'

Stella en Nina staan in de grote hal. Elke ochtend komt de hele school hier samen. Dan gaan de kinderen in rijen op de grond zitten om liederen te zingen en toe te kijken hoe gestrafte leerlingen naar voren worden gehaald. Maar nu is de zaal leeg – alleen hun klas staat in een rij achter elkaar, gekleed in korte broekjes en met gymschoenen aan. En mevrouw Saunders, die zelf ook spierwitte gymschoenen draagt onder haar met bloemen versierde lange jurk, legt een aantal rubbermatten tegen elkaar die leiden naar het paard.

Stella is dol op het paard. Het is een stevig, harig ding, bedekt met inmiddels versleten stukken leer. Als je eroverheen springt, voel je het oppervlak alleen met je handen, je spreidt je benen uiteen en heel eventjes, vlak voor je weer neerkomt, voel je hoe het moet zijn als je zou kunnen vliegen. Stella zou haar handen wel om het toestel willen slaan en het knuffelen.

Achter haar hoort ze een gesmoord gegiechel. Stella spitst haar oren maar kijkt niet om. Ze hoort dat iemand – Felicity? Emma? – iets fluistert over vlinders. Stella's moeder heeft een lapje in de vorm van een vlinder op Stella's korte broek genaaid nadat Stella op een hek was geklommen waar ze niet op had moeten klimmen. Haar moeder had de vlinder meegenomen na een dagje winkelen met Evie, en Stella vond hem meteen mooi – met zijn paarse en oranje vleugels en zijn donkerblauwe voelsprieten. En nu staan ze haar met zijn allen uit te lachen.

Het interesseert Stella niet. Ze tilt haar kin op om aan te geven dat het haar niets kan schelen. Ze hoort geschuifel en gegiechel achter zich en daarna voelt ze een koude, zweterige hand die haar arm vastgrijpt. Ze draait zich om en ziet dat Anthony Cusk zijn vlakke hand op haar arm heeft gelegd.

Anthony keert zich om naar de kinderen die achter hem staan en zwaait met zijn hand. 'Bacillen van Gilmore!' schreeuwt hij. Ze bukken zich en krimpen ineen, en proberen buiten zijn bereik te blijven. Ze spelen hun lievelingsspelletje, een spelletje waar Anthony altijd mee begint: een soort krijgertje, waarbij je een infectie kunt oplopen als je Stella of Nina hebt aangeraakt.

Stella heeft een grotere hekel aan Anthony Cusk dan aan wie of wat ook in de hele wereld. Haar grootmoeder zegt dat hekel wel een heel zwaar woord is, en dat het niet goed is om een hekel te hebben aan iemand, maar Stella heeft toch een hekel aan Anthony. Ze stelt zich haar hekel voor als een grote zwarte bal van teer die in haar borst zit. Laatst ging ze in de pauze naar de wc, en toen ze weer naar buiten liep, zag ze dat er zich een groep kinderen had verzameld rond Nina, die spartelend op de grond lag. Elke keer als ze probeerde op te staan, duwde Anthony Cusk haar terug – met één vinger. Het was niet moeilijk om Nina uit haar evenwicht te brengen. Stella dacht wel eens dat zelfs de wind haar omver zou kunnen blazen. Stella had zich door de kring geworsteld en Anthony Cusk een stomp in zijn gezicht gegeven, waarna haar knokkels pijn deden. Anthony's neus bloedde en de druppels vielen als bloemblaadjes op de grond. Stella kreeg straf en moest de hele middag voor het kantoor van de hoofdmeester blijven zitten.

'Nina, liefje,' zegt mevrouw Saunders, die achter het paard

staat, 'ik denk dat je hier maar niet aan moet meedoen.'

Stella ziet hoe haar zus naar de zijkant van de zaal schuifelt, wat ze ternauwernood voor elkaar krijgt. Nu staat Stella alleen in de rij, met links en rechts van haar lachende vijanden.

'Ik ga mooi niet naast haar staan,' zegt iemand. Stella weet niet wie, want ze keek naar de rubberen matten, die piepen als je je schoenzool ertegenaan wrijft. Kinderen lopen uit de rij naar achteren, zodat ze niet bij haar in de buurt hoeven staan, en ineens staat ze vooraan in de rij.

'Kom op, Stella,' zegt mevrouw Saunders, 'jij eerst. Hou eens op met klieren, kinderen,' zegt ze tegen de groep achter haar, waarin geduwd en gelachen wordt.

Stella ziet de matten, die tegen elkaar zijn gelegd tot aan het paard, dat enorme gevaarte. Ze ziet dat mevrouw Saunders haar armen heeft uitgestrekt en klaarstaat om haar te helpen. Als ze begint te rennen, voelt ze dat de achterkant van de zaal, waar haar kwelgeesten staan, langzaam verdwijnt. Ze rent en rent, ze hoort het stroeve ruisen van haar kleren.

Wanneer de oranjebruine flanken van het paard dichterbij komen, draait haar maag zich om. Maar ze zet door. Ze kan nu niet meer terug, het zal haar lukken, zeker met al die kinderen achter haar. Ze drukt zich omhoog en springt naar voren, maar zodra ze haar handen op het versleten leer zet, weet ze dat er iets mis is gegaan. De vloer komt te snel weer dichterbij, en ze voelt dat ze valt, ze voelt dat de zaal om haar heen draait, en als ze met haar hoofd en haar schouder op de stinkende rubbermatten terechtkomt, vraagt ze zich af of Nina zich altijd zo voelt.

Mevrouw Saunders scheldt haar uit en zegt dat ze dit al zo vaak heeft gedaan, dat ze moet opstaan en het nog eens proberen, maar haar hoofd bonkt van de pijn. In de verte hoort ze gelach en mevrouw Saunders schreeuwt dat ze stil moeten zijn. Stella denkt niet dat ze het nog eens kan doen, ze wil het trouwens ook niet. Ze wil het liefst ergens zijn waar het donker en stil is, ver weg van hier, want ze voelt zich moe, ze voelt zich onbeschrijfelijk moe. Ze balt haar vuisten om niet te gaan huilen, en waarschijnlijk ziet mevrouw Saunders dat, want even later pakt ze haar bij de arm en zegt ze dat ze naast Nina moet gaan zitten. En terwijl Stella over de krakende vloer loopt, voelt ze aan de vlinder die Evie en Francesca voor haar hebben uitgezocht – eventjes maar.

Dagenlang ziet Jake Stella niet. Ze is weg, ze heeft een dag vrij of ze zit in een ander deel van het hotel, ze maakt kamers schoon of legt iets uit aan lastige gasten. Heel af en toe hoort Jake haar lopen, of hij vangt een paar woorden op die ze tegen iemand zegt, of hij vindt een stukje papier met haar handschrift erop – een boodschappenlijstje, een bestelling – maar meer ook niet. Wanneer hij naar haar op zoek gaat, treft hij lege gangen aan of verlaten kamers waarvan de deuren juist zijn dichtgeslagen, of hij ziet gordijnen die nog bewegen omdat ze net zijn opengetrokken. Het is alsof hij telkens net te laat is.

Hij merkt dat hij er ongeduldig van wordt. Hij betrapt zich erop dat hij denkt aan de rode sjaal waarmee ze haar haren samenbindt, aan de manier waarop ze met haar tanden op haar onderlip bijt als ze zich concentreert, aan het geluid van haar schoenen als ze loopt. Een meisje uit Aviemore heeft een paar avonden achter elkaar dienst. Met onbesuisde polsbewegingen schept ze Jakes avondeten op een bord.

Bijna elke dag gaat hij naar de rommelschuur. Hij loopt door de ruimtes, raakt de verroeste deur- en raamklinken aan, veegt met zijn hand over de stenen schoorsteenmantel, kijkt door het kapotte dak naar de lucht en gaat voor de ramen staan. Als hij goed kijkt, zegt hij tegen zichzelf, zal hij zich het uitzicht uit elk van de ramen later voor de geest kunnen halen. Hij wil één worden met deze plek, met dit vervallen huis, zodat hij het zich kan herinneren als hij hier niet meer zal zijn.

Jake is zich ervan bewust dat het niet voldoende is om naar deze plek te komen en er te zijn. Sinds zijn komst merkt hij dat hij een vacuüm voelt, een gemis en dat hij dat altijd met zich heeft meegedragen, en dat dat altijd zo zal blijven. Maar als hij het voelt opkomen en merkt dat het zich verspreidt als een gas, moet hij tegen zichzelf zeggen wat hij heeft gewonnen door naar Kildoune te gaan. Jake kan het niet verdragen dat hij zich tussen mensen bevindt die met Tom hebben gepraat, met hem hebben geleefd, contact met hem hadden, hem kenden. Jake is nog slechts één niveau, één traptrede van zijn vader verwijderd. Wanneer hij dat verlaten gevoel krijgt, dat hem dreigt te overmannen, moet hij zichzelf daaraan herinneren.

Het weer slaat om en het begint te regenen. Het is een zachte motregen, geen stortbui, zoals in Hongkong. De regen is bijna onzichtbaar en lijkt schuin omlaag te vallen. Jake moet het schilderen van de kozijnen onderbreken. Hij spit nu de groentetuin om en steekt de punten van de gaffel in de zware grond. Hij trekt het welig tierende onkruid er met wortel en tak uit en maakt kuiltjes voor de stokken waar de erwten zich later omheen kunnen kronkelen.

Hij wordt er smerig van. Zijn handen zijn vies en zijn laarzen zijn zwaar van de modder. Maar hij vindt het prettig werk, hij vindt het aangenaam om te zweten, en hij merkt dat een landschap waarvan je dacht dat het leeg was, welbeschouwd vol leven zit: vol konijnen, vossen, merels, schapen en fazanten. Overal op de grond en in het bos is leven. Soms zet Jake zijn gaffel even neer en kijkt om zich heen. Dan denkt hij dat hij iets of iemand hoort, maar hij ziet niets, hij hoort hoogstens de bladeren ritselen in de wind.

Stella beweegt de zuigmond van de stofzuiger met brede bogen om zich heen. Ze neuriet tijdens het werk; de haartjes van het tapijt in de hal, met zijn opvallende patronen, gaan recht overeind staan. Er komen twee gasten langs; de vrouw knikt haar toe. Ze had champignons en geroosterd brood voor haar ontbijt, denkt Stella, gisteravond dronk ze twee glazen kir, ze draagt nylon onderbroeken en naast haar bed ligt een boek over de ovulatie. Ineens stopt de stofzuiger er onaangekondigd mee, en de motor houdt op met brommen. Stella draait zich om en kijkt naar het gedrongen, ronde apparaat op het tapijt. Ze geeft er een schop tegen – dat doet ze altijd met eigenzinnige apparaten – maar er gebeurt niets. Ze bukt zich en schudt het ding heen en weer. Nog altijd niets.

Zuchtend en vloekend loopt Stella langs het elektrische snoer naar het stopcontact. Misschien heeft ze de stekker eruitgetrokken. Ze wil net de hal in lopen als het apparaat achter haar weer begint te loeien.

Stella draait zich om en loopt terug. Ze heeft de slang opgepakt en wil juist weer beginnen als het apparaat er opnieuw mee ophoudt. Woedend gooit ze de slang op de grond. 'Wat is er met jou aan de hand?' vraagt ze en ze loopt opnieuw naar het stopcontact in de hal. 'Stom rotding.'

En opnieuw begint de stofzuiger te loeien zodra ze bij de deur is. Ditmaal blijft Stella staan en houdt haar hoofd schuin. Ergens hoort ze een onderdrukt gelach. Ze duwt de deur open en loopt de hal binnen.

Jake staat bij het stopcontact en zegt: 'Praat jij altijd met huishoudelijke apparaten?'

Verbaasd kijkt ze hem aan, de handen in haar zij.

'Dus dat deed jij?' vraagt ze. Ze heeft hem dagen niet gezien. Ze heeft hem enigszins vermeden, moet ze toegeven.

'Je had die uitdrukking op je gezicht eens moeten zien.' Hij barst in lachen uit.

Woedend pakt Stella een kussen van de bank. 'Jij klootzak,' roept ze en ze begint nu zelf ook te lachen. 'Jij vreselijke kerel.'

Ze loopt dreigend op hem af. Ze denkt eraan hoe heerlijk het zou zijn om met dat zware, met veren gevulde kussen tegen zijn schouders en hoofd te slaan. Maar als ze voor hem staat, grijpt hij het ding moeiteloos uit haar handen. Daar staat ze dan, ongewapend. Zijn hemd is half opengeknoopt, ziet ze ineens, en hij ruikt naar de buitenlucht, naar de regen die eerder viel, naar natte bladeren, naar de klei waarin hij heeft gespit, en op de een of andere manier heeft ze de indruk dat hij dwars door haar heen kan kijken.

Stella draait zich snel om en loopt de hal uit.

Pearl zit in de keuken kruisbessen schoon te maken als Stella ineens komt binnenlopen.

'Alles goed?' vraagt Pearl.

Stella mompelt iets maar rent naar de deur aan de andere kant. Pearl hoort het krakende grind onder haar voeten.

Even later komt de jongen binnen, Jake. 'Hebt u Stella gezien?'

'Wanneer?'

'Zonet.' Jake loopt naar het raam en kijkt naar buiten. 'Is ze hier niet langsgekomen? Welke kant is ze op gelopen?'

Pearl bekijkt hem eens wat beter. Hij ziet er vreemd uit, alsof hij in paniek is, en hij heeft een kussen in zijn hand. Ze wijst in de tegenovergestelde richting als die waarin Stella verdween.

'Dank u,' zegt Jake.

Pearl veegt de minuscule haartjes van haar vingers en werpt de vrucht in een schaal. 'Wat zou er nu gebeuren?' zegt ze, terwijl ze het deeg pakt.

Maar als ze meel op de deegrol strooit, schudt ze haar hoofd. Ze weet precies wat er nu gaat gebeuren.

Jake maait het gras volgens de instructies die hij van mevrouw Draper heeft gekregen – in gelijke, rechte banen – als hij de postbode in zijn auto het grind op hoort komen rijden. De postbode stapt niet uit, maar gooit het bundeltje, dat door een elastiekje bijeen wordt gehouden, door de openstaande voordeur van het hotel. 'Post!' roept hij naar Jake, hij keert zijn auto op het grind en rijdt de oprijlaan weer af.

Jake zet de grasmaaier uit, waarna het een moment lang doodstil is. Hij loopt naar het pakketje, bukt om het op te pakken en haalt het elastiek eraf om de poststukken te bekijken. Een paar horecatijdschriften, brieven van postorderbedrijven, een paar reserveringen, een paar brieven voor mevrouw Draper, een paar brieven voor Stella, en een prentbriefkaart. Voor Stella. Het is niet Jakes bedoeling de kaart te lezen, maar er staat met grote, rode letters: BEL ME OF VAL DOOD. Jake fronst zijn wenkbrauwen. Geen naam. Geen afzender.

Jake laat de overige post op het bureau liggen en sprint met twee treden tegelijk de trap op. Het is stil op de overloop. Het zonlicht valt in banen op het tapijt. Hij spitst zijn oren en kijkt eerst de ene kant op, dan de andere. 'Stella?' roept hij.

Niets.

Hij loopt naar het noordelijke torentje. De deuren van alle kamers zijn dicht, en het is er stil. Het tapijt in de gang veert onder zijn voeten. De hertenkoppen aan de muren kijken hem streng aan; een opgezette, kale korhoender staat met gespreide vleugels op een tak. Bel me of val dood. Wie stuurt er nu zo'n kaart?

Als de gang zich splitst – de ene kant leidt naar de linnenkamer en een paar kamers, de andere via een steile trap naar de noordelijke toren – blijft Jake stilstaan. 'Stella?' roept hij nog eens.

Alweer niets. Hij luistert aandachtig – misschien hoort hij voetstappen, het gejank van de stofzuiger of het geluid van beddenlakens die worden uitgeklopt. Niets. Hij wil zich juist omdraaien en teruglopen als hij toch een geluid hoort – het gekraak van een vloer of van de lambrisering, meer is het niet. Hij draait zich weer om.

'Stella?' roept hij. 'Ben je daar?' Hij beklimt de treden die leiden naar de dikke, eikenhouten deur en duwt die met zijn schouder open.

De kamer is vervuld van een hel, wit licht, waardoor het tapijt en de meubelen kleurloos lijken en geen diepte meer hebben. Instinctief brengt Jake een hand naar zijn voorhoofd om zijn ogen tegen het licht te beschermen. Hij is nooit eerder in deze kamer geweest. Alle ramen staan open en de gordijnen waaien naar binnen. De lakens, spreien en kussens zijn van het bed gehaald en op de grond gegooid. Een boeket dode bloemen staat omgekeerd in de vuilnisemmer. Onder een glazen stolp sluipt een vos met een felle blik in de ogen. Stella staat in het halfronde deel met haar rug naar hem toe, en kijkt uit over het dal.

'Stella,' zegt hij nog eens.

Ze draait zich om en knippert met haar ogen, alsof ze verbaasd is hem hier te zien. 'Hallo Jake,' zegt ze. Met haar ene hand leunt ze tegen de stenen muur, met haar andere wrijft ze in haar nek.

Even kijken ze elkaar aan in het helle licht. Jake kan zich niet meer herinneren waarom hij hier kwam. Hij is er totaal van vervuld dat zij er is, dat ze zes passen van hem vandaan staat. Om bij haar te komen hoeft hij alleen maar over de stapel lakens en kussens te stappen, dan staat hij naast haar.

Er is een wolk voor de zon geschoven, want ineens is het niet meer zo licht in de kamer, waardoor de diepte terugkeert. De voorwerpen om hen heen worden zichtbaar, als foto's in de ontwikkelaar. Jake schraapt zijn keel. 'Ik kom je je post brengen.' Hij staat tegenover de lakens en handdoeken, maar zodra hij dichterbij komt, steekt ze haar hand uit. Hij geeft haar de brieven. Nu hij ze niet meer in zijn hand heeft, voelen zijn vingers stijf aan.

'Dank je,' zegt ze en ze bekijkt de post. Jake let op haar gezicht als de briefkaart aan de beurt is. BEL ME OF VAL DOOD. Ze kijkt naar de met inkt geschreven rode letters op het crèmewitte papier, dan naar het adres, in ronde, onzekere letters, en dan weer naar de rode hoofdletters. Ze schuift de kaart onder de andere post en bekijkt de brieven. Bij de tweede moet ze grinniken. 'O jee,' zegt ze.

'Wat?'

Ze zucht als ze de envelop opent. 'Dat is weer die...' Ze breekt haar zin af en leest de dichtbeschreven blaadjes vluchtig door. Ze lacht even, loopt dan naar het bed en gaat zitten. 'Tjongejonge,' mompelt ze terwijl ze verderleest.

'Wat is dat?' Jake gaat naast haar zitten en leunt achterover, zijn handen achter zijn hoofd. 'Slecht nieuws?'

'Niet echt, nee. Het is van die vent...'

'Je vriendje?' vraagt Jake snel.

'Nee, nee, iemand voor wie ik heb gewerkt.'

'O.' Jake kijkt naar de gecapitonneerde hemel boven hem en probeert een lach te onderdrukken.

'Hij wil weten of ik nog terugkom.' Stella slaakt een zucht en schuift de blaadjes terug in de envelop. 'Ik heb nu geen zin om hem helemaal te lezen.' Ze gooit de gekreukte envelop tussen hen in op het bed en laat zich ook achterovervallen. Het matras beweegt een beetje.

'Ik ben echt doodop vandaag,' mompelt ze.

Hij kijkt naar de brieven, en dan weer naar haar. Haar ogen zijn gesloten, haar kin wijst in de richting van het plafond. Hij heeft nooit beseft dat ze zulke lange wimpers had. Hij ziet haar borstkas op en neer gaan als ze ademt, hij ziet de zwelling van haar borsten onder haar uniform. En hij ziet hoe dicht ze bij elkaar liggen, hier op dit grote hemelbed. Hij voelt de grootsheid van het huis, van het dal, van het landschap om hen heen. Als hij zijn arm nu zou uitstrekken, zou hij haar voorhoofd, haar wang of haar schouder kunnen aanraken. Het zou zo gemakkelijk zijn, zo natuurlijk. Hij stelt zich haar warme mond voor onder de zijne, haar borsten die tegen hem aan schuren.

Hij gaat rechtop zitten en wrijft over zijn gezicht. Dit is vreselijk. Hij wil haar zo graag zoenen. Hoe zou ze reageren? Zou het een goed idee zijn, onder de gegeven omstandigheden?

In een fractie van een seconde beslist Jake dat het hem niets kan schelen. De omstandigheden interesseren hem niet. Het interesseert hem niet of het een goed idee is. Niets interesseert hem nog. Hij heeft alleen maar het allesoverheersende gevoel dat hij haar moet zoenen, en wel nu, en dat hij er misschien nooit meer de kans toe krijgt als hij het nu niet doet. Hij zet zijn hand op het bed om in evenwicht te blijven en leunt voorover.

Stella duwt zichzelf omhoog en gaat rechtop zitten. Ze neuriet en strijkt haar haren achter haar oor. 'Als ik hier langer blijf liggen,' zegt ze, 'val ik in slaap.' Ze schopt met haar voeten tegen het voeteneind en pakt haar brieven.

Nee, wil Jake schreeuwen, nee, kom terug. Hij rolt op zijn buik en wil het matras of de kussens fijnknijpen. In een uiterste poging zich te beheersen, kan hij een zacht gekreun niet onderdrukken.

Ze draait haar hoofd om en kijkt hem fronsend aan. Hij moet iets zeggen, het moet. Anders denkt ze dat hij een idioot is. Snel. Zeg iets. Wat dan ook. Maakt niet uit. Iets normaals. Jake denkt er razendsnel over na, maar kan niets anders bedenken dan: Kus me, kom hier, ik wil je. Godsamme. Bedenk iets, man, bedenk iets.

'Van wie was die kaart?' Hij zegt het gehaast, alsof hij ineens inspiratie heeft gekregen.

Gelukkig heeft ze het begrepen. Ze lacht even. 'Heb je die gezien, dan?'

'Het spijt me, dat was niet de bedoeling, ik...'

'Maakt niet uit. Je kon er moeilijk overheen lezen.'

'Van wie is die kaart?' vraagt Jake nog eens.

'Van mijn zus.'

'Ik wist niet dat je een zus had.' Hij klinkt enigszins ontstemd.

'Tja.' Ze haalt haar schouders op, maar niet om zich te verontschuldigen. 'Toch is het zo.'

Ze staat op en vouwt de schone lakens uit, met haar rug naar hem toe. Wat heeft hij gedaan? Hij heeft het idee dat hij iets verkeerds heeft gezegd. Stella reageert zoals ze wel vaker heeft gereageerd: ze sluit zich helemaal af.

'Hoe ziet ze eruit?'

Ze haalt opnieuw haar schouders op en kijkt hem nog steeds niet aan.

'Is ze ouder of jonger?'

'Ouder.'

'Hoeveel ouder?'

'Twee jaar.'

'En hoe ziet ze eruit?'

'Ik weet niet.' Ze schudt nog een laken uit, met het geluid van een zweep. 'Ze is... ze is zoals ze is. Nog meer vragen? Of ben je nu klaar?'

Jake staat op en wurmt een zacht, dik kussen in een schone sloop, dat nog helemaal stijf is. 'En... waarom stuurt ze je van die angstaanjagende kaarten?'

Stella kijkt hem aan. Het bed staat tussen hen in. 'Dat is een lang verhaal,' zegt ze terwijl ze zich bukt om de doos met schoonmaakspullen te pakken. 'Dat is een heel lang verhaal.' Dan loopt ze naar de badkamer.

Stella hoorde dat er op de deur werd geklopt en hief haar hoofd op van het kussen. Ze legde haar arm rond Sams schouder, zodat hij niet van het smalle, door de universiteit beschikbaar gestelde, harde matras zou vallen. Hij lag te slapen met zijn gezicht op haar schouder en zijn been achter haar enkels, zodat ze met zijn tweeën net op het bed konden liggen.

'Wie is daar?' riep ze.

En ineens stond haar zus in de kamer, recht voor haar. Ze stond naast de verroeste wasbak, en haar benen werden verlicht door het schuin binnenvallende licht. Ze droeg een jas die van Evie was geweest. De lavendelkleurige suède jas, had Evie hem genoemd.

Stella keek haar stomverbaasd aan. Het was zo onverwacht en zo raar dat Nina hier nu was, in deze omgeving, in haar kamer in Londen, dat ze een moment nodig had om te beseffen en zichzelf ervan te overtuigen dat ze niet droomde. Nina, hier? Dat kon gewoon niet.

'Hallo,' zei Nina en ze keek rond in de kleine kamer: naar het bureau, naar de vloer, waarop her en der kleren lagen, naar de affiches aan de muur, naar de boeken die als dominostenen waren omgevallen, en ten slotte naar Sams naakte, slapende lichaam, dat verstrengeld was met dat van Stella.

Stella keek als verlamd toe hoe Nina haar leven in zich opnam, het leven dat zij zonder Nina had geleid. 'Wat doe jij hier?' wist ze nog uit te brengen.

'Ik ben gestopt met de kunstacademie.'

'Gestopt?' Stella probeerde overeind te komen en trok haar andere arm onder Sam vandaan, die nu bewoog en zich omdraaide.

'Weggelopen.' Nina wees op het lichaam dat nog in bed lag. 'Wie is dat?'

'Dat is... eh...'

Sam kwam in beweging. Hij besefte dat er iemand was binnengekomen en begon te woelen – wat naast Stella in dit eenpersoonsbed bijna onmogelijk was. Hij gleed van haar af en keek met verbaasde, grote ogen de wereld in. Stella probeerde hem nog vast te grijpen, maar ze was te laat. Met een bons viel hij op de grond.

'Godver,' zei hij. 'Au.' Toen keek hij op en zag Nina. 'O.'

'Hallo,' zei ze. Ze bekeek met zichtbare aandacht zijn naakte lichaam. 'Ik ben Nina. De zus van Stella.'

Ze gaf hem zelfs een hand. Stella sprong het bed uit, trok het laken van de matras en legde het over hem heen. 'Nina, dit is Sam, Sam, dit is Nina,' mompelde ze, terwijl ze haar kleren van de grond raapte en zich snel aankleedde. Sam stond wankelend op; Nina ging in de stoel naast het bureau zitten.

'Aangenaam kennis te maken,' zei Nina. 'Stella heeft me niet verteld dat ze een...' Nina veegde een haar van haar jas, '...dat ze een vriend had.'

'Is dat zo?' Sam keek Stella verbaasd aan.

'Ik...' begon Stella, 'ik heb er... de gelegenheid nog niet voor gehad. Ik...' Ze brak haar zin af, keek naar de vloer, zag naast een boek een gebruikt condoom en schopte het onder het bed.

'Ze doet altijd zo geheimzinnig,' zei Nina. 'Vind je ook niet, Sam?'

Hij stond met een onzekere blik midden in de kamer, een laken om zich heen gedrapeerd, als een Romeins standbeeld. Stella wilde dat een van hen wegging. Op dat moment had ze daar veel voor overgehad. Maar moest hij weg of zij? Dat wist ze niet. Wel wist ze dat ze licht werd in haar hoofd van die twee samen in haar kamer, alsof er voor hen drieën niet genoeg zuurstof was.

'Laten we gaan ontbijten,' zei ze.

Ze liepen op straat – een merkwaardig trio. Sam hield, als gewoonlijk, haar hand vast en Stella zag dat Nina daarnaar keek. Ze voelde zich er ongemakkelijk bij, want de enige met wie ze ooit hand in hand had gelopen, was Nina, en nu liep ze naast haar, maar had de hand van een ander vast. Stella veinsde dat ze kriebel had aan haar neus en liet Sams hand los. Maar daarna voelde ze zich zo schuldig dat ze hem niet meer durfde aan te kijken.

Toen ze vertrokken, had ze tussen hen in gelopen, maar nu vond ze dat overdreven. Dus toen ze langs de bushalte liepen, hield ze even in en ging naast Nina lopen. En toen viel het haar ineens op dat Nina en zij, na bijna achttien jaar naast elkaar te hebben doorgebracht, precies in de pas liepen, terwijl Sam met onregelmatige passen voortliep over het trottoir. Dat was raar, want ze wist zeker dat Sam en zij ook in de pas liepen als ze samen wandelden. Hoe kon dat nu?

Het goedkope café werd gerund door een Griekse familie. Toen ze binnenkwamen, zag Stella een aantal bekenden zitten. Er werden stoelen bijgeschoven, en later een tafeltje, zodat ze gezamenlijk konden eten. Nina zat tussen twee studenten uit Stella's hoorcollege Achttiende Eeuw. Twee jongens, Graham en Neil. Nina bestelde zelf niets maar pikte van alletwee af en toe een patatje terwijl ze vertelde over haar modeltekenlessen.

'...En hij had het kleinste pikkie dat je ooit hebt gezien, en dan bedoel ik ook het kleinste,' zei ze, en Stella zag dat ze de prachtige gele eidooier op Neils bord kapot prikte, waardoor het eigeel over zijn patat droop. 'Zo groot ongeveer.' Ze hield een patatje in de lucht. 'Nee, wacht,' zei ze en ze beet er nog een stuk af, 'zo groot was hij.'

Ze werden door haar volkomen van hun stuk gebracht, zag Stella, en ze keken naar haar alsof ze nog nooit zo'n exotisch en fraai schepsel hadden gezien. Stella zag hoe Nina de twee jongens tegen elkaar uitspeelde. Eerst pakte ze eten van Grahams bord, tot hij zich gerustgesteld en zeker voelde, en daarna wendde ze zich tot Neil – precies lang genoeg.

'Hé, Stel.' Nina leunde voorover. In het Italiaans ging ze verder: 'Dat soort problemen heb je toch niet met hem, hoop ik?' Ze wees met het afgebeten stukje patat in Sams richting.

'Wat zei je?' vroeg Sam ongerust en hij legde zijn hand op Stella's dij.

'Niets,' mompelde Stella. 'Het doet er niet toe.'

'Dus jij spreekt Italiaans?' zei Graham, die Nina's aandacht weer wilde trekken.

'Ja.' Ze keek hem verbaasd aan en richtte vervolgens haar blik weer op Stella. 'Heeft zij je dat niet verteld?' Ze keek hen allemaal aan. 'Thuis spreken wij Italiaans.'

'Dat wist ik niet,' zei Graham, en hij keek eerst haar aan en daarna Stella, dit keer alsof ze buitenaardse wezens waren. 'Wist jij dat, Sam?'

Sam had zijn lege glas met beide handen vast. 'Nee,' zei hij, 'nee, dat wist ik niet.'

Stella duwde haar stoel met een hoop lawaai naar achteren en liep naar de toonbank. Ze keek naar de lange rij met blikjes, de felgekleurde zakjes saus, de stapel houten vorken en de strepen op het schort van de Griekse vrouw. Ze wilde iets bestellen, maar wat? Misschien nog een kop thee. Of een glas water. Chocolade misschien? Ze wist niet wat ze wilde. Eigenlijk wilde ze het liefste het café uit lopen en wegrennen zonder achterom te kijken. Door de botsing van haar werelden werd ze kwetsbaar en onzeker. Ze wist niet meer precies wie ze was en hoe ze zich moest gedragen. Toen ze naast Nina zat, had ze het gevoel dat die een soort zwaartekracht uitstraalde, waardoor ze werd teruggevoerd naar Edinburgh, naar de flat van haar ouders, naar alles waarvan ze dacht dat ze het achter zich had gelaten.

Ineens stond Sam naast haar. Hij legde zijn hand op haar rug en vroeg: 'Gaat het wel?'

Toen ze hem aankeek, zag ze een gejaagde en onzekere blik in zijn ogen. 'Ja. Het gaat prima.'

'Je zus...' begon hij.

'Wat?'

'Ze is echt...' Hij richtte zijn blik op de tafel. 'Ze is echt maf. Gek.'

Stella deed haar ogen dicht en zag zichzelf naar de aarde vliegen, als een parachutist in een vrije val. Onder haar lagen twee velden. In het ene stond Sam, met zijn hoofd omhoog om te kijken hoe ze daalde. In het andere stond Nina. Op welk veld moest ze landen? Dat was een gemakkelijke keuze, natuurlijk. In het veld waar Nina stond.

'Dat moet je niet zeggen.' Stella duwde hem van zich af. 'Nooit.'

Jake pakt de gaffel, steekt hem door de verrotte zitting van de stoel en werpt de stoel op het vuur. Er schieten vonken, maar al snel vat de stoel vlam en staat in lichterlaaie.

Hij ruimt de kleine schuur uit. Mevrouw Draper is hier de hele ochtend geweest. Ze had een regenpak over haar kleren aan en een zakdoek over haar neus geknoopt. Ze gaf hem aanwijzingen terwijl hij oude Lloyd Loom-stoelen weghaalde van de plek waar ze jaren hadden gestaan en kapotte ladekasten, een oude douchekop en stapels beschimmelde, stinkende gordijnen vond.

Ze had gezegd dat hij alles moest verbranden. Het duurde wel even voor het vuur goed laaide. Aanvankelijk smeulde het alleen, maar toen Jake er paraffine op gooide, volgde er een explosie en zoog het vuur zuurstof aan.

Hij heeft een aantal schatten gevonden. Een oude stormlantaarn, die hij aan Stella wil geven voor haar nachtelijke wandelingen naar de caravan, en een fiets, waarvan de ketting verroest is en de banden zijn leeggelopen – maar toch is het een goede fiets. Met een ijzeren frame, een geveerd zadel en stevige wielen waar alle spaken nog in zitten. Hij vindt het een prachtige fiets, misschien omdat de wielen tikken als ze draaien, of vanwege het stuur, dat als een gewei rechtop staat, of de bel, die nog stevig aan het stuur geschroefd zit.

Met een oude lap maakt Jake de fiets schoon. Hij pompt de banden op, zet de fiets op zijn kop, draait de trappers eerst de ene en dan de andere kant op, smeert de ketting en draait het achterwiel nog eens rond.

Hij fietst een paar rondjes door de tuin, en dan hoort hij een stem, vlak bij zijn hoofd.

'Die was van de hippies, wist je dat?' Pearl is als een geest uit het niets opgedoken en staat daar, haar handen in haar schort.

Jake zet zijn voet op de grond. 'De fiets?'

'Ja zeker. Die heb je zeker in de schuur gevonden?' Ze neemt hem van top tot teen op, alsof ze overweegt hem te kopen. 'Er was er eentje die er altijd op reed. Een jonge vent. Ongeveer even lang als jij, met dezelfde huidskleur.'

Ze loopt naar de groentetuin en is even snel verdwenen als ze was verschenen. Jake kijkt haar na.

Als het vuur is gedoofd en er alleen nog maar een hoop as ligt, rijdt Jake op zijn vaders fiets het pad af. Van die eenvoudige handeling wordt hij zo vrolijk dat hij zou willen stoppen om hard te lachen, of met zijn vuisten op het stuur te slaan. Dit zadel, die pedalen, die verroeste bel – allemaal aangeraakt door Tom. Het voelt alsof hij de laatste traptrede die hem van zijn vader scheidde, nu heeft beklommen. Hij wil nooit meer van die fiets af, hij wil er nooit meer van gescheiden worden, hij zou willen wegrijden en nooit meer afstappen.

Jake heeft zich altijd afgevraagd of het gemakkelijker was geweest als hij hen had verlaten en er met iemand anders vandoor was gegaan. Dan zou het duidelijk zijn geweest, er had een einde aan gezeten. Hij heeft nooit kunnen verwerken dat zijn vader er niet het flauwste benul van heeft dat er een nakomeling van hem op de wereld rondwandelt. Soms voelt Jake een bepaalde sympathie voor hem. Hij weet genoeg van Tom om er zeker van te zijn dat die hem had willen ontmoeten. Op een vreemde manier is het wreed dat zijn vader uit hun leven verdwenen is, als Alice door de spiegel. Deze fiets is alles dat hij heeft, en meer zal er vermoedelijk niet komen. Toch is dat op zich een reden om blij te zijn.

Hij passeert enige gasten en moet flink bijsturen om niet tegen ze aan te botsen. Hij is altijd verbaasd als hij gasten ziet, alsof hij telkens vergeet dat Kildoune een hotel is. Ze kijken naar hem – een fietsende man die onder de as zit – alsof hij van Mars komt. Weet u wel van wie deze fiets geweest is, wil hij hun toeschreeuwen, hebt u enig idee?

Hij zit te denken dat er iets mis is met het stuur, want hij raakt steeds uit evenwicht, misschien staat het wel scheef, en dan maakt hij een bocht en ziet ineens Stella voor zich staan, naast een rododendron vol rood-zwarte bloemen.

Jake knijpt in de enige rem die de fiets heeft. Er gebeurt niets. Hij suist langs haar heen en komt pas tot stilstand als hij met zijn voorwiel in een aarden wal rijdt die naast het pad ligt. Hij valt voorover met zijn hoofd tegen een tak en komt in een bloemperk terecht.

'Gaat het?' Ze klinkt ongerust, stelt Jake tevreden vast.

'Ja.' Hij wrijft over zijn voorhoofd, staat op en pakt zijn fiets. 'Ik geloof het wel.'

'Hoe kom je aan dat ding?'

Ze heeft een spijkerbroek en een zwarte trui aan en ziet er nu uit zoals ze eruit moet zien als ze niet in het hotel aan het werk is – zoals in haar andere leven, waar Jake geen toegang toe heeft.

'Gevonden.' Jake plukt steentjes en takjes van zijn kleren. 'En ik heb hem in orde gemaakt.'

Hij lacht en voelt zich uitgelaten. Met een verbaasd gezicht kijkt ze naar hem en weer naar de fiets.

'Kom, dan gaan we een stukje rijden,' zegt hij spontaan.

'Nou nee, dank je. Die fiets lijkt me duidelijk nog helemaal niet in orde.'

'Kom nou.' Hij strekt zijn hand uit en pakt haar bij haar pols. 'Hij is stevig genoeg voor twee personen.'

Ze probeert zich los te trekken. 'Mooi dat ik niet op dat ding ga zitten.'

Jake duwt haar naar de voorkant van de fiets. 'Spring er maar op,' zegt hij. 'Net als in die film – hoe heet die ook weer?'

Hij ziet dat ze erover nadenkt, de fiets nog eens bekijkt, en ten slotte toegeeft.

'Welke film?' vraagt ze terwijl ze op het stuur gaat zitten.

Jake zet af met zijn voet. 'Echt een heel bekende film. Met Paul Newman en…' De fiets begint te slingeren en valt bijna om. Stella geeft een gil, springt eraf en valt met haar knieën op de grond.

'Sorry,' zegt hij bezorgd. 'Doet het pijn?'

'Nee. Maar niet dankzij jou.'

'Laten we het nog eens proberen.' Hij strekt zijn hand naar haar uit. 'Kom op.'

Ze kijkt naar hem en naar de fiets, en veegt haar knieën af. 'Ik ga wel achterop zitten,' zegt ze, 'op de bagagedrager. Dat lijkt me veiliger. Jij gaat fietsen en ik spring achterop.'

'Zou dat lukken?'

'Ja. Mijn zus en ik deden het vroeger ook altijd. Ga maar.' Ze maakt een beweging met haar hand. 'Fietsen jij.'

Jake trapt op de pedalen en de fiets komt in beweging. De rododendrons zwaaien naar hem met hun rode vuisten; hij hoort Stella's voetstappen op het grind en voelt dat ze achterop springt. De fiets begint ietsje te slingeren, maar hij houdt het stuur recht. Dan slaat ze haar armen om hem heen, en als hij schuin naar achteren kijkt, ziet hij dat haar benen aan één kant bungelen, vlak boven de grond.

'In China verplaatsen hele families zich op deze manier,' zegt hij onder zijn arm door.

'Echt?'

Doordat ze hem omarmt, lijkt het of hij haar stem voelt trillen.

'Welke kant op?' vraagt hij als ze aan het eind van de oprijlaan zijn aangekomen.

'Rechts. Nee, links.'

Hij moet stevig trappen, want ze gaan een helling op.

'Kom op,' zegt ze en ze slaat hem op zijn schouders, 'flink doortrappen.'

Ze bedwingen de heuvel en dan rijden ze een stuk sneller: langs zilveren berken, paarden achter een hek, een stenen huis waar een vrouw een kind in het rond zwaait. Stella gilt en lacht en roept iets over de rem, maar Jake is zich alleen maar bewust van haar armen die ze om hem heen heeft geslagen – de wereld waar ze doorheen rijden is onduidelijk en vaag, alsof zij tweeën de enige ademende wezens zijn.

Hij stuurt zijn fiets door de bochten in de grijze weg, maar het lijkt wel of ze vliegen. Er passeert een auto, de tegenwind trekt aan hun kleding en haren. Stella vertelt iets over de plek waar ze voor het eerst heeft gefietst, dat ze dacht dat haar oom haar zadel nog steeds vasthield, dat ze toen omkeek en hem met zijn armen over elkaar zag staan, een heel eind achter haar, en dat ze daar zo van schrok dat ze viel.

Ze rijden opnieuw een heuvel af en voor hen doemt een brede stenen brug op die over een ravijn ligt. Zodra hij de brug ziet, weet hij dat hij daar met Stella wil staan, want op zulk soort plekken gebeurt altijd iets, daar begint iets. Hij wil daar staan, op de brug met onder hen de rivier en boven hen de lucht. Jake laat zijn voet hangen en voelt dat de weg zijn zool schuurt; het grind spat op en tikt tegen de metalen delen van de fiets.

Ineens staan ze stil, en ze vallen bijna om. Jake zet de fiets tegen de brug en kijkt over de leuning. Zwart, kolkend water stroomt door uitgesleten rotsen.

'Mijn god,' zegt hij. Er spatten druppeltjes van het woeste water op zijn gezicht. 'Welke rivier is dit? Weet jij dat?'

'De Feshie,' mompelt ze.

Jake draait zich om, kijkt haar aan en ziet dat het weer zover is. Haar gezicht is gespannen en ze heeft haar handen samengevouwen.

'Gaat het wel?'

'Natuurlijk.' Ze kijkt hem niet aan.

Hij kijkt opnieuw naar de woeste rivier. Het lawaai van het water dat tegen de rotsen beukt, overstemt hen bijna. 'Geweldig,' zegt hij, hopend dat ze zal ontspannen. 'We kunnen er wel wandelen, als je dat leuk vindt. Er loopt een pad.'

'Nee. Dat wil ik niet.' Ze klinkt wanhopig, bijna kinderlijk. 'Ik vind het hier niet prettig.'

'O nee?'

'Nee.' Ze schudt haar hoofd. 'Laten we gaan. Alsjeblieft.'

'Goed.' Verbaasd loopt Jake achter haar aan naar de fiets.

'Goed, dus ik zeg...' Francesca brak haar zin af, draaide haar hoofd en luisterde. Ze hoorde de voordeur opengaan en de tochtstrip over de tegels schuren. 'Daar zul je de zwijgende zusjes hebben. Ik vertel het je later wel.'

'Waarom noem je hen zo?' Evie drukte haar peuk uit in een theekopje dat bij haar in de buurt stond (een vreselijk ding, versierd met geruite strikken en iets wat leek op een korenschoof – waarschijnlijk een erfenis uit Archies familie).

'Sst.' Francesca legde haar vinger op haar lippen en draaide zich weer om. 'Hallo!' riep ze.

Nina verscheen in de keukendeur. Ze zag er steeds beter uit, vond Evie, ze had meer kleur op haar wangen en kreeg weer vlees op haar botten. Medailles voor gymnastiek zou ze wel niet meer winnen, maar ze wist haar evenwicht steeds beter te bewaren en kon steeds beter lopen. Als je het niet wist, zou je denken dat ze normaal was, besloot Evie.

Ze zag dat Nina Francesca omhelsde, en daarna kwam ze naar Evie toe en sloeg haar dunne armpjes om haar heen. Evie drukte haar wang tegen Nina's hoofd en ademde diep in. Evie was dol op de geur van de kinderen: niet van alle kinderen, alleen van deze twee. Andere kinderen vond ze niet lekker, die roken naar zeep, frisse lucht en onschuld. Vandaag rook ze ook geuren van de school – potloodslijpsel, boenwas, inkt – maar ze kon het toch nog steeds ruiken. Er zat maar weinig Gilmore bij die twee, overwoog ze. De Ianelli-genen hadden in alle twee de gevallen ruimschoots gewonnen, vooral bij Stella.

Stella stond met een ernstig gezicht achter in de kamer. Geen kusjes van haar vandaag. Evie bekeek haar eens wat beter. Er was iets. Ze wist het zeker. Ze keek naar Nina, die nu aan tafel zat met een glas melk, en toen weer naar Stella. Er was iets met ze, een of ander bewustzijn, een ondeugd, alsof ze iets te verbergen hadden. Ze gedroegen zich niet als schoolkinderen, maar als twee mensen die doen alsof ze schoolmeisjes zijn.

'Cesca, je knipt ze toch niet nog steeds zelf, hoop ik?' vroeg ze terwijl ze een verse sigaret pakte.

Francesca knikte en streek met haar hand door Nina's krullen, die er ook normaal begonnen uit te zien.

'Godsamme zeg,' zei Evie, ze nam een pluk van Stella's haar in haar hand – een mooi excuus om haar naar zich toe te trekken – en stak haar sigaret aan. 'Jullie moeten met mij meegaan naar de kapsalon,' zei ze met de sigaret tussen haar lippen. 'Is dat dan afgesproken? En vergeet die moeder met die schaar maar snel.'

Stella glimlachte.

'Hoe is het met die vreselijke mevrouw Saunders?' Evie drukte Stella tegen zich aan. 'Draagt ze nog steeds van die rokken met elastiek?'

Nina knikte, maar keek niet op.

'Ik ben nog steeds niet helemaal bijgekomen van de rok die ze aanhad tijdens het kerstconcert,' ging Evie verder en ze keek de zusjes één voor één aan. 'Die met die poedeltjes erop. Weet je nog?'

Nina knikte opnieuw en lachte nu ook.

'Beloof me, jullie alletwee: draag nooit iets met hondjes erop. Horen jullie me? Die mevrouw Saunders zou gearresteerd moeten worden wegens modemisdaden, gepleegd tegen kinderen die gemakkelijk te beïnvloeden zijn. Vind je niet, Stella?' Evie keek om, en zag pas nu dat de knopen van haar bloes eraf waren en dat er op die plekken nu rafelige gaten zaten. 'Liefje, je bloes is kapot,' riep ze uit.

'Nee toch?' mopperde Francesca. 'Stella, dat is al de derde keer deze maand.' Francesca trok de bloes over Stella's hoofd. 'Ik heb je toch gezegd dat je niet van die ruwe spelletjes moet spelen. We kunnen ons op dit moment geen nieuw uniform permitteren, dat weet je.'

'Wat heb je daar, liefje?' Evie wees met de punt van haar brandende sigaret op een auberginekleurige plek op de binnenkant van Stella's pols. Ze zag dat de twee zussen razendsnel een blik uitwisselden en dat Francesca, die zich voorover boog om de bloes uit te trekken, het niet had gezien.

'Ik ben gevallen,' zei Stella zonder haar aan te kijken.

'Op de binnenkant van je pols?'

'Ja.'

Evie nam een trekje van haar sigaret. 'Dan ben je raar gevallen.'

'Dat was ook zo,' zei Nina ineens. 'Dat was ook zo.'

Evie blies kringetjes voor Nina, die gewoonlijk meteen opsprong en er met een theelepeltje in prikte. Maar vandaag niet.

'Hebben jullie geen brief voor me?' vroeg Francesca. 'Stella, deze bloes is helemaal kapot.'

Opnieuw zag Evie dat de zusjes naar elkaar keken.

'Hoe weet jij dat wij een brief hebben?' vroeg Nina en ze likte haar melkglas uit.

'Doe dat nou niet zeg, dat is vies.' Francesca pakte het glas uit haar handen en zette het buiten haar bereik neer. 'Ik had de moeder van Rebecca vandaag aan de telefoon en die vertelde dat er een brief was over een schoolreisje.'

'We willen niet mee,' flapte Stella eruit. Ze stond daar in haar vest en haar rokje, en met een hand bedekte ze haar blauwe plek.

'Mag ik die brief wel even zien, alsjeblieft?'

'We willen niet mee.' Er klonk angst in Stella's stem. 'Dwing ons niet om te gaan. Alsjeblieft.'

'Ik wil die brief even zien,' herhaalde Francesca met eindeloos geduld.

De brief kwam te voorschijn, nadat de meisjes schoorvoetend de gang in waren gelopen, hun tas hadden opengemaakt en elkaar iets hadden toegefluisterd. Francesca zette haar bril op en begon te lezen. Evie sloeg haar ene been over het andere en zette haar voeten daarna weer naast elkaar. Ze reikte naar beneden om de zoom van haar kous recht te trekken en dacht aan de minnaar met wie ze een afspraak had – haar laatste verovering. Een advocaat. Getrouwd, natuurlijk, maar dat had ze het liefst. Op die manier kwamen ze niet te dichtbij en konden ze zich niet opdringen. Ze keek naar Stella, die met haar hoofd over haar volle glas melk gebogen zat.

'Het ziet er leuk uit,' zei Francesca vrolijk. 'Hebben jullie geen zin om te gaan?'

Geen antwoord. Stella pakte haar glas met twee handen beet.

'"We verblijven in een opleidingscentrum in Kincraig, Invernessshire",' las Francesca hardop voor, en Evie zag dat ze, in een ander leven, misschien geen slechte lerares was geweest. '"De kinderen krijgen de hele week de gelegenheid om allerlei buitensporten te beoefenen, zoals kanoën, wandelen, oriëntatie..."'

'Dat klinkt afschuwelijk,' bromde Evie. 'Ik sta aan hun kant, Cesca. Dwing ze niet om te gaan.'

Stella herinnert zich dat ze haar moeder een paar dagen later hoorde toen ze in haar slaapkamer aan de telefoon was: 'Evie, je weet dat ik jouw mening altijd heel erg op prijs stel... Ik weet dat je van ze houdt... Nee, nee, ik vind van niet...'

Zelfs van de plek waar ze stond, op kousenvoeten in de gang, hoorde ze de blikkerige stem van Evie, die Francesca probeerde te overtuigen en het opnam voor de kinderen. Maar het had geen zin. Als haar moeder eenmaal iets had besloten, kwam daar geen verandering meer in.

'...Hun onderwijzeres heeft tegen Archie gezegd dat ze "aanpassingsmoeilijkheden" hadden... Dat is letterlijk wat ze zei... Ik weet niet wat ik anders zou moeten doen, Evie... Je weet hoe ze zijn. Ze hebben altijd alleen maar oog gehad voor elkaar... Misschien dat ze tijdens dat reisje wat meer met de anderen zullen omgaan... Het is niet normaal, het is niet gezond zoals zij zijn... Ze zullen het fijn hebben, let maar op.'

Bij Loch Insh rijden ze over een bobbel in de weg en dan valt de ketting eraf. Ze zijn tijden bezig met de geoliede, glibberige schakels en hun vingers worden pikzwart. Jake is koppig: hij weet zeker dat hij het kan repareren, en pas na drie kwartier moet hij toegeven dat het hem niet gaat lukken zonder gereedschap. Stella zegt dat dit de laatste keer is geweest dat ze met hem is gaan fietsen.

Tegen de tijd dat ze bij het hotel aankomen, is het diner al voorbij. Iedereen is weg en de keuken is leeg. Stella had niet beseft dat het al zo laat was.

'Dat was leuk,' zegt Jake en hij rekt zich uit. Hij doet zijn jas uit; de knopen maken een klikkend geluid als hij de jas op de tafel legt.

Stella staat bij de gootsteen en schrobt de olie van haar handen. 'Behalve dan dat de fiets kapotging,' zegt ze, 'en dat jij zo koppig bent als een ezel, en we kilometers door het donker hebben moeten wandelen – ja, het was geweldig.'

'Goed, het was misschien rampzalig, maar wel leuk, dat moet je toegeven.'

'Moet dat?'

Jake zwijgt. Dan zegt hij heel zachtjes: 'Ik vond het echt heel leuk.'

Stella kijkt hem aan en ziet dat hij haar ook aankijkt. Ze wendt haar blik af en probeert voorzichtig haar nagels schoon te borstelen. Ze voelt zich licht in het hoofd en bijna manisch – gespannen als een vioolsnaar. Ze weet niet wat er nu gaat gebeuren.

'Ik ook,' probeert ze te zeggen, maar ze zegt het veel te hard. Vanbuiten lijkt ze, in het onnatuurlijke lamplicht, kalm en evenwichtig. Maar haar bloed, haar spieren en haar botten gloeien, en niet zo'n beetje ook.

'We moeten het nog eens doen.' Hij lijkt aanstalten te maken om op haar toe te lopen. 'Als ik de fiets heb gerepareerd. Vind je niet?'

Ze kijken elkaar aan. Stella telt vier hartslagen, maar haar hart klopt zo hard dat het bijna pijn doet. 'Dat,' weet ze uit te brengen en haar stem klinkt ineens vreselijk formeel, vreselijk Edinburghs, 'lijkt me een uitstekend idee.'

Jake lijkt te aarzelen. Hij bestudeert haar gezicht. Uiteindelijk besluit hij zijn armen over elkaar te slaan en naar beneden te kijken. 'Goed,' zegt hij en hij pakt zijn jas. 'Nou, dan zie ik je later wel.'

Hij loopt door de klapdeuren van de keuken, die daarna heen en weer zwaaien. Ze hoort zijn voetstappen in de gang. Dan buigt ze zich over de gootsteen en legt haar hoofd in haar handen. 'O, god,' zegt ze hardop. Eigenlijk zou ze willen lachen, uit opluchting dat hij is verdwenen, dat wat er in de lucht hing, niet heeft plaatsgevonden, dat ze er op dit moment geen aandacht meer aan hoeft te besteden – maar aan de andere kant zou ze hem wel achterna willen rennen. 'O, gggggggod,' kreunt ze, en als ze de vervormde echo van haar uitroep in de gootsteen hoort, moet ze grinniken.

Ze gaat rechtop staan en kijkt rond. Alles ziet er star en waarachtig uit: de rij messen boven de snijplank, de kommen die in elkaar passen, de cafetières, de stapel schone, opgevouwen theedoeken, de theekopjes die in elkaar gestapeld zijn. Naast de ketel ligt een plastic bakje met groenten, met plasticfolie eroverheen. Zonder precies te weten waarom pakt ze het bakje en loopt ermee naar het voorraadhok. Het is er donker en vochtig. Ze doet het licht niet aan, want ze wil het bakje alleen maar op tafel zetten, en dan teruggaan naar de keuken.

Maar ineens is Jake daar. Hij staat achter haar, grijpt haar arm en draait haar om. 'Uitstekend?' zegt hij. 'Dat lijkt me een uitstekend idee?'

Hij duwt Stella tegen de tafel. In de duisternis ziet ze alleen de zijkant van zijn gezicht – zijn wenkbrauw, zijn oogopslag. Ze voelt zijn warme adem tegen haar wang.

'Goed.' Ze doet alsof ze even nadenkt. Haar lichaam trilt lichtjes, als een glas waar iemand met zijn vinger tegenaan heeft getikt. 'Echt een uitstekend idee,' weet ze uit te brengen.

Hij wijst op het plastic bakje. 'Zet dat maar neer,' zegt hij.

Stella schudt haar hoofd zonder te weten waarom, en drukt het bakje tegen zich aan.

'Zet neer,' zegt hij nog eens. En als ze het niet doet, pakt hij het uit haar handen en zet het op tafel. Hij schuift nog dichter tegen haar aan, en omdat ze tegen de tafel aan staat, kan ze geen kant meer op. Ze voelt zijn baardstoppels in haar haren en dat is eigenlijk meer dan ze kan verdragen.

'Misschien...' begint ze tegen zijn borst. Ergens diep vanbinnen voelt ze iets verwards, iets wat ze zich vaag herinnert, een reden waarom ze dit niet zou moeten doen. 'Misschien... is dit niet zo'n goed idee... Ik denk dat...'

Maar in een snelle beweging heeft hij zijn armen om haar heen geslagen, en dan drukt hij zijn gezicht tegen haar schouder. Ze kan nu alleen nog maar haar armen om hem heen slaan, en dat is zo eenvoudig, en het geeft haar zo'n opgelucht gevoel, dat ze niet begrijpt dat ze het niet eerder heeft gedaan. Ze weet zeker dat ze iets wilde zeggen en opent haar mond, maar hij buigt zich voorover en drukt zijn lippen op de hare. De kus lijkt in haar te exploderen, als de eerste keer dat je ademhaalt wanneer je, na lang onder water te zijn geweest, weer bovenkomt. Stella pakt hem vast, ze kan niet geloven dat dit gebeurt. Hij houdt haar haar in zijn handen en ze vindt dat hij haar aanraakt alsof hij de brailletekens van haar huid kan lezen.

Ineeens weerklinkt er een geluid. Een hard, hardnekkig gerinkel. Ze weet dat hij het ook hoort, want heel eventjes voelt ze een schok. Maar dan gaat hij gewoon verder, alsof hij niets hoorde, alsof het er niet is.

'Jake,' zegt ze.

'Mmm?'

Ze staat tegen hem aangedrukt en heeft haar vingers tussen zijn kleren. Ze ademt in en neemt zijn geur op. Ze stelt zich voor dat de moleculen van zijn geur zich in haar longen nestelen, zich vermengen met haar bloed en zo in haar lichaam terechtkomen.

'Dat is de telefoon.'

In het donker ziet ze dat hij zijn ogen opent, en weer sluit. Hij drukt zijn mond weer op de hare en legt haar zo het zwijgen op.

'Jake.' Ze duwt hem van zich af. 'We moeten opnemen.'

Hij trekt haar zo stevig tegen zich aan dat ze nauwelijks adem kan halen. Hij kust haar in haar hals en heeft zijn hand op haar wang gelegd. 'Nee,' zegt hij.

Ze laat haar hand over zijn rug glijden en haakt haar been achter het zijne. 'Volgens mij wel.'

'Nee,' mompelt hij, 'we hebben het druk. Heel erg druk.'

Ineens bedenkt ze zich iets en ze verstijft. 'Jake, misschien is het mevrouw Draper. Die belt soms op vanuit het poortgebouwtje.'

Hij drukt zijn voorhoofd tegen het hare en kijkt recht in haar ogen. 'Misschien vind je het verrassend wat ik nu ga zeggen,' zegt hij, 'maar dat kan me op dit moment niets schelen.'

De telefoon rinkelt nog steeds, met een scherp, doordringend geluid. Jake rijgt zijn vingers één voor één tussen de hare. 'Godsamme,' mompelt hij.

Het is even stil.

'De gasten hebben hier last van, denk je niet?' zegt hij op mopperende toon.

Stella glijdt van de tafel af en gaat naast hem staan. Hij kust haar nog twee, drie keer voor hij haar laat gaan. 'En snel terugkomen,' roept hij haar na. 'Ik ben nog niet klaar met jou.'

Stella wankelt door de helverlichte keuken, trekt haar kleren recht en kan een lach niet onderdrukken. 'Als je nu ophoudt met rinkelen,' zegt ze tegen de telefoon terwijl ze de klapdeuren openduwt, 'dan vermoord ik je.'

Ze neemt de hoorn van de haak en vanaf dat moment komt er aan het geluid dat haar leven enige minuten beheerste, een eind. Eventjes is ze daar zo opgelucht over dat ze vergeet wie ze is en wat ze doet.

'Ehm...' Dan weet ze het weer. 'Kildoune House Hotel, goedenavond, waarmee kan ik u van dienst zijn?' Haar stem klinkt hysterisch en overdreven vrolijk, valt haar op. Hopelijk zal de persoon aan de andere kant van de lijn niets merken.

'Hallo.' De stem van een vrouw. Zacht, bedeesd. 'Kan ik even spreken met Jake Kildoune?'

'Natuurlijk,' zegt Stella. 'Ik bedoel: ja.' Kom op, even flink zijn.

'Wie kan ik zeggen dat er aan de lijn is?'

'Zijn vrouw.'

Stella houdt de hoorn een eindje van zich af. De kleuren van de bloemen die voor haar staan, lijken heel helder. Ze kijkt naar beneden en ziet dat iemand de brochures allemaal op de verkeerde plek heeft neergelegd. Ze liggen op de plaats waar eigenlijk de inschrijfformulieren horen te liggen. Dat zal ze moeten uitzoeken. Ooit. Maar niet nu. Ze legt de hoorn voorzichtig op het bureau, alsof dat is gemaakt van het teerste porselein.

Ze staat in de keuken, in het harde lamplicht. 'Jake,' zegt ze. Die ene lettergreep die zijn naam vormt, klinkt uitgesproken en definitief, alsof er een deur wordt dichtgeslagen.

'Kom hier!' roept hij vanuit het voorraadhok.

'Jake,' zegt ze nog eens. Ze heeft een raar gevoel in haar buik, alsof die gevuld is met een zware, vochtige damp. Ze wrijft over haar lippen, haar hals en haar wangen met de rug van haar hand.

'Kom nou hier!'

'Het is voor jou,' zegt ze. Ze ademt diep in. De lucht voelt ijskoud aan. 'Het is je vrouw.'

Het blijft even stil. Ze kijkt naar de zwarte schaduw achter de deur van het voorraadhok. Dan verschijnt Jake. Hij ziet er verfomfaaid uit: zijn haar staat rechtovereind, zijn bloes hangt half uit zijn broek, en hij houdt zijn hand tegen zijn voorhoofd gedrukt.

'Stella, luister...' Zijn stem klinkt laag en verbijsterd.

Ze kijkt naar de grond. 'Ze is aan de telefoon. Voor jou. In de receptieruimte.' Ze wijst het aan. Dan herinnert ze zich dat hij weet waar de receptieruimte is. En toch zegt ze: 'Hierlangs.'

Jake vloekt en loopt op haar af.

'Niet doen,' zegt ze. 'Niet doen.'

Hij vloekt nog eens en loopt dan naar de receptieruimte. Stella glipt de gang op.

'Hallo?' hoort ze hem met gejaagde stem zeggen, en dan roept hij: 'Stella, wacht even, wil je alsjeblieft even wachten?' Dan weer met gejaagde stem: 'Mel, hallo, hoe gaat het... Juist... Goed... Luister, kan ik je terugbellen?' Mel is hier blijkbaar niet gelukkig mee, want het laatste wat ze hoort als ze door de gang rent, is het suizende, krakerige geluid van een stem.

Ze glijdt langs de donkere schaduwen van de meubelen in de hal en loopt door de openslaande deuren naar buiten. De kou nestelt zich direct tussen haar huid en haar kleren. Ze loopt in een rechte lijn weg van het hotel, zonder te weten waarheen of waarom. Ze struikelt over de aarden wal en rent het gras op. Als ze de bloemperken bereikt, rilt ze van de kou en haar tanden klapperen.

Dus er is een echtgenote? Een vrouw? Hij is dus getrouwd? Stella balt haar vuisten. Ze heeft duidelijke ideeën over verliefd worden op getrouwde mannen: dat doe je niet, dat doe je nooit, je laat je niet met ze in. Maar hij, deze vent, hij gedraagt zich niet alsof hij is getrouwd. Helemaal niet, zelfs. Dus hoe kon ze dat weten? Ze voelt zich nerveus, alsof ze elk moment in huilen kan uitbarsten, en leeg ook, alsof iemand haar in de borst heeft gestoken. Ze bijt op haar lippen en probeert te voorkomen dat ze gaat huilen. Ze heeft zin om ergens tegenaan te stompen. En dan echt hard. Het liefst tegen Jake.

Ze hoort de voordeur opengaan en knerpende voetstappen op het grind. Ze ziet Jakes lichte bloes, hij staat ergens in de tuin. 'Stella!' roept hij. 'Stella?'

Ze gaat achter een grote stenen urn staan. Jake rent naar de aarden wal en klimt erbovenop.

'Stella!' roept hij. 'Ben je daar?'

Ze houdt haar adem in en ziet dat Jake langs het hotel loopt, in de richting van haar caravan.

Stella draait zich om naar de rivier, naar het meer, en gaat met haar rug tegen de stenen urn staan, die bedekt is met mos. Ze hurkt neer en maakt zich zo klein mogelijk. Ze wacht, haar kaken strak van woede.

Ze hadden niet goed gekozen, zag Stella. Helemaal niet goed zelfs. De andere meisjes hadden allemaal hetzelfde aan, alsof ze het van tevoren hadden afgesproken: een trainingspak in een vage, suikerzoete kleur, witte sportschoenen en een bijpassende rugzak. Die van Felicity was zuurstokroze, die van Rebecca helgeel.

Zij en Nina droegen alletwee een jurk volgens een patroon dat Francesca bij een postorderbedrijf had besteld, een door Valeria gebreid vest en schoenen met gespen die op het trapje van de bus klepperden toen Stella Nina naar binnen trok. Stella was dol op de zachte stof van haar jurk, en op de manier waarop Francesca de verschillende panden aan elkaar had genaaid – zo dat de patronen over leken te lopen. De stof van Nina's jurk was ietsje anders, met iets minder rood erin. Ze hadden een uur met Francesca in de catalogus zitten turen voordat ze de mooiste stoffen hadden gekozen. Dat soort beslissingen vond Francesca heel belangrijk. Ze zei dat het rood Stella's groene ogen mooi zou doen uitkomen, en dat het groen goed paste bij Nina's rode haar. Stella vond die omgekeerde symmetrie heel aardig.

Iedereen in de bus pakte zijn lunchtrommetje. Mevrouw Saunders had niet gezegd dat dat mocht, maar het leek erop dat ze het niet ging verbieden. Zelfs op dit punt hadden ze niet goed gekozen, zag Stella terwijl ze rondkeek. De meisjes om hen heen hadden gewone plastic broodtrommeltjes met een handvat, en een bijpassende drinkfles. In die trommeltjes zaten chips, chocola en witte boterhammen waarvan de korstjes waren afgesneden. De trommel die Nina uit haar tas pakte, was een oud ijsbakje uit het café van haar grootouders – IANELLI IJS stond er in sierlijke letters op. Stella wist dat het bakje was gevuld met ciabatta-brood met olijven, gedroogde abrikozen en misschien een paar van de amandelkoekjes die haar moeder de vorige avond had gebakken. Die zou ze aan Nina geven. Ze hield niet van amandelen, maar dat vergat haar moeder altijd. 'Ik kan maar niet onthouden wie van jullie twee daar niet van houdt,' zei ze als ze erover begonnen.

Stella was juist bezig haar eigen, identieke bakje uit haar tas te halen toen ze vanuit haar ooghoeken Anthony Cusk door het gangpad op hen af zag komen. Zijn vrienden moedigden hem aan. Zijn haar stak af tegen zijn bleke huid en zijn ogen lagen diep in zijn pafferige gezicht. Stella haatte zo'n beetje alles aan hem: zijn grote, vlezige flaporen, zijn zweterige vingers met afgebeten nagels, zijn kleurloze wimpers.

'Hallo,' zei hij met een lief stemmetje, dat Stella deed huiveren. Hij stond tegen de achterkant van Nina's stoel geleund. Nina keek uit het raam, naar de onbegroeide bergtoppen. Stella begon te vrezen dat het niet slim was geweest om Nina naast het gangpad te laten zitten, maar ze zaten dicht bij mevrouw Saunders, dus Stella had gedacht dat het wel in orde zou komen.

'Wat moet je?' fluisterde Stella. 'Donder op.'

'Dat is niet erg aardig,' zei hij en hij leunde iets verder voorover. 'Ik ben even gekomen om te kijken hoe het met jullie is. Hoe gaat het met het trillende meisje?'

Voordat Stella kon ingrijpen, greep hij Nina bij haar pols en begon aan haar arm te schudden, een walgelijke parodie van de wijze waarop Nina gewoonlijk trilde.

'Ze trilt nog steeds, zie ik.' En hij draaide zich om om het instemmende gelach van de rest van de klas in ontvangst te nemen.

Nina's lunchtrommeltje met inhoud viel uit haar handen. Stella zag dat de in folie verpakte koekjes in het gangpad vielen, ver buiten haar bereik.

'Laat haar los!' Stella sprong op, pakte Anthony bij zijn haren en begon te trekken. Hij schreeuwde, maar bleef aan Nina schudden, die nu begon te huilen. Stella trok nog harder, maar voelde ineens dat Anthony haar met zijn andere hand bij de keel greep en begon te knijpen. De lucht stokte in haar keel, zoals in een gekurkte fles. Iedereen keek en lachte. Ze voelde dat haar gezicht rood werd, dat haar longen brandden van pijn. De laatste weken was Anthony steeds grover tegen haar tekeer gegaan. Aanvankelijk was het gebleven bij schelden en knijpen, maar vanaf het moment dat ze hem een bloedneus had bezorgd, trok hij aan haar haren, draaide hij haar arm op haar rug, schopte hij tegen haar schenen en stompte haar in haar buik. Ze was bang voor hem geworden, had nachtmerries over hem en begon te trillen als hij in haar buurt kwam. Ze had geen idee hoe dit zich zou ontwikkelen, waar dit zou eindigen.

Ineens stond mevrouw Saunders naast hen. Ze hield zich vast aan het bagagerek.

'Overal waar jij bent, ontstaan moeilijkheden, Anthony. Ga direct terug naar je plaats!'

Stella voelde dat zijn hand van haar keel gleed. Het gelach om haar heen verstomde.

'Heb je je lunchtrommeltje laten vallen, Nina?' vroeg mevrouw Saunders met dat zachte, lieve stemmetje waarmee ze altijd tegen Nina sprak – alsof een luidere stem haar pijn zou kunnen doen.

Stella had een hekel aan die stem. Waarom praatte ze niet normaal tegen haar?

Nina knikte en veegde haar tranen van haar gezicht met de rug van haar hand.

'Liefje toch.' Mevrouw Saunders raapte het Ianelli-ijsbakje op en stopte het half opgegeten ciabattabroodje er weer in. 'Alsjeblieft. Wil je een zakdoekje?'

'Nee, dank u,' zei Nina zonder op te kijken.

'Wat zei ze?' Mevrouw Saunders keek Stella aan. 'Wil ze nou een zakdoekje, of niet?'

'Nee,' zei Stella, 'dat wil ze niet.'

Het is een grijze, druilerige ochtend. Er hangt een zware mist over de schoorstenen en torentjes van Kildoune House, alsof de wolken het hebben opgegeven en uitgeput naar de aarde zijn gezakt. De roeken krassen hoog in de lucht.

Jake kijkt naar de donker gestreepte hond, die met zijn karakteristieke loopje over het pad drentelt en af en toe wordt afgeleid door een interessant geurtje. Als het dier Jake in de gaten krijgt, die aan de rand van het bos staat, legt het zijn oren tegen zijn kop, loopt op hem af, duwt zijn natte neus tegen zijn hand en piept van plezier: eindelijk iemand die op dit uur van de dag ook buiten is, en zo te zien nog beschikbaar ook. Het dier likt zijn vingers met zijn lange, warme tong en kijkt hem met zijn gelige ogen aan.

Jake aait over zijn vacht en voelt zijn ribben en zijn gespierde lichaam, dat heerlijk warm is. De hond spitst zijn oren en laat ze daarna weer hangen als hij Stella tussen de bomen ziet verschijnen.

Ze draagt laarzen en houdt met haar ene hand haar rok vast om die te beschermen tegen de nattigheid, en in haar andere hand haar schoenen. De hond loopt naar haar toe en kronkelt van blijdschap; het dier kan nauwelijks bevatten dat er niet een, maar twee mensen buiten zijn. Jake ziet dat Stella zich bukt om de hond te aaien, ze mompelt iets tegen het dier en loopt in zijn richting.

Jake besluit naar haar toe te lopen. Ze heeft een strakke, ijskoude blik in haar ogen. 'Ik ben al tijden op,' begint hij, 'om op je te wachten. Ik wist niet zeker of...'

Ze loopt langs hem heen. 'Dat weet ik,' zegt ze. 'Ik heb je bij de caravan gehoord.'

'O.' Hij loopt achter haar aan. 'Juist.'

Ze heeft hem niet aangekeken, ze heeft haar hoofd niet opgeheven.

'Luister Stella,' probeert Jake opnieuw, 'ik heb je gisteravond gezocht, maar...'

'Dat weet ik,' zegt ze nog eens. Ze loopt snel; haar laarzen maken een soppend geluid. Jake loopt achter haar aan.

'Stella, alsjeblieft. Kun je even wachten? We moeten erover praten. Ik had het je moeten vertellen, maar...'

'Ja,' onderbreekt ze hem, 'dat had je inderdaad beter kunnen doen.'

'Het is niet wat het lijkt, echt waar. Laat me nu even vertellen...'

'Flikker op, Jake,' zegt ze en ze begint nog sneller te lopen.

'Luister.' Hij pakt haar hand, en daar schrikt ze zo van dat ze omkijkt.

Ze staren elkaar even aan, en terwijl ze haar hand lostrekt, ziet Jake tot zijn verbijstering dat ze op het punt staat om in huilen uit te barsten. Ze loopt weer door. Jake blijft gewoon staan. Hoe heeft hij dit kunnen laten gebeuren?

Hij kijkt hoe ze van hem wegloopt en tussen de bomen verdwijnt, en ineens beseft hij dat ze niet uit het zicht mag raken, dat ze, als ze nu uit zijn leven zou verdwijnen, zo'n diepe wond zou veroorzaken dat hij er nooit meer van zou genezen.

'Stella, alsjeblieft!' roept hij en het bos lijkt zijn woorden te absorberen. 'Ik kan het uitleggen. Luister even naar me. Twee zinnen, meer vraag ik niet.'

Ze doet een stap, en nog een, en blijft dan staan. Ze staat op de plek waar het pad in tweeën splitst, waar een van de paden naar de schuur loopt. Moet hij naar haar toe lopen? Hij wil haar niet afschrikken.

'Eén zin,' zegt ze, zonder zich om te draaien.

'Eentje? Goed. Afgesproken. Een zin.' Hij staat een paar meter van haar vandaan en denkt na terwijl hij op zijn lip bijt. 'Het heeft geen betekenis,' zegt hij, 'geen enkele betekenis.' Hij spreekt de zin met moeite uit. 'Ik houd niet...'

'Dat was je zin!' onderbreekt ze hem terwijl ze verder loopt. 'Dat was het dan!'

Jake negeert haar. 'Ik houd niet van haar.' Hij strompelt achter haar aan. 'En dat heb ik nooit gedaan. Hoor je me?'

Stella loopt door. 'Je bent toch met haar getrouwd?' zegt ze over haar schouder.

'Ik had geen keus.' Jake trekt een sprintje. 'Je moet me geloven.'

Stella lacht even en begint ook te rennen. 'O ja, natuurlijk. Ze heeft je ertoe gedwongen? Heel overtuigend Jake. Ze...'

Jake en Stella komen tegelijk het bos uit gerend. Ineens is het licht en voor hen staat mevrouw Draper met haar armen over elkaar, enigszins wankelend op haar hoge hakken.

'Wat zijn jullie in godsnaam aan het doen?' Ze kijkt hen allebei met gefronst voorhoofd aan. 'Een hardloopwedstrijdje? Daar lijkt het me nog een beetje te vroeg voor. Ik heb je overal gezocht, Jake.'

Stella trekt haar uniform recht en loopt stilletjes naar de achterdeur. Jake wil achter haar aan rennen, maar juist op tijd bedenkt hij zich.

Mevrouw Draper kijkt hem nog steeds met gefronste wenkbrauwen aan. 'Nou,' roept ze uit, 'ik zal maar niet vragen wat er aan de hand is. Nee, laat ik dat maar niet doen.'

Ze wacht even en kijkt of Jake iets gaat zeggen. Maar dat doet hij niet. Hij strijkt met zijn hand over zijn gezicht en kijkt hoe Stella wegloopt.

'Goed,' zegt ze dan. 'Ik heb een aardig programma voor vandaag, Jake. Ik wil graag dat je verdergaat met het opruimen van de schuur, dat je alle...'

'Ik dacht dat ik Stella moest hel...' Hij zwijgt even. 'Ik bedoel: ik dacht dat ik vandaag de kamers moest schoonmaken.'

'Nee. Ik wil dat je buiten wat klusjes opknapt. Als je het goedvindt,' voegt ze er nadrukkelijk aan toe.

Jake slikt. 'Ja. Natuurlijk.'

Het opleidingscentrum bestond uit een verzameling witte, met kiezelstenen versierde gebouwen op een hooggelegen heideplateau. Het land eromheen was onlangs ontbost, dus alles wat je uit het raam zag, waren boomstronken en een steile, onaantrekkelijke leistenen berg. Zelfs binnen was de lucht kil.

Stella liep terug naar hun kamer, waar Nina op het onderste bed van een stapelbed haar kleren had uitgespreid. Er stonden drie stapelbedden, waarvan echter maar één ander gebruikt werd, door Fiona en Sally. Fiona had lange armen en benen en ze had eczeem, en Sally was haar zwijgzame, kleine en onvolgroeide vriendinnetje. Stella had zich al enige malen afgevraagd of ze wel echte vriendinnen waren, zoals zij en Rebecca ooit, of dat ze min of meer toevallig met elkaar optrokken omdat alle andere meisjes al een vriendin hadden en zij waren overgebleven, zodat ze wel voor elkaar moesten kiezen.

Stella probeerde er niet aan te denken dat ze, als ze dit schoolreisje een jaar eerder hadden gemaakt, waarschijnlijk een kamer had gedeeld met Rebecca, Felicity en de anderen, en dat ze dan in de bus waarschijnlijk al hadden afgesproken dat ze een middernachtelijk feestje zouden houden, en hadden overlegd wie er uitgenodigd zouden worden, op wiens bed het feestje zou plaatsvinden en wie er op de uitkijk zou staan. Daar probeerde ze niet aan te denken.

Stella ging naast Nina zitten.

'Heb je ze?' fluisterde Nina.

'Ja.' Stella legde de teddybeer die ze hadden meegenomen, op haar schoot. Hij had een treurige kop, fluwelen pootjes en een buik met aan de onderkant een ritssluiting, zodat je er spulletjes in kon opbergen. Die ochtend hadden ze de twee bruine flesjes met Nina's medicijnen uit haar tas gehaald, waarin hun moeder ze had opgeborgen, en ze in dit zachte, met een flanellen zoom afgezette zakje gedaan. Stella haalde ze eruit en schroefde de dopjes eraf, kindersluitingen, zodat ze eerst stevig moest drukken voordat ze loskwamen. Ze wilde net het juiste aantal tabletten aftellen (driemaal daags een roze, tweemaal daags een gele, Stella had het de avond daarvoor telkens herhaald in haar hoofd want ze kon toch niet slapen) toen Nina zei: 'Laat mij dat maar doen. Ik wil het doen.'

Stella twijfelde. De laatste keer dat Nina het deed, moest ze ineens heftig trillen, dat deed ze wel vaker als er iets belangrijks gebeurde, en daardoor waren de pillen door de lucht gevlogen en op de vloer terechtgekomen. Stella was met haar vader op handen en voeten door de kamer gekropen om te zoeken. De pillen waren onder de tafel gerold en tussen de kieren in de vloer terechtgekomen; er zat er zelfs een in haar moeders slof.

Stella gaf het flesje aan Nina een keek gespannen toe hoe die de pillen eruit nam. Toen gaf ze haar de fles die Francesca met water had gevuld en keek hoe Nina de pillen doorslikte, die roken zoals volgens Stella buskruit moest ruiken.

'Wat is zij aan het doen?'

'Ze neemt haar medicijnen,' antwoordde Stella, maar zo snel, dat ze niet wist of Fiona of Sally de vraag had gesteld.

Sally zat vanaf het bovenste bed naar hen te kijken met toegeknepen ogen en haar handen achter haar hoofd. Zij zou het wel geweest zijn.

'Ik moet ook medicijnen innemen,' zei Fiona met een verlegen glimlach. 'Maar mevrouw Saunders bewaart ze voor mij.'

'O,' zei Stella. 'Ja ja.' Fiona's tas stond op de vloer tussen hen in, en zal vol medicijnflesjes.

Sally gleed als een slang van het bed. 'Ik ga eten,' mompelde ze.

Stella en Nina sloten als laatsten aan in de rij. Stella zette Nina's bordjes op haar dienblad, want ze had de indruk dat Nina die zelf niet kon dragen, en stelde zich voor hoe erg ze het zou vinden als ze iets zou laten vallen. Stella moest langzaam lopen, anders zou ze zelf nog iets laten vallen. Voetje voor voetje liep ze achter Nina aan, die hun bestek droeg.

Ze gingen aan het eind van een van de tafels zitten, en lieten twee stoelen leeg tussen henzelf en de andere meisjes. Meteen pakten die hun dienblad op, giechelden wat, schoven hun stoelen naar achteren en verhuisden naar een andere tafel. Fiona bleef met een rood hoofd zitten, maar ten slotte pakte ook zij haar dienblad, stond op en liep weg, zonder hen aan te kijken.

'We willen toch geen ziektes oplopen, nietwaar?' hoorde Stella Felicity zeggen.

'Dat zal niet gebeuren,' riep Stella haar toe en ze kwam half overeind. 'Ze is namelijk genezen!'

Nina fluisterde achter haar: 'Stella, niet doen. Niet doen, Stel, ga zitten.'

'Als ze beter is,' zei Felicity en ze keek haar rustig aan, 'waarom slikt ze dan nog steeds medicijnen?'

Stella keek naar Sally, dat dwergachtige wezen met haar dunne armpjes en haar vlekkerige gezicht. Ze zat naast Felicity en lachte breeduit, maar te gemaakt, al te vrolijk.

Stella draaide zich om en ging weer zitten. Ze haakte haar voet achter de stoelpoot en voelde in haar zak naar de steen die Evie zaterdag voor haar in de tuin had gevonden. 'Houd deze de hele tijd in je zak,' had Evie tegen haar gezegd. 'En als er iemand vervelend doet, houd je de steen vast en denk je aan mij.'

Stella hield de steen vast, waarvan het oppervlak glad was geschuurd door de zee, maar het lukte haar niet zich Evie voor de geest te halen in deze helverlichte eetzaal die rook naar verpieterd eten en naar te veel mensen – ze kon zich Evie absoluut niet voorstellen.

'Ik wil naar huis,' zei Nina zachtjes.

Stella dacht even na wat ze moest antwoorden. Moest ze doen alsof ze blij was? Moest ze zeggen dat alles goed zou komen? Zeggen dat ze het leuk vond hier?

'Ik ook,' zei ze.

'Denk je dat mam zou komen om ons te halen als we haar zouden bellen?'

'Nee.'

'En pap?'

Stella dacht er even over na. 'Mam zou hem tegenhouden.'

'Evie dan?'

'Ik weet het niet,' zei Stella en gleed met haar duim weer over de steen. 'Misschien wel, ja. Ik denk het wel.'

'Maar dan zou mam boos op ons worden.'

'Ja.'

Voor in de zaal stond mevrouw Saunders in een trainingspak in haar handen te klappen. 'Zo direct gaan we allemaal naar de grote zaal. Dan hebben we het over de wandeling die we morgen gaan maken naar de Feshie, de rivier. Ja?'

Stella is fanatiek aan het schoonmaken. Ze boent badkuipen met bleekpoeder, stofzuigt alsof haar leven ervan afhangt, vult de wasmachine met vuile was en laat vieze borden in het schuimende afwaswater glijden.

'Goeiemorgen,' zegt Pearl die haar van opzij aankijkt, 'jij hebt er zin in vandaag.'

Stella antwoordt niet, maar gaat gewoon door met het schrobben van de ketel, waar een zwarte vlek op zit. Ze zorgt dat ze uit de buurt blijft van Jake. En dat kost moeite genoeg. Ze is de hele dag niet in de keuken geweest, maar boven op de slaapkamers, in de spelletjeskamer of achter de bar. Halverwege de ochtend had ze zich in een douchecabine moeten verstoppen, toen hij boven was gekomen om haar te zoeken. Het is een uitgelezen gebouw om iemand te ontlopen: overal zijn hoekjes en kasten, trappetjes die achter gordijnen verstopt zijn, kamers die naar weer andere kamers leiden en luiken die toegang bieden tot de zolder. En zij kent het huis veel beter dan hij, zij kent alle hoekjes en gangetjes.

Aan het eind van de middag staat ze in de torenkamer naar hem te kijken. Hij gooit oude banken, afgebroken takken en kapotte stoelen op een vuur. Ze ruikt de geur van de verzengende vlammen, of beeldt ze zich dat in? Het vuur knettert en er komen vonken vanaf en ze ziet dat hij iets van zijn mouw af slaat. Een vroege mug? Of misschien een gloeiende vonk? Ze kijkt naar zijn gebogen nek en naar zijn schouders terwijl hij op zijn gaffel leunt.

Je moet hier weg, zegt ze tegen zichzelf. Het is tijd om te gaan. Is dat zo? Ze weet niet of ze ergens anders het leven wel aankan. Ze weet niet of ze gewoon weer zou kunnen beginnen. Zou ze dat kunnen? Ziet ze zichzelf ergens, in de een of andere stad, werken voor een radioprogramma? Ze kan zich bijna niet voorstellen dat ze ooit zo'n leven heeft geleid, dat ze dat opnieuw zou kunnen doen. Stella weet niet precies meer wat ze hier kwam doen, ze weet alleen dat ze het niet gedaan heeft, dat het niet is gebeurd. Waarom zou ze zich laten verjagen door een kerel? Krijg de kolere, denkt ze terwijl ze wegloopt en probeert te vergeten dat haar hart gebroken is.

Die avond vindt ze een opgevouwen stukje papier dat onder de deur door is geschoven.

Stella

Je ontloopt me, ik weet het, en ik moet zeggen dat je daar aardig goed in bent. Waar heb je geleerd om zo meedogenloos te zijn?
Ik moet met je praten. Als ik de komende uren niet de kans krijg om uit te leggen wat er aan de hand is, word ik gek. Mijn welzijn is in jouw handen. Kom naar mijn schuur. Nu. Alsjeblieft.

Jake x

Hij heeft een ander handschrift dan ze had gedacht. Ze kijkt naar de manier waarop hij zijn naam heeft geschreven: de J staat hoger dan de K. Dat ene kusje. Stella leest het briefje tweemaal over, maakt er dan een prop van en gooit die in de vuilnisbak.

Een paar minuten later komt ze haar slaapkamer uit en kijkt in de vuilnisbak. Ze haalt de prop er weer uit en strijkt het papiertje glad tegen de muur. Ze stopt het in haar zak.

Ze loopt door de smalle gang met het lage plafond in het oudste gedeelte van het huis naar de meest afgelegen kamer, waar ze de lakens moet verschonen.

Ineens springt er onaangekondigd iets te voorschijn uit een nis waar een hertenkop aan de muur hangt, en ze wordt stevig vastgepakt. Stella geeft een gil en valt half over een tafel, waardoor er een porseleinen vaas op de grond valt. Ze wordt van achteren vastgehouden door een arm die zich stevig rond haar middel klemt. Ze ziet Jake niet, maar ze herkent hem wel, aan zijn geur, aan zijn stevige lichaam.

Ze probeert zich om te draaien, schopt in het rond en probeert zich te bevrijden. 'Wat doe je, man!' gilt ze. 'Laat me los.'

Ze voelt dat ze met haar voeten van de grond wordt getild en in de richting wordt gedragen waar ze net vandaan kwam.

'Jake.' Ze slaat hem op zijn armen en is nu echt boos. 'Zet me neer!' Ze balt haar vuisten en probeert hem te raken. 'Jake!'

'Hou op met dat geschreeuw, ja?' zegt hij vlak bij haar oor terwijl hij struikelend de gang door loopt. Stella ziet het zich herhalende patroon van het behang langs hen heen glijden. Ze wordt er duizelig van. 'Ik word nog doof van je.'

Ze komen bij de deur van de linnenkast, die Jake openschopt. Stella grijpt de deurklink terwijl ze naar binnen gaan en houdt die stevig vast, zodat ze niet verder kunnen.

'Godsamme,' mompelt Jake en hij trekt aan haar vingers, 'jij bent echt de meest onuitstaanbare vrouw van de hele wereld, wist je dat?' Hij slaagt erin haar vingers los te maken, slaat de deur achter zich dicht en laat haar dan los.

Zodra ze staat, werpt Stella zich voorover in een poging bij de deur te komen terwijl ze iets onverstaanbaars gromt. Maar daar staat Jake. Hij grijpt haar, houdt haar polsen met een hand vast en doet met de andere de deur op slot. 'Het is dus echt waar wat ze zeggen over de vurigheid van Italiaanse vrouwen,' zegt hij terwijl hij de sleutel uit het slot haalt. 'En die van de Kelten. Jezus, wat een combinatie.'

Stella stompt hem hard op zijn arm. 'Laat me eruit.'

'Nee.'

'Laat me eruit!' gilt ze woedend.

Hij schudt zijn hoofd.

'Geef me die sleutel, Jake.' Ze houdt haar hand op. 'Geef me nu die sleutel, of ik ga gillen.'

'Gil maar,' zegt hij. 'Er is toch niemand. Mevrouw Draper is naar de supermarkt en Pearl is al weg.' Hij laat de sleutel in een van de zakken aan de voorkant van zijn broek glijden, vlak bij zijn kruis. 'Als je hem wilt hebben, dan kom je hem maar halen.'

Stella schopt tegen een stapel lakens, die op de grond valt. 'God,' fluistert ze tussen haar tanden, 'ik haat je, ik haat je, Jake Kil...'

'Goed. Genoeg daarover. Ik heb geprobeerd als een gewoon mens met je te praten, maar dat kon jij niet. Ik heb je geschreven dat ik bijna gek werd, maar dat interesseerde je niet. Goed. Wanhopige omstandigheden vragen om wanhopige maatregelen. En dit' – hij zwaait met zijn armen en wijst op de stapels handdoeken, tafelkleden, lakens en kussenslopen – 'was mijn enige mogelijkheid.'

Stella staat met gebalde vuisten voor hem. 'Als je denkt dat ik, door me te ontvoeren en op te sluiten in een linnenkast, zal vergeten wat voor slappe klootzak jij bent, dan...'

Jake lacht haar toe. 'Slappe klootzak. Die is aardig. Maar luister...'

'Nee,' onderbreekt Stella hem, 'luister jij maar eens naar mij. Ik ben niet het soort vrouw dat het met getrouwde mannen aanlegt, begrijp je? En als je ook maar denkt dat je mij daarover van mening kunt doen veranderen, dan...'

'Ze lag op sterven, Stella.' Hij zegt het heel rustig en bedachtzaam. Ze hoort hem bijna niet, maar toch neemt ze de woorden in zich op, en die brengen haar tot zwijgen. 'En ik was erbij.'

Stella fronst haar wenkbrauwen. Ze staan zo dicht bij elkaar dat hij de donkere irissen van haar ogen groter ziet worden, als het diafragma van een camera.

'Hoe bedoel je?'

Jake haalt zijn hand door zijn haar. 'Er was iets... Er gebeurde iets... in Hongkong. Een paar maanden geleden. Tijdens het Chinese nieuwjaar.' Hij ademt in en slaakt een zucht. Hij heeft hier tijdenlang met niemand over gesproken, en hij heeft het nooit helemaal vanaf het begin hoeven te vertellen. 'Misschien is het hier ook in het nieuws geweest, ik weet het niet. Het was...'

'Dat ongeluk met die mensen die elkaar dooddrukten?' zegt Stella.

Hij kijkt haar aan. 'Ja. Hoe weet jij...'

Ze doet een stap achteruit. 'Ik heb erover gelezen in de krant.'

'Goed.' Hij haalt nog eens diep adem. Deze zinnen lijken meer zuurstof te eisen dan gewone zinnen. 'Ik was daar... en zij ook. Haar vriendin, haar beste vriendin, ging dood. Kwam om het leven, bedoel ik. En Mel... Mel was zwaargewond. En toen lag ze op een bed op de intensive care en toen zei ze tegen me dat...' Jake wrijft met zijn hand over zijn gezicht. 'Het lijkt raar om het zo te zeggen, maar ze zei dat ze niet wilde doodgaan zonder... met mij getrouwd te zijn.'

Stella kijkt hem aan. Vraagt ze zich af of hij de waarheid spreekt? Hij weet het niet zeker.

'En dus ben je met haar getrouwd,' zegt ze.

'Ja. Die avond. Het was allemaal... onwerkelijk. Ik kwam net uit dat vreselijke, helse... gedoe, iets waarvan je je helemaal niet kunt voorstellen dat het gebeurt, laat staan dat het je zelf overkomt, en ik had mijn arm gebroken, en dat meisje met wie ik een paar maanden omging, lag op sterven en... ik wist dat ik niet van haar hield, maar de artsen zeiden allemaal dat ze de ochtend niet zou halen en...'

'Maar dat deed ze wel.'

'Ja.' Jake knikt. 'Dat deed ze wel. En toen was ik ineens getrouwd met dat meisje, dat ik eigenlijk nauwelijks kende. Ik bracht haar terug naar haar ouders... en daarom ben ik hier, in dit land, en...' Ineens voelt hij zich leeg vanbinnen. 'En dat was het. Het verhaal van mijn... van mijn huwelijk. Mijn zogenaamde huwelijk.'

Ze zegt niets maar kijkt hem nog steeds aan. 'Hoe gaat het nu met haar?' vraagt ze ten slotte.

'Het gaat goed,' zegt hij. 'Beter. Veel beter. Ze wordt weer helemaal beter. Ik wilde je dit vertellen, zodat je het zou begrijpen... Zodat je zou begrijpen dat ik niet...' Hij schudt zijn hoofd en probeert te zeggen wat hij haar wil zeggen. 'Ik ben niet zo iemand die het met een ander aanlegt terwijl hij getrouwd is.'

'En toch is dat gebeurd,' houdt ze vol. 'Dat is precies wat je hebt gedaan.'

'Ja, dat weet ik, ik...'

'Terwijl je getrouwd bent met iemand die ernstig ziek is.'

'Ja, ja.' Jake slaakt een zucht. 'Ik weet het. En ik kan je nauwelijks duidelijk maken hoezeer me dat spijt.' Ineens beseft hij hoe dat moet klinken, en snel voegt hij eraan toe: 'Dat ik het je niet eerder heb verteld, bedoel ik. Over mijn omstandigheden. Daar heb ik spijt van. Niet... niet van wat er is gebeurd.' Hij kijkt haar met een kalme blik aan. 'Daar heb ik absoluut geen spijt van.'

Stella lijkt een bijzondere belangstelling voor de patronen op het tapijt te hebben ontwikkeld.

'Ik ben niet echt getrouwd,' houdt hij vol. 'Dat moet je begrijpen. Niet echt. Ik bedoel: officieel wel, en wettelijk, maar niet in de zin dat ik ook maar een beetje...'

'Weet Mel hoe je erover denkt?' onderbreekt Stella hem, terwijl ze haar armen als kettingen om haar lichaam heeft geslagen.

Jake drukt zijn lippen op elkaar. Hij is tot zwijgen gebracht. Hoe komt het toch dat vrouwen het altijd weer voor elkaar krijgen de vinger op de zere plek te leggen? Om het zwakke punt genadeloos bloot te leggen? Hoe krijgen ze het voor elkaar?

'Hmmm.' Hij probeert tijd te winnen. 'Niet echt. Ik bedoel...'

'Niet echt?' vraagt ze.

'Nou,' hij besluit de waarheid te vertellen, 'nee. Nee, dat weet ze niet.'

'Goed.' Stella steekt haar hand uit. 'De sleutel. Geef maar hier.'

Jake beweegt zich niet.

'Jake! Geef me die verdomde sleutel.'

'Nee,' zegt hij, bijna kinderlijk. 'Dat wil ik niet, ik wil...'

'Het kan me geen hol schelen wat jij wilt.' Ze springt op hem af, en even blijft Jake stokstijf staan omdat hij haar borsten tegen zich aan voelt, dwars door hun kleren heen. 'Misschien vind jij niet dat je getrouwd bent, maar als degene met wie je getrouwd bent dat wel vindt, dan ben je getrouwd.'

Ze beginnen een worsteling. Stella probeert haar hand in zijn zak te wringen, maar hij duwt haar pols weg.

'Misschien heb je gelijk,' zegt hij en hij voelt de warmte die van haar afstraalt, 'maar...'

'Geen gemaar,' zegt ze. 'Als jij denkt dat ik ook maar iets met jou te maken wil hebben terwijl jij een vrouw hebt, sterker nog een zieke vrouw, dan...' ze heeft haar vingers nu in zijn zak '...Dan heb je het mis.' Hij voelt dat haar hand diep in zijn broekzak glijdt en kreunt onwillekeurig. Triomfantelijk en woedend tegelijk haalt ze de sleutel eruit. 'Goorlap,' fluistert ze.

'Goed,' zegt hij terwijl ze de sleutel in het sleutelgat stopt. 'Goed. Je hebt gelijk. Natuurlijk heb je gelijk. Ik zal het rechtzetten. Dat beloof ik je. Ik zal met Mel gaan praten.'

Haar ogen schitteren als ze hem aankijkt. 'Voor mij hoef je niets te doen.' Het slot maakt een klikkend geluid en ze duwt de deur open. 'Goorlap,' zegt ze nog eens terwijl ze de gang oploopt.

Als ze op het perron van Waverley Station op hem af komt lopen, vermoedt Jake dat ze al weet dat er iets mis is. Dat moet haast wel.

Maar misschien ook niet. Ze wuift, met haar hand hoog in de lucht en een brede lach op haar gezicht. Ze heeft een tijdschrift in haar hand en ziet er uitgelaten en hoopvol uit. Hij is zich ervan bewust dat hij zo direct iets wreeds gaat doen, en het is of hij dat niet kan verkroppen.

Hij had haar gebeld en gezegd dat hij haar moest spreken, dat hij wel naar Norfolk zou komen. Maar zij had voorgesteld een weekeinde in Edinburgh door te brengen. Ze voelde zich veel sterker en had wel zin om naar die stad te komen, het was daar zo mooi, ze zouden een lekker weekeinde samen hebben.

Ze gooit haar armen om zijn nek en kust hem op zijn mond, op zijn wangen in zijn nek. Hij kan zijn armen niet om haar heen slaan, maar dat moet wel, en voortdurend probeert ze sporen van zichzelf op hem achter te laten: haar speeksel, haar lippen. Jake moet zijn best doen om niet terug te deinzen.

Ze gaan naar een café in een zijstraatje bij het station. Hij bestelt voor haar een kop koffie en een geel, driehoekig koekje met suiker erop. *Petticoat shortbread* heten die dingen, vertelt ze hem terwijl ze een slokje koffie neemt, naar de folders in een krantenrek kijkt, naar de mensen die een galerie naast het café binnengaan, en naar een kindje dat bij het raam zit en met een rietje limonade drinkt.

'Mel,' zegt Jake. Hij moet het vertellen, maar hij heeft geen idee hoe hij moet beginnen. Hoe zeg je zoiets?

Ze zet haar kopje neer. Kijkt hem aan. Hij ziet dat ze zijn gezicht bestudeert alsof ze zich aan hem wil binden. Zonder dat hij het wil, ziet hij ineens Stella voor zich. Stella die met één hand een ei breekt en de inhoud in een bak meel doet, geconcentreerd, en met voorovergebogen hoofd. Hij is in Edinburgh, de stad van Stella.

Jake strengelt onder de tafel zijn vingers ineen. 'Ik wilde je vandaag ontmoeten omdat...'

'We kunnen straks wel naar de galerie gaan, als je dat wilt,' zegt Mel snel en Jake ziet even iets van paniek in haar ogen, als een bliksemflits. 'Dat vind je toch leuk?'

'Er is iets wat ik je moet...'

'Of naar het kasteel!' roept ze uit. Ze leunt voorover om zijn arm te pakken. 'Daar ben ik jaren niet meer geweest. Dat zou leuk zijn, vind je niet?' Ze smeekt nu bijna. Er verschijnen rimpels op haar gezicht, alsof ze moet huilen.

'Mel, ik kan niet met je trouwen.' Hij zegt het heel rustig. Hij legt zijn hand op de hare. Hij zegt dat het hem spijt. Ergens achter hem stapelt een serveerster kopjes op een dienblad. Er wordt een deur dichtgeslagen en er lopen twee mannen voorbij, die iets zeggen over een verloren buskaartje.

Ze kijkt naar opzij en dan naar beneden, naar de lege stoel die naast hun tafel staat. 'Maar we zijn al getrouwd,' zegt ze.

'Dat weet ik.' Hij staart naar de ring die ze draagt sinds die nacht in het ziekenhuis. Hij beseft ineens dat hij geen idee heeft waar dat ding vandaan kwam. Iemand – een van de verpleegsters, misschien – heeft hem gebracht en hij heeft daar nooit eerder over nagedacht. 'Wat ik bedoel is,' zegt hij, 'dat ik niet met je getrouwd kan zijn.'

Ze trekt haar hand onder de zijne vandaan. Bijna meteen springen de tranen in haar ogen, alsof ze achter haar oogleden zaten te wachten. Ze stromen over haar wangen en ze veegt ze snel af met haar servet – met afgewend gezicht, alsof ze zich schaamt.

'Alsjeblieft, Mel,' zegt Jake geschrokken, 'niet huilen, alsjeblieft.'

Hij schuift haar haren uit haar gezicht en drukt zijn hoofd tegen het hare. Ze trekt haar hoofd niet terug. Mensen beginnen nu naar hen te kijken, wenden hun gezicht af en stoten hun tafelgenoten aan.

'Het spijt me,' fluistert hij. 'Het is nooit… het is nooit mijn bedoeling geweest dat dit zou gebeuren… dat ik je zo veel pijn zou doen. Het is gewoon…'

'Mag ik je iets vragen?' Haar stem trilt een beetje.

'Natuurlijk. Alles.' Hij ziet dat ze haar handen samenknijpt en haar nagels in het vlees rond haar knokkels drukt.

'Houd jij…' De tranen stromen weer over haar wangen en met een boos gebaar veegt ze ze van haar gezicht. 'Hield jij…' zegt ze, '…hield jij van mij?'

Jake zwijgt. Dit gesprek woelt om hem heen als een gevaarlijke draaikolk in een rivier. Wat moet hij zeggen? Hij weet dat je soms maar beter niet de waarheid kunt zeggen. Is het onder deze omstandigheden niet het beste toch maar een leugen te vertellen, of een halve leugen? Hij weet het niet.

'Nou? Dat wil ik weten.' Ze lacht even naar hem, door haar tranen heen.

Jake kijkt naar het teakhouten tafelblad onder hem. 'Ik hield van je, ja,' zegt hij voorzichtig, 'in het begin. In ieder geval dacht ik dat ik dat kon.' Hij kijkt haar aan, ziet haar rode ogen, haar gezicht vol strepen, en hij ziet dat ze trilt in een poging om niet opnieuw in huilen uit te barsten. 'Je moet weten dat het allemaal zo nieuw was in de tijd dat... Nou ja, toen, toen met het Chinese nieuwjaar. Ons is toen zoiets enorms overkomen dat het... dat het een soort...' Jake begint te stotteren. 'Het is niet zo dat ik niets voor je voel, en het is ook niet zo dat ik spijt heb van wat... van wat we die nacht hebben gedaan. Ik bedoel: ik zou hetzelfde weer doen als... als...'

'Als ik doodging in een ziekenhuisbed,' vult ze aan. 'Dankjewel.'

'Nee,' zegt hij. 'Nee, nee. Dat is het niet. Mel, je moet niet denken dat ik dat heb gedaan uit medelijden of... of...'

'Wat ga je nu doen?' Ze leunt achterover in haar stoel en kijkt hem met half toegeknepen ogen aan. Ze speelt met haar servet, scheurt het langzaam in stukken.

'Wanneer? Vanmiddag?'

'Ik bedoel in het algemeen. Ga je terug naar Hongkong?'

'Nee. Ik ga terug naar...'

'Naar dat hotel?'

'Ja.'

Het is even stil. Ze kijkt hem aan, bestudeert zijn gezicht en denkt diep na. Jake raakt in verwarring. Hij wordt in verlegenheid gebracht doordat ze ineens veranderd lijkt te zijn.

'Waarom vraag je...'

'Je hebt iemand anders ontmoet,' zegt ze. Ze spreekt de zin met een merkwaardige nauwkeurigheid uit.

Opnieuw doemt in zijn hoofd het beeld van Stella op – hoe ze met haar vingers door zijn haren strijkt.

'Nee,' liegt hij. 'Nee, hoe kom je erbij.'

'Toch wel.'

'Niet waar.'

'Wel waar.' Mel leunt over de tafel met een van verdriet vertrokken gezicht. 'Het is dat meisje dat de telefoon opnam, toch? Ik zie het gewoon. Het staat op je voorhoofd geschreven. Jij... jij klootzak.'

Hij ziet niet eens dat ze haar arm terugtrekt. Het enige waarvan hij zich bewust is, is dat haar hand zijn gezicht raakt, dat zijn hoofd opzijvalt, op zijn schouder, en dat hij een vlammende pijn op zijn wang voelt.

'Jezus, Mel,' zegt hij terwijl hij met zijn hand over zijn wang strijkt, en het verbaast hem dat zijn stem zo vriendelijk klinkt. 'Waarom doe je dat?' Hij gaat met zijn tong door zijn mond om te voelen of een van zijn tanden loszit. Nee. Maar als hij naar zijn vingers kijkt, ziet hij dat ze onder de bloedvlekken zitten. Ze moet hem met een van haar ringen hebben geraakt.

'Jij bent een klootzak,' roept ze uit, 'een totale, walgelijke klootzak. Al die onzin die je me verteld hebt. Dat je Schotland wilde zien. Maar alles wat jij wilde, was...' Mel staat zo gehaast op dat haar stoel achter haar op de grond valt.

'Nee, nee,' protesteert hij nog, maar zijn mond voelt verdoofd en rubberachtig.

Ze pakt haar jas van een stoelleuning en beent het café uit, terwijl Jake bij de tafel blijft staan en krampachtig zijn wang vasthoudt.

Stella is buiten, tussen de kantelen. Ze ligt op haar buik, in de luwte van een schoorsteenpijp. Er is een brandtrap die hier naartoe leidt via de zolder. Zij is de enige die hier wel eens komt. Ze is dol op de puntige tanden van de kantelen, het door de zon verwarmde lood, de wind die de Schotse vlag doet wapperen en klapperen, en die haar niet deert als ze plat blijft liggen. En alles wat er zich beneden op de grond afspeelt – de voor het hotel in een rij geparkeerde auto's, de mensen die daaruit stappen, Pearl die over het gras loopt – ziet er piepklein uit, alsof ze alles en iedereen in haar handen zou kunnen nemen.

Het is het eind van de middag – bijna tijd voor haar dienst, en bijna de tijd waarop Jake zou terugkomen. Maar misschien ook niet. Misschien moet hij wel langer blijven. Misschien besluit hij...

Stella kijkt meteen weer in haar boek en leest een alinea. Ze stopt, en leest de alinea nog eens. En nog eens. Ze pakt het briefje van Jake dat ze vanmorgen aantrof in de zak van het schort dat ze altijd draagt tijdens het ontbijt, en dat ze nu als boekenlegger gebruikt. Ze hoeft het eigenlijk niet meer te bekijken want ze kent het uit haar hoofd: 'Ben naar Mel. Ik ben vanavond terug. Zorg dat je er klaar voor bent.'

Ze slaat het boek met een klap dicht en zucht. Ze moet voortdurend aan hem denken. Niet op een opbouwende, intelligente, samenhangende manier. Wat ze ook doet, of waar ze ook aan zou moeten denken, haar gedachten dwalen telkens af en steeds weer denkt ze: Jake, Jake, aldoor maar weer. Zoals ze voor hem is gevallen, is ze nog nooit voor iemand gevallen. Het lijkt wel of ze ziek is, of ze anders, zwakker is. Hij berooft haar van zichzelf en maakt dat ze in een staat van verdoving leeft, van verdwazing, van Jakeheid.

Dat is belachelijk, besluit Stella. Hoe kan dat zo snel gebeurd zijn? En hoe kan het dat ze alleen nog maar stompzinnige, idiote dingen kan denken? Dit is nog nooit eerder gebeurd. Het zou niet moeten mogen, denkt ze, en dan hoort ze in de verte een auto aankomen. Een taxi, misschien? Van het station?

Stella gaat op haar hurken zitten, leunt tegen een van de kantelen en kijkt langs de rij bomen, waar de auto zou moeten verschijnen. De motor loeit. Stella meent dat ze iets roods tussen de stammen ziet, maar ze weet het niet zeker. Het is Jake, zegt een stemmetje in haar, het is hem, hij is er. Is ze er klaar voor? Ze weet het niet. Klaar waarvoor?

Dan komt de auto ineens te voorschijn. Hij rijdt hard – een beetje te hard met al die bochten in het pad. Ze ziet het grind opspatten. Stella kent de auto, ze herkent hem, maar doordat ze zo met Jake bezig is, duurt het even voor het tot haar doordringt. Er zit maar één persoon in.

Stella knippert met haar ogen en bedenkt hoe gemakkelijk het is de wereld te ontkennen door je ogen gewoon dicht te doen. Ze kijkt naar beneden en de grond onder haar lijkt kilometers ver weg, alsof ze een satellietbeeld van een andere planeet ziet.

Dit was onvermijdelijk, dat begrijpt ze nu ook wel. Onvermijdelijk. Maar ze had gedacht dat ze hier veilig was, verborgen voor de rest van de wereld, ze dacht dat niemand haar hier zou kunnen lastigvallen. Ze draait zich om, gaat op haar knieën zitten en kruipt achter de kantelen.

Jake loopt snel de trap aan de achterkant van het huis op. Door de hal zou sneller zijn, maar hij weet dat mevrouw Draper het niet prettig vindt als het personeel de kortere route voorlangs neemt. Het is nog vroeg, even voor zessen. Stella zal wel in de keuken zijn, om de groenten te wassen en te snijden die de kok vanavond nodig heeft. Misschien treft hij haar alleen aan. Misschien kan hij haar het voorraadhok weer in trekken.

Jake komt de keuken binnen en grinnikt. Daardoor begint zijn gewonde mond wel te kloppen en te steken, maar toch blijft hij lachen. Goed, hij kan dan geen echtscheidingsformulieren laten zien, maar hij weet wel zeker dat ze...

Hij bevriest. Voor hem staat een kleinere uitvoering van Stella, met een scherper gezicht, en in de ogen de blik van iemand die hem niet herkent.

'Hallo, Jake.'

Dan kijkt hij naar rechts en ziet Stella achter de tafel staan, de echte Stella, zijn Stella. Ze heeft iets geheimzinnigs, iets gejaagds in haar blik. Haar gezicht ziet er gespannen uit en ze heeft rode wangen. Ze wijst op de vrouw. 'Jake, dit is mijn zus, Nina.'

Ze pakt zijn hand, maar hij heeft nauwelijks oog voor Nina. Gedurende een paar seconden is het stil.

Dan zegt Nina: 'Ik kom op bezoek.'

Jake knikt. Er is iets raars met die zusjes, ze hebben iets gemeenschappelijks, iets geheimzinnigs, als het onhoorbare gekrijs van een vleermuis, en even fijn, broos en vervlochten als gesponnen suiker. Hij zou bijna zijn neus in de lucht steken om de geur op te snuiven en er zeker van te zijn dat het klopt wat hij denkt.

'Alleen vanavond hoor. Hoewel,' ze draait zich om naar Stella, 'misschien blijf ik wel langer. Ik weet het nog niet.'

'Moet je niet terug om te werken?' zegt Stella stijfjes. Ze heeft haar hand, die op de tafel ligt, tot een vuist gebald, valt hem op.

'Nee.' Nina lacht en bekijkt Jake van top tot teen. 'Dat is het voordeel van freelance werk. En wat doe jij hier?'

'Ik... eh... Heel veel verschillende dingen. Onderhoud, de tuin omspitten, dat soort dingen. Stella?'

'Dat klinkt allemaal erg mannelijk,' zegt Nina terwijl Stella haar ogen naar hem opslaat.

'Heb je even?' Jake heeft de indruk dat hij uit elkaar barst als hij nu niet onder vier ogen met haar kan praten.

'Ja.' Stella kijkt op haar horloge en wendt dan haar blik tot Nina. 'Ik geloof het wel. Ik moet alleen even...'

Op dat moment komt de kok de keuken binnengestormd. Hij kijkt hen één voor één aan.

'Wat is er hier verdomme gaande?' gromt hij. 'Een feestje of zo?'

Ze deinzen allemaal achteruit.

'Leuk voor jullie om hier een beetje te ouwehoeren, maar we hebben vanavond achttien mensen aan het diner en als die groenten niet binnen, laten we zeggen, tien seconden op de bakplaat liggen, zit jij in de stront. En jullie tweeën' – met een pollepel wijst hij eerst op Jake, en dan op Nina – 'donderen op. Ik begrijp niet wat jullie uitgerekend op dit moment in mijn keuken moeten.' Hij kijkt Nina nog eens aan. 'Jou ken ik niet eens.'

Stella rolt met haar ogen. 'Goed, goed, Jake,' zegt ze en ze draait zich naar hem om, zodat hij slechts met moeite kan voorkomen dat hij zijn hand naar haar uitstrekt, 'kun jij Nina even laten zien waar de caravan staat? Nina, ik kom bij je zodra ik de kans krijg, en anders kom ik tegen tienen, want ik moet...' Ze zwijgt abrupt en kijkt met gefronste wenkbrauwen naar Jake. 'Wat is er met jouw gezicht gebeurd?'

Hij haalt zijn schouders op en grinnikt. 'Dat vertel ik je later wel.'

'Mijn god,' zegt Nina die naar iets in haar tas zoekt terwijl ze via de achterdeur naar buiten lopen. 'Is hij altijd zo vriendelijk?'

'Wie?'

'De kok.'

'O. De kok. Ja,' zegt Jake. 'Zo is die man nu eenmaal.'

Ze lopen door de tuin en Nina steekt een sigaret tussen haar lippen. Bij het begin van het bospad staat ze even stil, alsof ze ergens op wacht. Ze kijkt hem aan met die hem zo bekende ogen. 'Heb je een vuurtje?' vraagt ze.

'Nee.'

Ze zoekt weer in haar tas en haalt een doosje lucifers te voorschijn. Ze gaat uit de wind staan en strijkt een lucifer af. 'Groot hotel,' zegt ze, haar hand beschermend om het vlammetje. 'Erg chic, ook.'

'Ja, zeker.'

'Ben je hier al lang?'

'Een paar weken.'

'Niet zo lang als Stella, dus.'

'Nee.' Jake steekt zijn vinger uit. 'De caravan staat daar. Ik loop wel even met je mee, want je kunt hem vanaf hier niet zien.'

Ze lopen door. Nina blaast de lucifer uit en werpt die tussen de bemoste stenen. Het valt Jake op dat ze vreemd loopt, alsof ze het heeft geleerd door diagrammen in een boek te bestuderen.

'Waar ligt de rivier?' vraagt ze ineens.

'Eh…' Jake moet daar even over nadenken. 'Die kant op.' Hij wijst op een punt achter de caravan.

Nina neemt een trekje van haar sigaret. 'Hoe ver is dat?'

'Een kilometer, denk ik. Minder nog, misschien.'

Daarop schudt ze haar hoofd.

'Ken je de omgeving?' vraagt Jake.

'Een beetje. Nee.'

'Een beetje nee?'

Ze lacht even. 'Een beetje ja.'

Het is even stil. Jake wacht tot ze zich nader verklaart. Hij weet niet hoe het komt, maar hij heeft het idee dat ze zojuist iets heeft aangestipt waar hij al tijdenlang meer over wil weten.

'We zijn hier een keer geweest,' zegt ze en Jake merkt op dat hij elke lettergreep in zich opneemt, alsof hij bang is dat hij iets zal missen. Maar terwijl ze dat zegt, lijkt ze te verstrakken. Ze werpt haar hoofd in haar nek, alsof ze iets van zich wil afschudden. 'Ik heb net een flinke ruzie met mijn echtgenoot gehad,' bekent ze.

'O.' Jake verbaast zich over die bekentenis. Dan begint hij te lachen. 'Ik ook, trouwens. Niet met mijn echtgenoot natuurlijk, maar met mijn…'

'Echtgenote?' vult Nina aan.

Het is een eenvoudig verhaaltje, bijna als het begin van een sprookje. Twee zussen lopen langs een rivier. Ze lopen hand in hand en dragen jurkjes die bij elkaar passen. Het pad kronkelt zich over de oever. De rivier zelf is donker en diep, en het water stroomt snel. Tijdens de wandeling zien ze dat er tekenen zijn die erop wijzen dat het water wel eens hoger heeft gestaan, dat de oever en het pad overstroomd zijn geweest. Maar op dat moment kunnen ze gewoon doorlopen; ze houden elkaars hand vast.

Het bos waarin ze lopen, ademt en zucht. Ze zijn achtergelaten door de mensen met wie ze op weg gingen. De langste van de twee, die trouwens niet de oudste is, helpt haar kleinere zus als het pad steiler en de bosgrond glibberiger wordt, er meer rotsen liggen. Ze weten niet wat er voor hen zal opdoemen, maar ze beginnen het zo langzamerhand te begrijpen. In de verte horen ze gebulder en geraas, en de rivier wordt smaller.

De langste en jongste zus pakt een steen van de grond en gooit hem met een boog de rivier in. Ze horen een plons en het water spat op.

'Hoorde je dat?' zei ze zonder rond te kijken.

'Wat?'

'Een echo. Luister.' Ze bukt zich om nog een steen te pakken, maar ditmaal vliegt het projectiel een stuk langer door de lucht en komt terecht in een veel langzamer stromend, dieper gedeelte – zonder plons.

Niet ver daarvandaan, op een parallel punt in de geschiedenis, staat diezelfde zus in een warme, dampige keuken worteltjes schoon te maken, en gooit die in een stalen bak. Ze snijdt een wortel en gooit hem erin, snijdt een wortel en gooit hem erin, en wrijft met haar vuist over haar voorhoofd; en op datzelfde moment klopt de andere zus op de lage, houten deur van een oude rommelschuur, met in haar hand een gestolen fles wodka.

Jake was er zo zeker van dat Stella op zijn deur klopte dat hij opnieuw schrikt van het gezicht van haar zus.

'O,' zegt hij en hij blijft stilstaan. Op een vreemde manier lijkt ze op Stella, maar eigenlijk ook helemaal niet. 'Hallo.'

'Hallo.' Ze lacht haar tanden bloot.

'Heb je… Kon je de caravan niet vinden?'

'Jawel.' Ze knikt. 'Ik heb hem gevonden.'

'Mooi.'

'Wat ben je aan het doen?' vraagt ze terwijl ze langs hem heen de kamer in probeert te kijken.

'Ik?' Jake voelt ineens dat hij moet oppassen. Wat doet ze hier? Heeft hij niet net nog afscheid van haar genomen? 'Niet zoveel. Nou ja, eigenlijk zat ik te wachten op…'

'Vind je het erg als ik binnenkom?'

'Nou, je moet weten dat…'

'Ik vind die caravan maar niks. Een beetje eng.'

'Ja.'

'Dat rare bos.' Ze huivert, Stella's zus, op zijn drempel. 'Ik begrijp niet hoe Stella het kan uithouden. Ik kom gewoon even bij jou zitten. Als je het niet erg vindt.'

Er schiet door zijn hoofd wat er zou gebeuren als hij Stella's zus niet binnenliet. Wat zou Stella daarvan vinden? 'Goed,' zegt hij toegeeflijk. 'Natuurlijk.'

Hij stapt opzij en Nina komt zijn kamer binnen. Ze loopt naar zijn bed, gaat zitten en schopt haar schoenen uit. 'Kijk, dit heb ik meegenomen.' Ze houdt een fles met kleurloze drank omhoog.

Stella laat een dienblad vol glazen vallen als ze door de eetzaal loopt. Ze weet niet waarom. Het blad lijkt van haar hand te glijden, alsof ze niet in evenwicht was, alsof haar ene arm minder sterk is dan haar andere.

De glazen vallen kapot in duizenden kleine splinters. Ze pakt een stoffer en blik en veegt langs afkeurende voeten. Dan draagt ze het blik vol splinters naar de keuken.

Ze vindt het maar vreemd, die transformatie. Twee minuten geleden waren het nog wijnglazen, nu zijn het kleine stukjes doorzichtig glas, die je in een krant weg moet gooien.

'Het probleem met Richard is,' zegt Nina en ze raakt hem aan met de hand die een brandende sigaret vasthoudt. Jake houdt niet van sigaretten. Waarom laat hij haar roken in zijn kamer? Hij herinnert zich niet dat hij daar toestemming voor heeft gegeven.

'Waar was ik gebleven?' Ze kijkt hem doordringend aan. Ze zit vlak bij hem, ineengedoken op zijn bed. Hij ruikt de geur van nicotine en wodka om haar heen.

'Richard,' zegt Jake. Hij moet opstaan. Het is hier ontzettend benauwd. Misschien moet hij de deur openzetten, zodat er frisse lucht naar binnen kan waaien. Hij schuift van haar weg naar de rand van het bed. Nina, die tegen zijn schouder geleund zat, valt voorover op het matras en begint te lachen.

Jake staat op, en pas dan heeft hij in de gaten hoe dronken hij is. De schuur draait om hem heen en zijn hoofd voelt dik en massief. Hoe kan hij nu dronken zijn? Verbaasd kijkt hij naar de wodkafles die op zijn nachtkastje staat. Halfvol. Dan herinnert hij zich dat Nina joints heeft gedraaid. Hoeveel waren dat er? Ze heeft hem over Mel gevraagd, en intussen kruimelde ze de hasj op de tabak. De joints waren krachtiger dan hij gewend was, veel krachtiger.

Glas is toch van zand gemaakt? denkt Stella terwijl ze het dessert voor een gezin uit Glasgow opneemt. Ook al zo'n vreemde transformatie. Ze ademt diep in en probeert zich te concentreren op hetgeen de vrouw aan de tafel tegen haar zegt – iets over een allergie voor melkproducten. Blijf geconcentreerd, zegt ze tegen zichzelf, in ieder geval nu.

Het lijkt erop dat hij weer op het bed ligt. Met zijn hoofd op een kussen, dat in ieder geval, en boven hem ziet hij het plafond. Nina's stem kabbelt maar door, als een rivier. Ze heeft het over haar werk, over de mensen met wie ze werkt, over de patiënten die ze bezoekt, hoe raar het is om hier terug te zijn, dat alles er nog hetzelfde uitziet, en daartussendoor vertelt ze van alles over haar flat.

Jake zou het allerliefst gaan slapen nu. Zijn gezicht doet pijn op de plek waar Mel hem heeft geslagen. Aldoor lijkt hij weg te zinken, maar telkens wordt hij daarvan weerhouden. Ergens is hij zich ervan bewust dat hij iets belangrijks moest doen. Iets zeer belangrijks. Maar op dit moment herinnert hij zich niet wat het was. Het enige wat hij weet, is dat hij daardoor niet kan slapen.

Het is avond en Stella rent door het bos. In haar hand heeft ze een zaklantaarn, waarvan de lichtstraal heen en weer zwenkt. Ze kent de weg, maar toch is ze bang.

De caravan is leeg en koud, de lichten zijn uit. Ze loopt om het grijzige hotel heen en komt op de parkeerplaats. Is ze weggegaan zonder iets te zeggen? Nee. Nina's auto staat er nog.

Stella draait zich om. Waar kan ze zijn? Ze is niet in het hotel, want daar komt Stella net vandaan. Is ze gaan wandelen? Maar Nina zou nooit op dit moment van de avond alleen naar buiten gaan. Ze heeft een hekel aan duisternis.

Stella zou haar naam zo hard mogelijk willen schreeuwen. Hoe kan ze nu ineens verdwenen zijn? Ze heeft haar zus maandenlang ontweken, maar nu zou ze er alles voor overhebben om haar te zien.

Ze moet ergens zijn, redeneert Stella. Ze loopt langs de andere kant van het hotel, langs de patio en langs de potten waar planten in staan, en dan komt ze bij de schuur. Overal in de lucht vliegen kleine insecten, die op haar gezicht, haar haren en haar handen gaan zitten. Voor het enige raam zijn de gordijnen dichtgetrokken, maar onder de deur schijnt licht. Stella blijft staan.

Ze vouwt haar handen ineen en denkt na. Dan loopt ze op haar tenen naar de deur en drukt haar oor tegen het hout.

Aanvankelijk hoort ze niets. Alleen maar het geruis van haar bloed door haar aderen, zoals je de zee hoort in een schelp. Ze heeft het koud, merkt ze ineens, want ze heeft alleen maar haar katoenen uniform aan. Ze wil teruglopen naar de caravan om een vest te halen. Maar dan hoort ze iets – geschuifel, een beweging, stof op huid. En dan iemand die ademt, zucht, hijgt.

Stella sluipt weg van de deur. Ze draait zich om en loopt tien, misschien elf passen. Dan begint ze te rennen met haar handen op haar oren, voortdurend struikelend.

Als je achttien jaar lang een kamer met iemand deelt, herken je elke uitroep, elke beweging, elke zucht van die iemand. En dit was haar zus. Geen twijfel mogelijk.

Haar zus en Jake. Het voelt als een roodgloeiend stuk hout op een brandwond.

Jake kijkt naar zichzelf en is enigszins verbaasd. Hij ligt half onder de dekens. Hij draait zich om naar de klok. Er schiet een pijn-scheut door zijn hoofd.

'Godver,' mompelt hij en hij brengt zijn hand naar zijn hoofd. Hij probeert rechtop te gaan zitten. Zijn ogen branden en zijn mond voelt watachtig aan. 'God,' gromt hij. 'Ik ga dood. Volgens mij ga ik dood.'

Pas dan ziet hij een damesschoen bij de deur liggen. Zwart leer. Met een hoge hak. Hij kijkt ernaar, en hoe langer hij ernaar kijkt, des te vreemder hij het vindt. Alsof het een antiek voorwerp is dat hij nog nooit heeft gezien en waarvan hij het nut niet kan beden-ken.

Hij draait zich om, waardoor het bed – en het lichaam, dat met de rug naar hem toe ligt – op en neer gaat. Er ligt een vrouw in zijn bed. Hij neemt die informatie rustig in zich op, alsof ze heel ge-woon is. Even is hij niet in staat om te achterhalen wat er is ge-beurd. Is het Mel? denkt hij verbijsterd. Nee. Deze vrouw heeft kort, bruin haar. Wie kan dat zijn?

Stella. Hij wordt bijna vrolijk als hij aan die naam denkt. Maar zij is het niet, en juist omdat hij aan haar denkt, herinnert hij het zich weer.

'O, godver.' Jake springt uit bed, alsof het besmet is. 'Godverde-godver.'

Hij is zo kwaad op zichzelf, zo totaal buiten zinnen, dat hij niet in staat is zijn schoenen aan te doen. Een paar minuten lang pro-beert hij zichzelf te stompen en te verwonden, en tegelijk de schoen aan te trekken.

Hij slaagt erin een van zijn veters te strikken en loopt naar bui-ten. Het licht slaat tegen zijn ogen als een hamer op een aambeeld. Hij doet een van zijn ogen dicht terwijl hij over het pad naar het hotel rent. Waar het pad zich splitst, moet hij een beslissing ne-men. De caravan of het hotel? De caravan of het hotel? Waar zal ze zijn? Jake kijkt op zijn horloge dat, wonderlijk genoeg, nog steeds om zijn pols zit. Iets over zevenen. Kan hij haar wakker maken? Ja, dat kan, beslist hij, hij moet wel.

'Ongelooflijke klootzak, ongelooflijke klootzak, wat heb je in godsnaam gedaan?' mompelt hij in zichzelf terwijl hij over het pad het bos in rent. Hoe heeft dit kunnen gebeuren? Het ene moment stond ze nog bij de deur, en het volgende was ze binnen, met haar wodka en haar hasj en daarna...

Ineens blijft Jake staan. Zijn hart klopt wild in zijn borst. Pearl staat midden op het pad met haar armen over haar schort gevouwen. Hij kan er niet langs.

'Daar zul je haar niet vinden,' zegt ze.

Hij heeft het koud. 'Waarom niet? Waar is ze?'

'Ze is weg.'

'Weg?'

Dat woord treft Jake als een stomp in zijn maag. 'Waar naartoe?'

'Weg. Vertrokken. Ervandoor.' Pearl loopt op hem af en Jake doet een stapje achteruit. Pearl is niet iemand met wie Jake zich in wil laten. Hij stelt zich voor dat ze hem kan betoveren met zwarte magie, of hoe dat ook mag heten. 'En ik geef haar geen ongelijk.' Ze schuift langs hem heen en loopt weg – verrassend snel voor iemand die zo klein is.

'Pearl, wacht...' Jake draait zich om en trapt op zijn losse veter, waardoor hij bijna op de bosgrond valt. 'Wacht nou even.'

Pearl loopt gewoon door. Jake staat op en moet rennen om haar in te halen.

'Wat heeft ze gezegd, Pearl? Wat heeft ze tegen jou gezegd?'

Ze haalt zijn hand van haar arm. 'Ze heeft niets gezegd. Dat hoefde ook niet.' Ze draait zich naar hem toe, deze vrouw, die bijna tweemaal zo klein is als hij, en hij is banger voor haar dan voor wat ook. 'Ik zie zoiets. Je hoeft geen genie te zijn om dingen te begrijpen, weet je.' Ze houdt haar gezicht nu heel dicht bij het zijne. 'Jij moet je schamen, ventje.'

'Luister.' Jake moet wel achter haar lopen, omdat het pad zo smal is. 'Het is niet wat...' Hij probeert te formuleren wat hij wil zeggen, wat hij moet zeggen. 'Het is niet wat je denkt,' zegt hij dan zonder overtuiging.

Pearl snuift.

'Waar is ze heen? Pearl, vertel het me. Alsjeblieft.'

'Ik weet het niet.' Ze blijft zo abrupt stilstaan dat Jake bijna tegen haar op botst. 'En als ik het wist, zou ik het je niet vertellen.'

Jake ziet hoe Pearl door het bos loopt. Ze wordt steeds kleiner, en uiteindelijk is ze niet groter dan een dwerg. Hij schopt tegen een kei, twee keer, zo hard hij kan. Dan gaat hij erop zitten en grijpt zijn voet met twee handen beet. Hij heeft zich nog nooit zo wanhopig gevoeld. Wat moet hij nu doen?

Ineens heft hij zijn hoofd op. De bladeren in de bomen boven hem ritselen, het zonlicht schijnt door de takken. Ineens herinnert hij zich iets, iets van vannacht. Hij fronst zijn wenkbrauwen en kijkt naar zijn handen, die met gespreide vingers op zijn knieën liggen. Zijn voet doet een beetje pijn. En dan ineens ziet hij het voor zich, als op een tv-scherm: Nina buigt zich over hem heen en fluistert in zijn oor: 'Ze heeft iemand vermoord, wist je dat?'

IV

JAKE LOOPT WEG EN ZEGT TEGEN ZICHZELF DAT HIJ NIET ZAL omkijken. Niet tot hij aan het eind van de oprijlaan is. Daar heeft hij het beste uitzicht, want dan ziet hij het grasveld, het grootste gedeelte van het huis en de bomen erachter. En hoewel Kildoune met de voorkant naar het meer gericht staat, zie je nog steeds de torentjes, de ramen, de kantelen en het pad dat het bos in loopt.

Maar als hij bij het hek komt, lukt het hem niet. Hij kan zich niet omdraaien. Hij blijft even staan, met achter zich het huis en voor zich de weg. Hij grijpt de schouderriemen van zijn rugzak. Dan loopt hij weg, voetje voor voetje, zijn ogen naar de grond gericht.

Hij loopt over de slingerende weg die dwars door het dal leidt langs de kerk, over de brug, langs het meer en onder de spoorweg door. Op de hoofdweg aangekomen zet hij zijn rugzak naast zich neer en wipt van de ene voet op de andere. Hij heeft het gevoel dat Stella zich met de seconde verder van hem verwijdert, dat het draadje dat hen verbindt, op breken staat.

Hij hoeft niet lang te wachten op een lift. Een echtpaar van middelbare leeftijd brengt hem naar Pitlochry. Daar moeten ze naartoe om een huwelijksgeschenk voor hun dochter te kopen, vertellen ze. Ze zetten hem af bij de A9; Jake zet vanwege de zon zijn hand op zijn voorhoofd en kijkt het zilverkleurige asfalt af, zijn duim omhoog.

Een auto mindert vaart en de chauffeur, een man met een geta-
toeëerde schorpioen op zijn arm, vraagt: 'Waarheen?' Jake twijfelt.
Edinburgh of Londen? Londen? Edinburgh? Waar zal ze naartoe
zijn gegaan?

'Naar het zuiden,' zegt hij. Hij beslist onderweg wel.

Pas als hij zijn rugzak op de achterbank gooit, beseft hij dat hij
de fiets is vergeten. Hij voelt een pijnscheut in zijn borst. Hij blijft
even stilstaan en leunt op de auto, maar stapt dan in en slaat het
portier dicht. Hij kan het ding toch niet meenemen.

'Op naar het zuiden,' zegt de Schorpioenenman. 'Een bepaalde
stad?'

Nina komt de flat binnengestormd en gooit haar autosleutels,
haar tas en haar jas op verschillende meubelen. Ze kijkt even of er
boodschappen op het antwoordapparaat staan – niet, dus – en
loopt de keuken in.

Richard zit aan tafel met een driehoekige boterham in zijn ene
en een medisch tijdschrift in de andere hand. 'Liefje,' zegt hij, 'je
bent er weer!'

'Dat lijkt me duidelijk.' Nina strijkt haar haren uit haar gezicht. 'Luister, heb jij Stella gezien?'

'Stella?' herhaalt hij. 'Maar ik dacht dat je bij...'

'Dat was ik ook. Maar ik bedoel vandaag. Vanochtend.'

Hij kijkt haar verbaasd aan. 'Ik... eh...'

'Ja of nee?' gilt Nina. 'Het lijkt me een eenvoudige vraag.'

'Nee.'

'Heeft mijn moeder gebeld?'

'Nee.'

'Mijn vader?'

'Nee.'

'Mijn grootouders?'

'Nee. Niemand.'

'Godver.' Nina legt haar hand op haar voorhoofd. Haar oog valt
op een kopje dat op het aanrecht staat. Ze zou het op de vloer kunnen gooien. Ze stelt zich het geluid voor van porselein dat op tegels
kapotvalt. Ze zou zich meteen een stuk beter voelen, maar ze moet
het misschien niet doen waar Richard bij is. Ze besluit het niet te

doen. 'Godver,' zegt ze nog eens en ze gaat in een stoel zitten.

Richard legt zijn boterham neer. 'Wat is er?'

Nina kan hem geen antwoord geven. Ze denkt na en overweegt alle mogelijkheden. Waar zou Stella naartoe zijn gegaan?

Richard knielt voor haar neer. 'Wat heeft het weglopstertje nu weer gedaan?'

Nina lacht even, ondanks alles, maar wordt dan weer overmand door wanhoop. 'O god, Richard.' Ze staat het zichzelf toe haar gezicht te begraven in zijn kamerjas. Hij slaat zijn armen om haar heen. Ze wist dat hij dat zou doen, en snuift de metalige geur op die hij heeft als hij net uit bed komt.

'Wat is er gebeurd?' fluistert hij. 'Hebben jullie weer ruziegemaakt? Je kunt het me gerust vertellen.'

'Nee.'

'Dat kun je niet?'

'Dat kan ik niet, nee.'

Hij aait haar over haar rug. 'Nou, maak je geen zorgen. Wat er ook aan de hand is, het komt wel weer goed.'

'Dat betwijfel ik,' bromt ze.

Hij gaat rechtop zitten, kijkt haar aan en slaat zijn armen om haar heen. 'Het spijt me dat we ruzie hebben gemaakt,' zegt hij.

'Mij ook.'

'Ik ben blij dat je terug bent.'

'Ik ook.' Ze lacht en zegt: 'Ik moet nodig douchen.'

Jake is aardig onder de indruk van zijn eigen speurderskwaliteiten. Hij is naar Londen gegaan, heeft een telefoonboek gevonden en 'Gilmore, S.' opgezocht, heeft het adres opgeschreven, is er met de metro naartoe gegaan, en nu loopt hij door de straat waar Stella woont.

Hij komt steeds dichter in de buurt van haar huisnummer en voelt zich zowel angstig als opgewonden. Misschien zit ze daar wel, achter een van die ramen. Wat zal ze tegen hem zeggen? Hoe zal ze reageren? Zal dit de tweede keer in twee dagen zijn dat hij door een vrouw wordt geslagen?

Haar flat is onderdeel van een groot gebouw met een trap die naar de voordeur leidt. Jake staat er vanaf het trottoir naar te kijken. Hij heeft geen idee wat er gaat gebeuren als hij binnen is – als hij naar binnen mag. Maar dat hij hier verschijnt zal haar er in ieder geval van overtuigen dat hij het... dat hij het serieus meent.

Jake schuift de kaart in zijn achterzak en loopt met twee treden tegelijk de trap op. Hij kijkt naar de reeks bellen en ziet op de middelste GILMORE staan, in groene letters die door de regen vaag geworden zijn. Hij drukt op het knopje. Ergens in het gebouw hoort hij een bel overgaan. Hij luistert ingespannen of hij voetstappen hoort, of stemmen, of wat dan ook, en herhaalt in zijn hoofd de toespraak die hij heeft voorbereid.

Nina wacht en kijkt naar de auto's die op de stoep staan. De deur zwaait open. 'Liefje,' zegt Evie en ze strekt haar armen uit. 'Het werd tijd dat jij eens op bezoek kwam. Hoe gaat het met je? Ik zat van de week nog aan je te denken, want...'

'Ik blijf niet lang,' onderbreekt Nina haar.

'O.'

'Ik ben op zoek naar Stella.' Nina zwijgt even en kijkt naar Evies gezicht. Het is uitdrukkingsloos en onbewogen. 'Je hebt haar zeker niet gezien?'

Evie zet haar hand in haar zij. 'Al maanden niet, liefje.'

Nina gaat tegen de stenen deurstijl staan. Op een metalen draad ergens boven haar hoofd zitten twee vogels te kwetteren. 'En je hebt niets van haar gehoord?'

'Nee.'

'Zeker weten?'

De twee vrouwen kijken elkaar aan. Ze zijn bijna even lang.

'Zo zeker als zeker maar zijn kan,' zegt Evie. 'Hoezo? Wat is er aan de hand?'

'Niets.' Nina draait zich om. 'Ik moet weg.' Ze steekt haar mobiele telefoon in de lucht. 'Bel me als je iets hoort.'

Jake drukt nog eens op de bel, ditmaal langer. Nog altijd niets. Hij loopt een stukje achteruit om naar het gebouw te kijken. Een lekkende dakgoot heeft een oranjebruine vlek veroorzaakt op de muur. Hij ziet een plantenbak met daarin een hangplant, waarvan de blaadjes bewegen in de wind.

Misschien is ze weg. Ze zal wel even weg zijn. Jake gaat op de bovenste traptrede zitten, zet zijn rugzak naast zich neer en leunt met zijn ellebogen op zijn knieën. Hij wacht wel.

Hij krabt aan een muggenbult op zijn been, trekt zijn jas uit en legt die over zijn rugzak. Hij voelt zich ineens doodop, misschien omdat hij in de zon zit. Bovendien heeft hij een ontstellende dorst, vanwege de kater. Maar hij kan nu geen water gaan halen – nu niet, nu hij hier helemaal naartoe is gekomen.

Jake leunt tegen het lage muurtje en kijkt de straat in. Een kind slaat met een stok op het trottoir, er komt een vrouw langsfietsen, een auto probeert te parkeren op een plekje dat niet groot genoeg is.

Evie klimt de trap op naar haar flat. Ze moet nu echt die bel eens laten maken, zodat ze niet aldoor heen en weer hoeft te lopen als de bel gaat. Eenmaal binnen plukt ze een paar dode bloemen uit een boeket dat op een tafel staat, draait aan de thermostaat en legt een kussen recht.

'Dat was je zus,' zegt ze tegen de persoon die ineengedoken in de leunstoel zit.

Francesca staat aardappelen te schillen in de keuken als ineens Nina voor de achterdeur staat. Francesca springt op en begint te lachen. Ze heeft het mesje nog steeds in haar hand als ze de deur opent. 'Je maakte me aan het schrikken!' zegt ze en ze geeft haar dochter een knuffel. 'Kom binnen, kom binnen. Waarom zie jij er zo neerslachtig uit?'

Nina's lichaam voelt slap aan en als Francesca haar gezicht eens wat beter bekijkt, ziet ze dat het bleker is dan normaal.

'Wat is er?' zegt Francesca. 'Wat is er aan de hand?'

Nina legt haar tas op tafel en trekt een grimas. 'Stella,' zegt ze.

'Wat is er met haar?'

Ze zegt maar één woord: '*Scarpata.*'

Francesca werpt haar hoofd in haar nek. 'Alweer?' roept ze.

'Ja.'

'Waar zit ze?'

'Ik weet het niet.'

Francesca gaat aan tafel zitten en gooit het mes neer. Een ogenblik later staat ze weer op. Ze probeert niet langer te begrijpen hoe de verhouding tussen haar twee dochters precies in elkaar zit, maar ze kan er nog steeds woedend om worden. 'Ik begrijp het niet,' zegt ze. 'Ik dacht dat je naar haar toe ging.'

'Dat deed ik ook.'

'En nu? Waarom…'

'Weet ik veel!' schreeuwt Nina. 'Dat moet je mij niet vragen!' Francesca legt haar armen over elkaar. Wat is er toch mis met haar familie dat dit soort dingen telkens weer gebeurt? Waar is het fout gegaan? Moederschap is iets wat nooit voorbijgaat, zo lijkt het. Dertig jaar geleden baarde ze het kind dat nu voor haar staat; zo lang geleden dat je je nu geen zorgen meer zou hoeven maken, zou je zeggen. Maar nee hoor. Nog steeds doen ze, volkomen onverwacht, dingen die je van je stuk brengen, die je verbazen en waar je doodongerust van wordt.

'Je hoeft echt niet boos op mij te worden, hoor,' gaat Nina verder. 'Ik wilde het je gewoon even vertellen. Dat je gewaarschuwd bent.'

Francesca knikt en kijkt haar dochter aan.

'Ik moet gaan.' Nina rinkelt met haar autosleutels.

'Goed.'

'Als ik iets hoor, laat ik het je weten.'

'*Si, si.*' Francesca wuift haar weg.

Ze hoort dat Nina haar auto start en loopt naar de telefoon. Zodra haar moeder heeft opgenomen, zegt ze: 'Stella *scarpata*.'

Beneden in de straat hoort Stella een radio schetteren en het geluid van iemand die op hoge hakken over het trottoir loopt. In de hoek staat de tv, met sneeuw op het scherm: de video is afgelopen. De kat ligt op zijn zij op het haardkleedje, af en toe beweegt het uiteinde van zijn staart.

Ze heft haar hoofd op en kijkt naar de grijze, onbestemde lucht. Ze weet niet hoe lang ze hier al is. Al dagen, misschien. Of misschien nog maar een paar uur. Ze gaat schuin zitten en trekt haar knieën op. Haar lichaam voelt loom en zwaar aan.

Vroeg in de ochtend stond ze voor Evies deur, vlak na zonsopkomst. Als Evie al verbaasd was haar te zien, liet ze dat in ieder geval niet merken. Ze keek Stella even aan en trok haar naar binnen. Ze bracht haar naar de bank, legde dekbedden en dekens over haar heen en gaf haar een paar koppen gloeiende koffie, waar ze, dacht Stella, een paar scheuten whisky doorheen had gedaan. Ze kwam aan met een pyjama, een kruik en zakdoekjes die naar lavendel roken. Ze sneed met boter besmeerde geroosterde boterhammen in kleine stukjes en zei niets toen Stella die koud liet worden. Ze deed een zwartwitfilm in de video en Stella lag ongeïnteresseerd te kijken hoe een bleke vrouw met al te zwartgetekende wenkbrauwen in een stationscafé op haar minnaar zat te wachten, met op de achtergrond een onzichtbaar orkest dat een deuntje speelde.

Evie stelde haar maar één vraag: 'Heb je een depressie, liefje, of is het liefdesverdriet?'

'Ik weet het niet,' zei Stella. 'Liefdesverdriet, denk ik.'

'Dan is het goed,' had Evie gezegd terwijl ze haar nagel vijlde en de vrouw in de film over een perron rende. 'Want liefdesverdriet, daar kun je sneller iets aan doen.'

Evie komt de kamer binnen en heeft een schort voor dat Stella nog nooit heeft gezien. 'Ik heb iets gedaan wat ik nog nooit eerder heb gedaan,' zegt ze.

Stella heft haar hoofd op uit de kussens. 'Echt?'

'Ik,' gaat Evie verder en ze geeft haar een kop thee, 'heb gekookt. Ik heb soep gemaakt!'

Stella wurmt zich overeind. 'Hoe dat zo?'

'Jij hebt zo'n bleek gezichtje, liefje. Ik kon er niet meer tegen. En je moet het nu wel opeten, dat begrijp je.'

'Dat zal ik doen.' Stella blaast in haar theekopje. 'Dat beloof ik.'

'Als je het niet doet, zie ik me genoodzaakt je de soep toe te dienen door een rubberen slangetje, zoals de suffragettes.'

Stella lacht. 'Ik denk niet dat dat nodig zal zijn.'

'Laten we hopen van niet.'

Evie gaat tegenover haar zitten. Het is een poosje stil. Evie doet haar schort af en legt het over de bankleuning. De kat springt op en gaat op Evies schoot liggen.

'Ik kan je wel vertellen, liefje,' zegt Evie, en ze aait de kat achter zijn oor, 'dat je hele familie gillend gek aan het worden is. En dan bedoel ik echt gek, zoals alleen zij dat kunnen.'

Stella begint te spelen met de schakelaar van een lamp die naast haar staat.

'Ik heb ze niet verteld dat je hier zit,' gaat Evie verder, 'maar ik geloof dat we ze wel moeten vertellen dat alles goed met je is, want anders belt je moeder de bisschop en wordt er een mis voor je opgedragen, of je vader huurt een privé-detective in.'

Stella zegt niets.

'Stella, liefje, ik zeg niet dat je ze moet ontmoeten, dat je je hele familie tegenover je krijgt. Maar laat ze even weten dat je nog leeft en niet ergens in een afgrond bent gereden. Ik geloof echt niet dat je...' Evie wacht even en zoekt naar de juiste woorden. '...Dat je iemand zou moeten ontmoeten, als je dat niet wilt.'

Stella is opgelucht als de telefoon gaat. Evie staat op om hem in de andere kamer op te nemen. Stella zit nu alleen in de kamer met de kat, die boos is omdat hij van Evies schoot is gegooid.

Evie komt snel terug.

'Het was Nina,' zegt ze.

Stella zet haar theekopje neer. Ze verslikt zich bijna. 'Wat zei ze?' weet ze nog uit te brengen.

'Ze weet dat je hier bent.'

'Maar... ik dacht dat jij had gezegd...'

'Ik heb het haar niet verteld. Ze zei dat ze achterdochtig was geworden en vermoedde dat je hier zat. Toen is ze in de buurt gaan rondrijden en heeft ze je auto zien staan.' Evie steekt haar vinger naar haar op. 'Onthoud dat voor de volgende keer: de auto verstoppen. Hoe dan ook, er was ook een bericht. Ik heb het opgeschreven.' Evie heeft in haar vingers een papiertje. '"Ik ben niet met hem naar bed geweest",' leest ze monotoon op, alsof het een boodschappenlijstje betreft.

Stella blijft bewegingloos zitten en kijkt naar de damp die uit haar theekopje opstijgt.

'O,' zegt Evie, 'en ze zit in het café in Musselburgh, en wil je ontmoeten. Zullen we dan maar? Met jouw auto, of de mijne? Het lijkt me een goed idee om met de auto te gaan. De mijne, dat lijkt me het beste. Die van jou zit waarschijnlijk onder de schapenstront.'

Stella zit tegenover haar zus in het café van hun grootouders. Ze hebben hier zo vaak zo gezeten dat Stella op de een of andere vreemde manier niet kan uitmaken op welk punt van hun leven ze zijn aanbeland. Zijn ze zes en zeven jaar oud, en staat er een ijscoupe voor hun neus? Of zijn ze tieners die proberen te wennen aan de smaak van espresso? Evie hangt over de bar en praat met Valeria en Domenico, zoals ze altijd doet – in het Frans, met een Italiaans accent. Werkt altijd.

'Waarom heb je me het niet verteld, Stel?' Nina is razend, haar gebruikelijke gemoedstoestand in vrijwel alle omstandigheden. 'Waarom heb je het niet gewoon verteld?'

'Wat verteld?'

'Dat je hem leuk vond. Ik had hem met geen vinger aangeraakt als je dat even had gezegd. En dat weet je.'

Stella haalt haar schouders op en kijkt naar de spijkerbroek die ze aanheeft. Evie kwam ermee aanzetten, ze zei dat hij van een of andere kerel was, die hem was vergeten. En het enige wat haar zou passen, had ze eraan toegevoegd.

'Niet dat het iets uitmaakt.' Nina snuift. 'Er is niets gebeurd.' Ze leunt voorover en raakt Stella's hand even aan. 'Niets. Hij moest niets van me hebben. En ik heb mijn hele repertoire afgedraaid,' zegt ze en grinnikt. 'Mijn lichaam, drugs, woorden, alcohol. Geen sjoege. Je zou de conclusie kunnen trekken,' zegt ze met gewichtige stem, 'dat hij verliefd was op iemand anders.'

Stella zegt niets en ontwijkt Nina's blik.

'Hij heeft over je gepraat in zijn slaap.'

Stella kijkt op. 'Wat heeft hij gezegd?'

'O, dat weet ik niet.' Nina wuift de rook uit haar gezicht. 'Je kunt van mij niet verwachten dat ik dat onthoud. Ik was helemaal weg. Maar op een bepaald moment mompelde hij je naam.'

Stella huivert. Ze kan de gedachte nog steeds niet verdragen dat zij naast elkaar hebben geslapen.

'Hoe gaat het met Richard en jou?' vraagt ze.

'O, prima. Net als altijd. Je begrijpt het wel.' Nina neemt een slok koffie. 'En wat ga jij nu doen?'

Stella plukt aan haar haren. 'Ik weet het niet, Nina, ik weet het niet. Ik zou terug kunnen gaan naar Londen, maar…' Ze zucht. 'Ik heb geen…'

'Nee, ik bedoel met Jake,' onderbreekt Nina haar.

'O.' Stella probeert na te denken, haar hersenen op scherp te zetten. Wat gaat ze met het geval Jake doen? Ze heeft echt geen idee. Ze kan niets verzinnen, het enige wat in haar opkomt is: Jake, Jake, en dat herhaalt zich. Moet ze hem bellen? Wat zal hij dan zeggen? Ze kan nauwelijks bijhouden wat er allemaal gebeurt. De man van wie ze houdt, is getrouwd. Maar eigenlijk niet. Hij is met haar zus naar bed geweest. Maar eigenlijk niet. Toch hebben ze de nacht samen doorgebracht. In hetzelfde bed, zo te horen.

'Ik weet het niet,' zegt ze nog eens en ze verfoeit de pathetiek in haar eigen stem. Ze zou niets liever willen dan de tijd terugzetten tot op het punt waar ze tegen Jake zei dat hij Nina de caravan maar eens moest laten zien, want dan kon ze vanachter de keukentafel vandaan komen om in te grijpen.

'Want… eh…' Nina neemt een zenuwachtig trekje van haar sigaret. 'Er is iets… iets wat ik je moet vertellen.'

'Wat dan?'

Nina wiebelt met haar been en schopt tegen de tafelpoot. 'Er is wel iets anders gebeurd.'

'Ik wil het niet weten,' zegt Stella, die nu bang wordt.

'Nee, nee, iets heel anders. Ik geloof… ik geloof…' Nina wacht even en dan komt de rest van de zin er in één keer uit: 'Ik geloof dat ik het hem verteld heb.'

Stella fronst haar wenkbrauwen. 'Hem wat verteld hebt?'

'Het.'

'Het?'

'Je weet wel. Het.' Nina leunt over de tafel. 'De Gebeurtenis.'

Stella heeft Nina die uitdrukking zo lang niet horen gebruiken dat ze even niet weet waar ze het over heeft. Toch is er ergens iets in haar dat het zich herinnert, want haar hoofdhuid trekt samen en er gaat een rilling door haar lichaam.

Ze zit hier in de broek van Evies minnaar en kijkt naar haar zus. Soms, wanneer ze ernaar kijkt, ziet ze de geest van zichzelf in dat gezicht. Maar nu niet. Nina ziet er onherkenbaar uit, alsof ze haar nooit eerder heeft gezien. Het is alsof ze dit gezicht nog nooit eerder heeft bekeken. Ze ziet dat haar mascara is doorgelopen, ze ziet haar wenkbrauwen, de sproetjes op haar neus, haar oogleden die op en neer gaan. 'Dat meen je niet,' hoort ze zichzelf fluisteren. 'Nina.' Ze hijgt om adem te kunnen halen. 'Waarom?'

'Ik weet het niet.' Nina wipt met haar been op en neer, waardoor de lepeltjes rinkelen in de porseleinen kopjes. 'Ik flapte het eruit. Ik... ik weet niet waarom. Het ging per ongeluk.' Ze wrijft met haar vinger over haar wenkbrauw. 'Het was zo vreemd om daar te zijn. Ik zal nooit begrijpen waarom je terug bent gegaan. En ik... ik was dronken.'

'Je bent wel eerder dronken geweest,' zegt Stella en ze staat op. 'En toen kon je het ook voor je houden. Dus waarom juist nu? En waarom tegen hem? Waarom tegen hem, verdomme, Nina? Waarom tegen hem?'

Ik ben Stella Gilmore. Ik ben achtentwintig jaar oud. Ik heb groene ogen en zwart haar. Ik ben 1 meter 78 lang. Ik heb een zus. Ik ben half Italiaans. Ik heb een auto en een flat. Ik heb in elf verschillende landen gewoond. Ik heb nog nooit iets gebroken, maar wel pleuritis gehad. Toen ik acht jaar oud was, heb ik iemand vermoord.

Dat zijn de bijzonderheden van mijn leven.

Stella loopt door het café. In de spiegels ziet ze een hele galerij Stella's met verwarde haren achter elkaar, die op haar afkomen. Ze ziet dat haar grootouders, haar oom en Evie zich omdraaien en naar haar kijken. Ze trekt de deur open en staat ineens op straat. De lucht is ijl en koud, na de benauwde warmte van het café.

Nina staat naast haar en trekt aan haar mouw.

'Wat doe je nou, Stel? Niet weglopen,' smeekt haar zus. 'Het spijt me. Het spijt me zo. Niet weglopen, alsjeblieft. Het spijt me.'

Stella trekt zich los. 'Ik kan er niet bij dat je dit hebt gedaan,' fluistert ze met haar tanden op elkaar. 'Ik kan het niet geloven. Je maakt... je maakt me kapot.' Ze duwt Nina weg en strompelt verder over het trottoir.

Haar benen voelen als elastiek, en de hemel boven de stenen gebouwen van Musselburgh is te hel, te wit; hij doet pijn aan haar ogen. Stella's blik lijkt zich te vernauwen. Alles om haar heen smelt weg en zwaait op en neer, als de horizon in een woestijn. Ni-

na heeft het aan Jake verteld. Jake weet ervan. Dat kan ze niet verdragen, dat kan ze echt niet verdragen. Dat wat ze altijd geheim
heeft gehouden, wat ze tot een klein propje papier had opgevouwen in haar hoofd, is uitgekomen. Het is onverdraaglijk dat Jakes
liefde voor haar daardoor zou doven. Want dat zal gebeuren! Hij
weet ervan. Het ergste wat ze kon bedenken. Zal hij haar ooit nog
willen aankijken?

Haar ene voet voor de andere plaatsen lijkt ineens het moeilijk-
ste wat ze ooit heeft gedaan. Dat struikelt ze en valt. Dat is een opluchting, want nu hoeft ze niet meer rechtop te blijven staan. Ergens hoort ze de stem van Evie, die zegt dat ze al dagen niets meer
heeft gegeten, en Stella denkt: ik heb hem een paar dagen geleden
nog gezien, en dan hoort ze haar zus huilen en telkens haar naam
noemen. Nina. Voor er iets anders was, was er Nina.

'Wat doen we als we ze niet terugvinden?' vroeg Nina.

Stella trok zich omhoog aan de tak. 'We vinden ze wel terug,'
zei ze.

Ze beklommen een steil pad dat langs een waterval liep. Er
zweefden ragfijne waterdruppeltjes door de lucht die op hun gezicht, haren en kleren terechtkwamen. Stella proefde de rivier op
haar lippen.

Juist toen ze Nina hielp met een laatste stap boven op de heuvel
te komen, hoorde ze iets langs haar oor suizen, als een kogel. Het
voorwerp kwam neer in de bremstruik naast hen. Een steen die
was losgekomen? Een stukje grond dat losgeschoten was? Opnieuw vloog er een projectiel door de lucht en Stella werd op haar
arm geraakt door een voorwerp dat zo scherp leek als een pijl.

Ze draaide zich om. Voor hen, op het pad, stond iemand met gespreide benen, vlak naast het punt waar het water naar beneden
kletterde. Anthony. Hij gooide stenen naar hen, zoals een ander
muntjes in de lucht gooit. Ze zag dat hij zijn arm tot boven zijn
hoofd strekte en vervolgens naar achteren bewoog.

'Niet doen!' gilde ze. 'Niet doen! Geen stenen op haar hoofd
gooien! Dat moet je niet doen!'

Ze probeerde Nina's schedel te beschermen door voor haar te
gaan staan. Als ze een klap op haar hoofd kreeg, zou ze een terug-

val kunnen krijgen, en dat kon dagen duren. Het was nog erger als dat hier zou gebeuren. De steen kwam naast Nina's schoen neer, en daarna volgde er nog een, maar die viel verder weg.

Anthony vouwde zijn armen over elkaar en stond hen aan te kijken. Het pad achter hem was leeg. Waar was de rest van de klas? Anthony was dol op publiek. Maar nu waren er alleen hij, zij, Nina, de bomen en de waterval. Ze voelde dat Nina haar hand beetpakte.

'Waar is iedereen?' hoorde ze zichzelf zeggen.

Hij begon te glimlachen en Stella zag zijn gele tanden, als van een wolf. 'Weg.' Hij wees met zijn duim. 'Die kant op.'

Ze vond het niet prettig zoals hij naar Nina keek, met zijn kleine, toegeknepen oogjes en zijn hoofd schuin. Dat vond ze helemaal niet prettig. Stella ging nog dichter bij haar zus staan.

'Wat moet je?' vroeg ze.

'Dat is niet erg aardig.' Hij liet zijn armen zakken. 'Ik ben teruggekomen om jullie te zoeken.'

'Waarom?'

Hij antwoordde niet, maar rende ineens op Nina af. Stella zag het aankomen. Net op tijd ging ze voor haar zus staan en voelde zijn zware lichaam tegen zich aan botsen. Nina zou hij niet te pakken krijgen, dat zou ze niet toelaten. Ze werd razend. De woede suisde in haar oren, als snelstromend water. Nina schreeuwde en klampte zich aan haar vast, maar Stella werd van haar zus af getrokken. Ze werd zo hard geduwd dat de wereld zich omkeerde.

Met een doffe dreun kwam ze op de grond terecht. De pijn trok vanuit haar rug haar benen in en ze kronkelde ervan. Haar longen deden pijn en haar handen waren vies van de modder. De witte zon scheen in haar gezicht. Ze hoorde haar zus huilen.

Stella draaide haar hoofd om. Anthony boog zich als een beul over Nina heen en had het kraagje van haar jurk tussen zijn vingers.

'Dus ik moet haar niet op haar hoofd slaan?' zei hij. 'Waarom niet? Wat gebeurt er dan?' Hij hief zijn vuist, Nina's hoofd lag eronder. 'Laten we maar eens kijken dan.'

Stella krabbelde overeind. Ze keek naar de afgrond, en toen

naar hem. Ze zag dat Anthony's veter loszat en als een slangetje op de grond lag. Het was eigenlijk heel eenvoudig. Stella tilde haar voet op en ging op de veter staan. Ze voelde het ding onder haar schoen. Toen plaatste ze haar handen tegen de borst van Anthony Cusk en duwde.

Ze deed het heel bedachtzaam. Van iets anders zal ze zichzelf nooit weten te overtuigen. Hij viel achteruit en moest Nina's jurk loslaten. Hij zwaaide met zijn armen in de lucht om in evenwicht te blijven en strekte zijn tot vuist gebalde hand. De veter gleed onder Stella's voet vandaan. Zij en Nina hoorden een verbaasd gegrom. Ze zagen dat hij achteruit de rivier in wankelde, en terechtkwam op de natte, glibberige stenen. Hij gleed uit en viel om. Ze zagen het zwarte water rond zijn benen kolken.

Hij leek heel even op de rand te blijven balanceren. Zijn ogen stonden wijdopen, hij had zijn lippen opeengeklemd en zijn gezicht zag er vreemd en bleek uit. Op één voet bleef hij nog even staan, als een danser of iemand die op het punt staat te gaan vliegen. Toen verloor hij zijn evenwicht, en terwijl zijn armen nog door de lucht maaiden, viel hij.

Er zat een lange tijdspanne tussen het moment dat hij uit het zicht was verdwenen en het geluid van de klap die hij op de rotsen beneden maakte. Stella dacht zelfs even dat het misschien helemaal niet was gebeurd, dat hij weer een grap met hen had uitgehaald, dat hij zich op de een of andere manier aan de waterval had vastgehouden en zo direct als een duveltje uit een doosje weer te voorschijn zou komen.

Maar toen klonk er een doffe klap, en daarna was het even stil, en ten slotte hoorde ze een plons toen hij in het water viel. Zij en Nina waren weer alleen.

Mevrouw Saunders ziet ze al van verre aankomen. Ze rennen over de groene vlakte, die ligt te wuiven in de wind en beschenen wordt door een waterig zonnetje. Er is iets waardoor ze blijft staan, het kind dat tegen haar praat tot zwijgen maant en tegen de zon in over de vlakte tuurt.

De meisjes Gilmore komen aangerend door het dal. Stella loopt voorop. Haar armen zwaaien alsof het vleugels zijn. Nina loopt daarachter en probeert haar zus bij te houden. Verbeeldt mevrouw Saunders het zich of loopt ze te schreeuwen?

Mevrouw Saunders kijkt naar de zusjes. Eerst naar het ene, dan naar het andere. Het zal nog een moment duren, een minuut misschien, voor ze weet wat er aan de hand is, maar zelfs dat is haar te lang. Het is een gevoel dat alle onderwijzers kennen. Nina's geschreeuw bereikt haar als staccato gebrul, als een radio-uitzending bij slechte ontvangst.

'Wat is er?' roept mevrouw Saunders, die op de een of andere manier al beseft dat het te laat is. 'Wat is er gebeurd?'

Stella had gekeken. Nina niet. Stella was op haar buik naar de rand toe gekropen – later bleek haar jurk kletsnat, van onder tot boven, maar niemand had haar gevraagd hoe dat was gekomen – en had eroverheen gekeken.

Haar leven lang wilde ze dat ze dat niet had gedaan.

Hij keek terug. Met heldere, wijdopen ogen keek hij haar aan. Daar lag hij, onder de zware last van het water, en hij staarde haar aan.

Stella ligt met haar zus op bed, haar voeten bij Nina's hoofd. Nina heeft de anderen allemaal weggestuurd. Even was er een hoop opwinding en lawaai: haar moeder hing aan de telefoon en iedereen wilde haar kopjes thee en zakdoekjes brengen en haar van advies dienen. Maar het is Nina gelukt haar mee het café uit te nemen. Ze zijn in haar auto gestapt en het leek maar een paar minuten te duren voor ze weer in haar flat waren.

Nina streelt haar enkel en vertelt dat Richard en zij besloten hebben een kind te nemen. 'Hij denkt dat ik er rustig van zal worden.' Ze snuift. 'Dat hij mij er zo onder krijgt, eigenlijk. Dat ik niet meer zal weglopen. Wat denk jij?'

'Ik denk...' zegt Stella, en haar stem klinkt nog steeds vreemd, een beetje slap en ver weg. Ze begrijpt niet precies hoe ze in Nina's slaapkamer terecht is gekomen. Het is of ze in het ene leven in slaap is gevallen, en in het volgende wakker is geworden. 'Als je een kind wilt, moet je er een nemen, vind ik.'

'Maar dat is het 'm nu juist, nietwaar?' zegt Nina. 'Ik weet niet of ik het wil. Hoe kun je dat weten als je er nog nooit een hebt gehad?'

Stella haalt haar schouders op. Het verbaast haar altijd weer hoe ruzies in de familie als sneeuw voor de zon kunnen verdwijnen. Het ene moment schreeuw je dat ze je leven hebben verwoest en het volgende lig je ineengekruld met ze op bed, alsof er nooit iets gebeurd is.

'Dat is de moeilijkheid met baby's,' gaat Nina verder. 'De enige manier om erachter te komen of je er een wilt, is er een nemen. En dan is het te laat. Je kunt het niet even terugduwen, toch? Er zou een of ander centrum moeten zijn waar je…'

'…Waar je kunt uitproberen of het moederschap je bevalt?'

'Precies.'

Nina drukt haar hand op Stella's voetzool. 'Goed. En jij?'

'Wat is er met mij?'

'Wat ga jij nu doen? Blijf je in Edinburgh?'

'Ik weet het niet. Waarschijnlijk niet. Ik heb geloof ik geen zin om hier te blijven.'

'Dat heb je nooit gewild.'

'Dat weet ik.'

'En Jake?'

Stella duwt zichzelf omhoog en zwaait haar benen van het bed. Ze wordt al iets helderder in haar hoofd. Door Nina's slaapkamerraam ziet ze een vrouw met een rode paraplu die een folder door de brievenbus van het tegenovergelegen huis gooit.

'Jake… kan ik maar beter opgeven, denk ik.' Ze kijkt naar omlaag, plukt wat kattenharen van haar trui en laat ze rondzweven in de lucht.

'Dat weet je niet, Stel.'

'Jawel.'

'Nee, dat weet je niet.'

'O, werkelijk?' Stella draait zich om en kijkt haar zus aan. 'Zou jij iemand willen nadat je erachter gekomen bent dat…' Ze wacht even en slikt haar woorden in, want ineens bedenkt ze zich dat Richard ergens in de flat rondloopt.

'Je kunt hem op zijn minst een kans geven en proberen erachter te komen of hij inderdaad zo denkt, wat volgens mij niet zo is. Het is zo lang geleden, Stel.' Nina schudt haar aan haar arm. 'Jaren en jaren geleden. Je moet het eens achter je laten.' Ze bijt op haar lip. 'Dat heb ik ook gedaan.'

'Nina, dat heb je niet gedaan,' fluistert Stella met hese stem, alsof ze al een tijd niet meer heeft gepraat.

'Het was net zo goed mijn schuld.'

'Nee, dat was het niet.'

'Dat was het wel,' houdt Nina vol. 'Als jij het niet gedaan had, had ik het wel gedaan.'

Stella draait zich om en kijkt naar haar. Ze kan er niet tegen dat ze er nu over praat. De Gebeurtenis. 'Dat is niet waar,' zegt ze. 'En dat weet je heel goed.'

Ze zijn even stil. Nina kijkt een andere kant op en krult een pluk van haar haar rond haar vingers. 'Weet je wat jouw grootste probleem is?' zegt ze ineens.

'Nee. Vertel het maar.'

'Niet dat je het niet kunt vergeten,' begint Nina, 'en ook niet dat je hem overal ziet. Maar dat je niet vindt dat je een normaal leven hebt verdiend, dat je dingen krijgt die normale mensen ook hebben, dat je...'

'Onzin,' zegt Stella terwijl ze zich omdraait naar haar zus. 'Dat is het dus helemaal niet.'

'Dat is het wel!' Nina staat op en begint rond te lopen. 'Dat is precies wat er aan de hand is! Ik weet heus wel dat je daarom Jake niet meer wilt zien. Niet omdat je het niet kunt verdragen dat hij het weet. Jij vindt dat je gestraft moet worden voor iets waarvoor je nog geen straf hebt gehad – iets waarvoor je mede door mij niet gestraft bent.'

'Nina,' onderbreekt Stella haar, maar haar zus praat gewoon door.

'Jij hebt het compleet belachelijke, idiote idee opgevat dat je straf bestaat in het feit dat je hem niet meer mag zien. Wist je dat?' Ze wacht even. 'Ik heb je zelfs een gunst verleend, waarschijnlijk.'

Het is opnieuw even stil. Stella kijkt haar verbluft aan. 'Een gunst?' herhaalt ze.

'Ja.' Nina steekt haar kin uitdagend omhoog. 'Door het hem te vertellen. Jij zou het hem nooit hebben verteld en... en je zou gewoon weer stommetje spelen en alles voor jezelf houden. Maar nu zul je merken dat hij niet anders over je is gaan denken omdat hij het weet. Misschien zul je eindelijk in de gaten krijgen dat je er recht op hebt om gelukkig te zijn, dat je...'

'O, bespaar me je psychoanalytische gezwam.'

'Nee, dat doe ik niet. En ik zal ervoor zorgen dat je Jake niet zal laten lopen. Alsjeblieft, Stella,' zegt ze op dwingende toon. 'Het was een ongeluk. Het is nu eenmaal gebeurd. Vergeet het.'

Stella trekt aan een los draadje van het laken. 'Ach, het doet er allemaal niet toe,' mompelt ze. 'Ik bedoel: zie jij hem, hier?' Ze zwaait met haar hand door de kamer. 'Ik geloof niet dat hij wanhopig naar me op zoek is om met me te praten.'

'Hij weet niet waar je bent,' zegt Nina met sarcasme in haar stem.

'Hij zou me best kunnen vinden. Hij zou... pap en mam staan in het telefoonboek, om te beginnen... en... eh...' Ze zwijgt even.

'Ik wist tot vanochtend niet eens waar je zat.'

'Goed, dat is misschien zo,' zegt Stella, 'maar...'

'Stel, begrijp je het dan echt niet?' Ineens staat Nina voor haar en pakt haar handen. 'Je bent vastgelopen. Je moet hier eindelijk eens een punt achter zetten. Jake houdt van je.' Stella zucht en probeert zich los te trekken, maar Nina houdt haar handen stevig vast. 'Luister naar me. Hij houdt van je. Het interesseert hem geen hol wat er twintig jaar geleden is gebeurd.'

'Daar weet jij niets van.'

'Dat weet ik wel.'

'Dat weet jij niet.'

'Dat weet ik zeker, zelfs. Als je dit weggooit omdat je bang bent om verder te komen, omdat je bang bent hem toe te laten in je leven, dan ben je gestoord. Dan verpest je het voor eeuwig.'

Stella trekt haar handen los, staat op en loopt naar het raam. Ze drukt haar voorhoofd tegen het koude glas en kijkt of ze de vrouw met de folders nog ziet. Ze is verdwenen.

Achter haar werpt Nina zich met een wanhopige zucht op het bed. 'Ik weet niet eens waarom ik me er zo druk over maak,' zegt ze woedend terwijl ze op het kussen slaat. 'Ik kan net zo goed tegen die klotemuur aanpraten. Ik weet nu al wat je gaat doen. Ik weet precies wat je gaat doen.'

'Zo, weet jij dat?'

'Je loopt gewoon weer weg. En je zult blijven weglopen, zoals je dat altijd hebt gedaan.'

Stella denkt erover na terwijl ze kijkt naar de condens die haar adem op het raam veroorzaakt. 'Waarschijnlijk wel.' Ze knikt. 'Ja.'

Jake staat in een groot spoorwegstation en duwt zijn pinpas in een geldautomaat. Hij houdt zijn hand voor het scherm, zodat hij de groene letters kan ontcijferen.

Hij heeft gelogeerd in een vreselijk jongerenhotel, op een kamer zonder ramen met twaalf bedden waar de penetrante geur van desinfecterende middelen die van nog smeriger geurtjes, waar Jake niet eens over wil nadenken, ternauwernood verdrijven kon.

Hij kijkt toe terwijl de automaat zijn verzoek in overweging neemt. Hij stelt zich voor dat de gecodeerde, elektronische informatie wordt uitgewisseld tussen dit apparaat in een Londens spoorwegstation en zijn eigen bank in Wanchai. Zal hij het geld krijgen? Hij heeft minimaal tachtig pond nodig. Daarmee kan hij de rekening van het hotel betalen, waar ze zijn paspoort als onderpand in bewaring hebben genomen, en een treinkaartje naar Edinburgh kopen. Jake kijkt rond en ontdekt het bord met de vertrektijden. Over een kwartier gaat er een trein. Als hij die haalt, is hij aan het eind van de middag in Edinburgh, en wie weet waar hij dan 's avonds is. In Stella's huis? In het café? Wanneer hij haar niet vindt, dan zit hij pas echt in de... Maar daar wil Jake niet over nadenken.

Hij heeft gisteren zijn e-mail bekeken, voor het eerst sinds weken. Er waren negen berichten van Chen, in oplopende graad van paniek. Het script waar ze mee bezig waren, was ineens goedgekeurd en hij moest Jake terughebben. Nu. De meest recente e-mail was van Chens assistent. Die schreef dat Jake contact moest opnemen als hij niet terug zou komen, want ze hadden iemand gevonden die zijn baantje kon overnemen. Jake had minutenlang met zijn hoofd in zijn handen in het internetcafé gezeten. Toen schreef hij terug: 'Geef mijn baan niet aan een ander. Ik kom terug. Geef me nog drie dagen – of vier, op zijn hoogst.'

Jake had in Londen alles gedaan om Stella te vinden. De vrouw in de flat was niet Stella. Ze was een vriendin, had ze gezegd terwijl ze de deur met haar hand vasthield, en ze had weken niets van Stella gehoord. Het meisje van het radiostation met wie hij had gesproken, klonk al even geërgerd: Stella had daar inderdaad gewerkt, maar ze was al een tijdje niet meer geweest en nee, ze had geen idee waar ze was.

Hij kijkt weer naar het apparaat. Het ding spuugt zijn pas uit en er verschijnt een mededeling: VERZOEK AFGEWEZEN, SALDO ONTOEREIKEND.

'Tachtig miezerige ponden,' moppert hij en hij trekt een andere pas uit zijn portemonnee. 'Dat lijkt me toch niet te veel gevraagd.'

Hij duwt zijn pas door de nauwe sleuf en doet een schietgebedje aan de god van de betaalautomaten. Alstublieft, alstublieft. Tachtig pond. Meer niet. Ik betaal het terug. Echt waar.

Het apparaat moet lang nadenken. Jake wipt van de ene voet op de andere en kijkt op de stationsklok hoeveel minuten het nog duurt voor de trein naar Edinburgh vertrekt. Dan volgt een vreselijk, schurend geluid en slikt het apparaat zijn kaart in. VERZOEK AFGEWEZEN, PINPAS INGENOMEN.

'Godver.' Jake slaat met zijn vuist tegen de muur. 'Godverdegodver.'

Hij doet even zijn ogen dicht. Hij vindt het moeilijk te bevatten dat zijn leven zo onbestendig is geworden. Jarenlang zat hij op school, hij heeft diverse baantjes gehad, een paar vrouwen ook, en nooit werd hij echt verrast of werd hem de voet dwarsgezet. En ineens wordt hij bijna doodgedrukt, wordt hij gedwongen te trouwen met iemand die hij nauwelijks kent, reist de halve wereld over, gaat op zoek naar de vader die hij nooit heeft gekend maar vindt in plaats van hem een meisje, maakt er een grote puinhoop van, dan loopt het meisje weg en hij gaat erachteraan. Meer dan genoeg voor een paar levens, welbeschouwd. Maar dan vertelt iemand hem dat dat meisje, dat meisje van wie hij houdt, iemand heeft vermoord.

Jake doet zijn ogen open en bekijkt het slecht verlichte station, waar het chaotisch toegaat: mensen rennen om de trein te halen, ze kijken naar het bord met de vertrektijden of ze zitten op een koffer op hun trein te wachten. Dat wat Nina hem die nacht heeft verteld, flitst af en toe door zijn hoofd, als de schijnwerper in een vuurtoren. Hij beseft dat hij geschokt zou moeten zijn, dat het hem meer zou moeten doen. Maar tot zijn verrassing moet hij vaststellen dat het hem niet raakt. Er is zoveel wat hij van Stella niet begrijpt.

Jake probeert zich voor te stellen hoe Stella er op haar achtste uitzag. Hij ziet een dun meisje met een angstig gezichtje en kleine gebalde vuistjes. 'Ze deed het voor mij,' had Nina gefluisterd. 'Kun je je dat voorstellen?' Jake kan het zich absoluut niet voorstellen. Hij kan er met geen mogelijkheid achterkomen waarom ze het gedaan heeft – en hij weet niet of hij ertegen zou kunnen als hij het wel wist. De schoft van de klas. Hij wordt plaatsvervangend woedend, hij wil het liefst haar hand pakken en haar meenemen naar een plek hier ver vandaan.

Maar dan moet hij haar eerst zien te vinden. Hij schuift zijn portemonnee in zijn zak en loopt het station uit.

Hij staat bij een telefooncel. Er lopen mensen langs hem heen, op weg naar de ingang van de metro. De zon is warm hier, veel warmer dan in Schotland. De mannen lopen in hemdsmouwen en dragen hun jasje over hun arm. De geur van rottend afval doet Jake even aan Hongkong denken.

Hij loopt weer weg van de telefooncel. Maar dan blijft hij staan en bijt op zijn lip. Hij kan dit niet doen. Hij kan het gewoon niet. Hij is bijna dertig. Hoe heeft het zo ver kunnen komen? Maar zijn maag rommelt, hij heeft vandaag nog niets gegeten en hij heeft iets minder dan een pond in zijn jas zitten. Hij zou kunnen wandelen, maar hij begrijpt niets van het ingewikkelde Londense wegennet. Hij weet niet eens welke kant hij op moet en bovendien is het altijd mogelijk dat hij een lift krijgt van een seriemoordenaar.

Jake drukt zijn handen op zijn slapen. Wat kan hij anders doen? Het duurt nog bijna twee weken voordat zijn salaris wordt overgemaakt. Zo lang kan hij niet wachten.

Hij trekt de deur van de telefooncel open en stapt naar binnen. Hij hoort haar stem, die zegt dat ze een collect call uit Londen accepteert. Hij wordt bloednerveus en wil bijna ophangen.

'Jake?' zegt zijn moeder. 'Ben jij dat?'

'Ja. Hallo.'

'Gaat het wel goed?'

'Ja.' Hij drukt de hoorn dichter tegen zijn oor. 'Hoewel, nee. Caro, ik heb geld nodig.' Hij heeft een hekel aan zijn eigen stem als hij het zegt. 'Het spijt me zo dat ik je dit moet vragen. Vooral omdat ik weet dat Lionel en jij het je niet echt kunnen...'

'Waar zit je?' onderbreekt ze hem.

'In Londen.'

'In Londen?' Ze lijkt hem nauwelijks te geloven. 'Wat moet je daar nu?'

'Ik kan het je terugbetalen,' gaat hij verder, 'binnen een paar weken. Ik geef het je allemaal terug, dat is beloofd. Ik moet geld hebben voor een treinkaartje naar Schotland.'

Hij schuift met zijn sportschoen over de smerige metalen wand van de telefooncel en hoort haar nadenken.

'Wat is er aan de hand, Jakey?'

Jake ademt diep in. 'Er is een meisje. En als ik vandaag of morgen niet in Edinburgh ben, dan...'

'Hoeveel heb je nodig?' vraagt zijn moeder onmiddellijk.

Het was geen vraag waar Stella zou logeren. Nina had haar tas opgehaald bij Evie, die in haar auto gegooid en op haar zolderkamer neergezet. 'De handdoeken liggen in de linnenkast,' zei ze, 'en schone onderbroeken in mijn ladekast.' Toen liet ze zien hoe de elektrische deken werkte.

Nina gaat 's middags lunchen met Richard, als altijd, en dan zit Stella alleen in de flat. Ze neemt een bad, blijft er lang in liggen, ziet hoe haar huid langzaam roze wordt en het bloed dicht onder haar huidoppervlak komt. Ze luistert naar Nina's favoriete radiostation, kijkt naar het plafond en zeept zich in met de spullen die op de plank staan. Later ruikt ze aan haar huid en stelt vast dat ze net zo ruikt als haar zusje.

Als ze zich heeft aangekleed, loopt ze met natte haren door de lege kamers en neemt een slokje thee. Nina heeft een opvallend huis. Stella is er nooit lang alleen geweest. Overal ziet ze spullen die ze herkent uit hun ouderlijk huis: prullaria, kussens, een ladekast, een vaas, een schilderij. Op de schoorsteenmantel ziet ze niet alleen Nina's zilveren doopbeker, maar ook die van zichzelf.

Hun namen staan er aan de binnenkant in gegraveerd: Stella Giuditta Gilmore en Nina Maddalena Gilmore. Bij Nina's bed staat een van de twee lampjes die vroeger bij hun stapelbed stonden. Stella zoekt het andere lampje en vindt het op de toilettafel. Het verbaast haar dat Nina zo veel spullen uit het huis van hun ouders heeft. Zelf heeft ze niets, ze bewaarde niets. De meeste spullen was ze al helemaal vergeten.

Stella loopt naar de hal en gaat op de kruk naast de telefoon zitten. Ze kijkt naar twee porseleinen muisjes die Valeria hun ooit met kerst heeft gegeven. Stella pakt ze op, een in elke hand. Op het moment dat ze ze vastheeft, herinnert ze zich hoe dat harde, gladde glazuur voelde, hoe breekbaar ze waren en hoe ruw de onderkant was.

'Hallo,' mompelt ze. 'Kennen jullie me nog?'

De muisjes kijken haar met doordringende blikken aan. Ze vraagt zich af waarom ze in godsnaam praat tegen porseleinen muizen. Snel zet ze ze weer terug, even slordig als ze ze had aangetroffen, en trekt een la open.

Tot haar verbazing treft ze ook daar een heleboel oude spullen aan: schoolschriften van Nina, maar ook exemplaren met haar eigen handschrift, oude, verkleurde foto's waar ze met zijn tweeën opstaan, hun oude etuis, waarvan het leer verdroogd is, maar waar nog steeds potloden, passers en grijze blokjes gum in zitten. Stella pakt de hele la uit en bekijkt alles. Ze glijdt met haar vingers over de schriften, de met inkt besmeurde velletjes papier, de pennen en de foto's van hen beiden in de tuin en op de stoep voor Evies huis terwijl ze tegen een auto geleund staan. Ze spreidt ze in een boog voor zich uit en blijft er een poosje naar kijken.

Nina is in zekere zin de beschermster van hun gezamenlijke verleden, beseft ze. Ze krijgt er een brok van in haar keel als ze bedenkt dat Nina al die spullen heeft verzameld. Dat haar zus ze heeft bewaard en erop past, ervoor zorgt dat ze samen blijven, hoewel zijzelf ze veronachtzaamd heeft.

Jake bedenkt zich dat er een tijd moet komen dat hij niet door Groot-Brittannië zwerft, op zoek naar mensen. Dat belooft hij zichzelf: dat hij de rest van zijn leven niet zal vullen met het zoeken naar mensen die niet gevonden willen worden.

Hij wipt van zijn ene voet op zijn andere en kijkt naar het café aan de overkant. IANELLI's staat er op het bord, in vierkante, gouden letters. Hier moet het zijn. Hij heeft door de straten gelopen en langs de rivier, hij heeft aan voorbijgangers gevraagd waar hij een café kan vinden dat door Italianen wordt gerund. Sommigen keken hem wantrouwig aan en liepen door – hij heeft geen idee waarom – maar de voorbijgangers die wel iets terugzeiden, beweerden dat er maar één zo'n café was. Ianelli's. Aan de hoofdstraat. Stella had gezegd dat Musselburgh de naam van het stadje was. Of was het toch iets anders? Weet hij wel zeker dat het Musselburgh was?

Jake duwt zichzelf los van de muur waar hij tegenaan geleund stond. Dit is belachelijk. Het enige wat hij hoeft te doen, is naar binnen gaan en vragen. Echt heel eenvoudig. Dit is tenslotte zijn enige spoor. Met verkrampte kaken steekt hij in een rechte lijn de straat over. Het gaat lukken. En het is niet moeilijk. Hij zegt gewoon dat hij op zoek is naar Stella, en of ze misschien weten waar ze is. Heel eenvoudig.

Maar nu hij voor het café staat, zinkt de moed hem in de schoenen. Door het raam ziet hij twee mannen, een oudere en een jongere, die praten met een klant. Ze zijn groot en zwaar en zien eruit als… Nou ja, als acteurs uit een maffiafilm. O god, denkt hij, je hebt niet met één, maar met twee leden van de familie lopen flikflooien. Hij zal eindigen op de bodem van de rivier, met een blok beton aan zijn enkels. Of hij vindt een afgehakt paardenhoofd in zijn bed. Zijn moeder zal nooit weten wat hem is overkomen.

Jake loopt langs de gevel, zo snel hij kan. Dan keert hij om en loopt weer terug. Dit is echt belachelijk. Hij moet niet zo moeilijk doen. Het café is het enige wat hem nog aan Stella bindt. Het moet lukken, en het zal ook lukken. Hij duwt de deur open en loopt naar binnen. De mannen achter de bar knikken hem toe, een van hen lacht. Verder staat er een oude vrouw bij de koffiemachine, met een kopje in haar hand. Ook zij lacht. Jake voelt zich als een spion in het vijandelijke kamp. Ze lijken allemaal ergens op te wachten.

'Uhm,' zegt Jake, 'uhm, ik vroeg me af…' Hij kijkt naar rechts en ziet achter de bar een vrouw die eruitziet als Stella over twintig jaar. Lijken ze in al die families zo op elkaar, of alleen in deze?

'Zou ik…' Hij is op van de zenuwen. 'Mag ik een kopje koffie, alstublieft?'

'Francesca?'

Francesca blijft staan en kijkt naar haar vriendin, die aan de andere kant van de bar staat. 'Wat is er?' Ze vindt het vervelend. Ze zit midden in een kwestie met een gordijnenmaker uit Joppa en Evie is overduidelijk met iets heel anders bezig.

'Volgens mij is dat hem,' fluistert Evie en ze maakt zich klein.

'Wie?' Francesca begrijpt er niets van.

'Dat is hem. Je weet wel.'

'Ik begrijp niet waar je het over hebt.'

'Ja, dat begrijp je wel. Het is hém.'

Evie geeft een vette knipoog, en dan valt het kwartje. Francesca zet de ijscoupe neer die ze aan het afdrogen was.

'Hij daar?' Ze wijst op een donkerharige jongen die achter in het café over een kop koffie gebogen zit. Ze heeft slechts een vaag idee van wat er zich onlangs heeft afgespeeld tussen haar dochters, maar een ding weet ze zeker: het is allemaal de schuld van een kerel. 'Hoe weet jij dat?'

'Nina heeft verteld hoe hij eruitziet.'

'Maar ik dacht dat het een… je weet wel, een Chinees was.' Francesca fluistert nu ook.

'Nee, nee.' Evie schudt haar hoofd. 'Het is een blanke.'

'O.' Francesca kijkt over Evies schouder naar de jongen. 'Hij ziet er Italiaans uit.'

'Vind je?'

'Ja.'

'Aha. Je Romeinse radar geeft een duidelijk signaal af, zeker?'

'Absoluut.' Francesca kijkt nog eens. 'Voor een deel Italiaans, zeker weten.'

'Nou ja, dat zou kunnen. Maar laat me je dit vertellen,' – ze begint wulps te lachen – 'je dochters hebben een goede smaak. Als je dan toch ruziemaakt om een man, laat het dan een…'

'Houd je kop!' fluistert Francesca. 'Ik ga naar hem toe.' Ze doet haar schort af en mompelt: 'Dan zal ik hem eens vertellen hoe ik erover denk.'

'Cesca,' zegt Evie en ze loopt achter haar vriendin aan. Ze houdt haar schort met één hand vast terwijl ze door het café loopt. 'Vind je dat nu wel een goed idee? Misschien moeten we...'

'Heet jij Jake?' buldert Francesca.

Jake schrikt op, laat wat suiker op tafel vallen en kijkt op. Hij ziet de oudere versie van Stella op zich af komen.

'Ja,' zegt hij, 'ja.' Hij springt op en wil bijna salueren. Er staat een vrouw achter haar, klaar om de andere tegen te houden. Dit ziet er niet best uit. Dit wordt niet het vertrouwelijke gesprekje dat hij in gedachten had. 'Hallo. Aangenaam kennis met u te maken.' De lessen in manieren die Caroline hem heeft bijgebracht, lijken hun vruchten af te werpen. 'Bent u...'

'Ik ben Stella's moeder.' De vrouw blijft staan. 'En die van Nina,' voegt ze er veelbetekenend aan toe.

'Juist. Het is aangenaam met u kennis te maken,' zegt Jake en hij vraagt zich af waarom hij zichzelf herhaalt.

'Mag ik vragen wat je hier komt doen?'

'Nou, ik ben op zoek naar Stella. Misschien weet u...'

'Alleen naar Stella?' zegt ze. 'Of ook naar Nina?'

'Uhmm...' Jake zinkt ineen. Wat is het juiste antwoord? 'Nou...'

De blonde vrouw mompelt: 'Francesca, misschien moeten we...'

'Als je denkt dat je hier zomaar binnen kunt lopen en opnieuw een ruzie tussen mijn dochters kunt ontketenen, dan heb je het mis.' Francesca zwaait met haar vuist, op een dreigende manier, dat is duidelijk. 'Hoe durf je hier nog binnen te komen? Heb je niet al genoeg schade aangericht? Mijn dochters zijn...'

De mensen die achter de toonbank stonden, zijn ook bij de tafel komen staan. De oude vrouw zegt tegen Francesca iets in het Italiaans en Francesca geeft een kort antwoord. Jake heeft geen idee waarover het ging, maar het klonk niet al te vriendelijk. In ieder geval hoorde hij het woord *brutto*.

'Het is hem,' zegt de blonde vrouw, op een toon die je gewoonlijk reserveert voor een zin als: het is de duivel.

De oude man zegt iets, en de vrouw van wie Jake aanneemt dat het zijn vrouw is, draait zich om en bekt hem af. Jake zou zijn ogen willen sluiten. Gaan ze hem nu met gebonden polsen in een achterkamertje gooien? Hij zou willen vragen of hij nog één telefoontje mag plegen. Gaat zijn verbeelding met hem aan de haal? Waarschijnlijk wel.

'Hij wil gewoon weten waar ze is!' zegt de blonde vrouw. 'Dat is alles! We moeten het hem vertellen. Als ze erachter komt dat wij…'

'Evie.' Francesca draait zich om en begint ruzie te maken. Ze zegt dat hij onbetrouwbaar is en spelletjes speelt, en dat ze helemaal niets van hem weten.

'Nou, dat weerhoudt je er anders niet van om je een duidelijk oordeel over hem te vormen,' zegt Evie daarop, en Jake stelt vast dat hij haar wel mag, dat ze een prachtmens is.

De oude man wijst op hem en zijn vrouw knikt. De andere man staat met zijn armen over elkaar tegen de bar geleund en kijkt alleen maar. Jake moet hem niet. Absoluut niet.

Hij voelt een hand op zijn arm en deinst terug. Maar het is de blonde vrouw, die vooroverleunt. 'Ik zou maar gaan als ik jou was,' fluistert ze.

Jake loopt het café door. Het lijkt ineens heel lang te duren voor hij bij de deur is. Hij kijkt opzij en ziet zichzelf weerspiegeld in een rij spiegels; dan kijkt hij naar de andere kant, waar hij een verzameling prentbriefkaarten ontdekt die op een bord achter de bar zijn vastgeprikt.

Dan staat hij buiten en hoort hij niet langer hun ruziënde stemmen. Hij staat bijna te huilen, merkt hij ineens. Er loopt een vrouw voorbij. Ze kijkt om en hij drukt zijn handpalmen in zijn ogen. Hij loopt weg, zonder te weten waarheen.

Hij heeft net een zijstraat bereikt en staat op het punt om over te steken als hij achter zich een stem hoort. 'Hé!'

Jake draait zich om. Stella's grootvader loopt in zijn overhemd in een drafje op hem af.

'Hé,' zegt hij nog eens en Jake blijft zenuwachtig staan. Wat nou weer?

'Stella?' vraagt de oude man.

'Ja.' Jake knikt, zoals zo'n hond die sommige mensen op de hoedenplank van hun auto hebben staan. 'Stella, ja.'

Hij buigt zich naar hem toe en zegt iets. Eén woord. Jake heeft geen idee wat hij zegt.

'Sorry?' zegt Jake.

De oude man zegt het nog eens. Twee keer zelfs, en beide keren kijkt hij Jake aan om te zien of die het heeft begrepen. Jake doet zijn uiterste best om het te verstaan, maar de man heeft een zwaar accent, waar hij bovendien niet aan gewend is.

Het begint met een P – zoveel is duidelijk. Het idee dat hem een aanwijzing wordt gegeven, maar dat hij het niet begrijpt, doet hem zweten. De oude man spreekt het woord telkens weer uit, slaat met zijn ene hand op de andere en wijst de straat in. Jake kijkt naar het punt waarop hij wijst, en kijkt dan de man weer aan. Wat bedoelt die vent en waarom heeft hijzelf verdomme nooit Italiaans geleerd? De man pakt zijn arm beet en lijkt erop gebrand dat hij het woord verstaat. En ineens verstaat Jake iets van de klanken die hij uitstoot.

'Portobello?' Nu begrijpt Jake het. Hij herinnert zich dat hij het heeft gezien op een spoorwegstation op weg hiernaartoe en hij meende dat het wel een rare naam was voor een Schotse stad. 'Zit Stella in Portobello?'

'Si, si.' De grootvader lacht. 'Portobello. Stella in Portobello.' Hij pakt Jake bij zijn elleboog en leidt hem naar een bushalte. '*Capisce*?' Hij blijft staan tot de bus komt. 'Jij begrijpen?'

'Ja,' grinnikt Jake en hij klimt de bus in. 'Dank u. Heel erg bedankt.'

Stella's grootvader wuift zijn dankbaarheid weg met een enkel kort gebaar. Jake zegt het magische woord tegen de chauffeur, betaalt, pakt zijn kaartje en gaat op de voorste bank zitten. Dan bedenkt hij iets. Hij springt op en duwt het raam open.

'Waar in Portobello?' vraagt hij.

De grootvader knikt en lacht. 'Portobello, *si*.'

'Ja, maar waar?'

De bus komt in beweging en de grootvader wuift hem uit. Jake vraagt de chauffeur tot tweemaal toe hem te waarschuwen als ze in Portobello zijn en kijkt dan naar de weg die onder hen door glijdt. Het verkeer wordt drukker naarmate ze de stad naderen en er stappen steeds meer mensen in: een oude man, een vrouw met een hond in een mand, twee tieners die eruitzien alsof ze nu op school zouden moeten zitten.

Jake kijkt uit het raam en houdt zijn knieën vast. Ze rijden door een voorstad. Grote, zandsteenkleurige huizen met grote, aflopende tuinen, af en toe, tussen twee huizen door, de zee, geknipte heggen, witte borden waarop staat: BED AND BREAKFAST. Op het trottoir ziet hij twee vrouwen.

Aanvankelijk valt hem op dat ze heel dicht bij elkaar lopen. Ze lopen hand in hand, ziet hij. Ze lopen erbij als twee oude vrouwtjes die elkaars ondersteuning nodig hebben. Dan herkent hij ineens de nek van de langste van de twee.

Hij springt op en stoot zijn hoofd tegen het plafond. 'Stella!' roept hij.

Iedereen draait zich om en kijkt naar hem. De vrouw met de hond springt op. Jake drukt zich tegen het raam aan en bonkt er met zijn vuisten op.

'Stella!' gilt hij. 'Stella!'

Mensen die op het trottoir lopen, blijven staan kijken. Maar Stella en Nina niet. Ze zijn druk in gesprek. Stella zegt iets tegen haar zus, die knikt. De bus begint harder te rijden en hij verliest hen uit het oog. Jake slaat nog eens op het raam en loopt dan naar de bel. Hij drukt erop en probeert tegelijk de zussen in de gaten te houden.

'Kunt u stoppen?' vraagt hij. 'Alstublieft?'

De chauffeur kijkt hem via zijn achteruitkijkspiegel aan, maar rijdt gewoon door. De huizen en de mensen flitsen voorbij.

'Laat u mij er alstublieft uit,' smeekt Jake en hij drukt nog eens op de bel. 'Alstublieft.'

De chauffeur vloekt, maar bij het volgende stoplicht ontsluit hij de deur, die met een sissend geluid openklapt.

Jake springt de bus uit en vanaf het moment dat zijn voeten de grond raken, sprint hij terug. Hij ziet dat de mensen in de bus allemaal kijken. Hij schat in dat hij zo bij hen zal zijn – hij rent en zij lopen zijn richting uit, tenslotte – maar hij ziet ze nergens. Hij kijkt naar de andere kant van de straat, misschien zijn ze overgestoken. Dan kijkt hij achter zich, maar ook daar ziet hij niets. Hij blijft staan op de plek waar hij hen voor het eerst zag, loopt dan de eerste zijstraat in en vervolgens een andere. De weg strekt zich uit in twee richtingen, maar de mensen die hij ziet, lopen alleen: een moeder met een wandelwagen, een man die een tapijt met zich meedraagt, een meisje met haar fiets aan de hand. Geen mensen die gearmd lopen.

Ze zijn verdwenen. Jakes hart klopt zo snel dat hij even blijft staan en tegen een muur leunt. Waar zijn ze gebleven? Zijn ze een van deze huizen binnengegaan? Heeft hij het zich allemaal verbeeld? Moet hij hier blijven wachten en hopen dat ze te voorschijn komen? Dat zou hij nog doen ook, zegt hij tegen zichzelf, hij zou de hele avond blijven wachten, hij zou hier blijven staan bij deze lantaarnpaal met een oude reclameposter van een koeriersdienst.

Hij moet zich inhouden om niet haar naam te schreeuwen. Hij kijkt de straat nog eens in, eerst naar de ene, en dan naar de andere kant. Nog steeds niets. Verwachtingsvol kijkt hij in de zijstraat die voor hem ligt. Die straat loopt tussen twee huizenrijen door, en aan het eind ervan ligt de zee. Jake kijkt naar de kleurige banen voor zich: de grijze promenade, het okergele zand, de grijsgroene zee met de witte toppen op de golven, de bruine strook van de tegenovergelegen kust en daarboven de blauwe lucht.

Hij gaat midden op de weg staan. Dan loopt hij een bocht om en komt op de promenade. Hij voelt de zoute zeewind in zijn gezicht. Jake blijft staan. Hij staat voor de ingang van een Victoriaans zwembad, dat is opgetrokken uit rode baksteen. Op het strand liggen talloze steentjes en hier en daar wordt de zon weerspiegeld in een plasje water. Langs het strand liggen stukken zwart hout.

Nina loopt juist een betonnen trap af die naar zee leidt. Jake rent naar haar toe. Ze probeert een sigaret op te steken en gaat met haar rug naar de zee staan. Ze houdt haar jas voor haar aansteker.

'Hallo,' zegt Jake als hij zo dichtbij is dat ze hem kan horen.

Ze kijkt op. Langzaam neemt ze de sigaret tussen haar lippen weg. Ze opent haar mond alsof ze iets wil zeggen, maar in plaats daarvan wijst ze met haar sigaret naar de plek waar de betonnen trap, die naar het strand leidt, eindigt.

Jake loopt naar de leuning. Stella loopt tien meter voor hem, vlak bij de branding. Hij klimt over de leuning en rent het zand op. De stenen en schelpen kraken onder zijn voetzolen. Hij weet zeker dat ze zich omdraait als ze hem hoort, maar dat doet ze niet. Ze houdt haar hoofd schuin en kijkt naar de zee, en als hij vlak bij haar is, hoort hij haar zeggen: 'Dus jij denkt dat we...'

'Stella?' zegt hij.

Ze draait zich om. Ze heeft een steen in haar hand. Hij ziet het draderige zeewier dat eromheen zit. Hij weet niet wat hij moet zeggen, waar hij moet beginnen. Ze neemt hem van top tot teen op, alsof ze er zeker van wil zijn dat hij het is. De opluchting dat ze hier staat, vlak voor zijn neus, is zo groot dat hij de tranen, waar hij eerder tegen vocht, weer voelt opwellen. Jake raakt in paniek – wat is er toch met hem? – en hij moet wel naar de grond kijken, naar hun voeten die naar elkaar gericht staan, en naar de stenen die een fraai patroon vormen in het zand.

'Ik wil mijn excuses aanbieden,' zegt hij. 'Voor... voor Mel en...' Hij zwaait met zijn armen. 'Ik heb me als een idioot gedragen.'

Hij steekt zijn handen in zijn zakken. Hij heeft deze toespraak zo vaak in zichzelf herhaald, dat je zou denken dat hij de woorden met gemak zou kunnen uitspreken. Maar nu hij hier staat, is hij helemaal vergeten wat hij wilde zeggen. Hij is vergeten dat ze die uitwerking op hem heeft. Dat hij in haar nabijheid niet meer rationeel kan denken.

'Ik weet,' stamelt hij, 'dat... dat er geen excuus is, dat ik... dat ik niets kan zeggen... maar weet je, sinds ik jou heb ontmoet, wil ik... ik...'

Hij kijkt haar aan. En zij kijkt hem aan, met een ongelovige blik. Ze heeft de steen nog steeds in haar hand. Dat levendige, prachtige, hoekige gezicht van haar, dat was hij ook vergeten. 'Wat zei ik ook weer?' vraagt hij.

'Sinds je mij hebt ontmoet,' zegt ze.

'O ja.' Hij kijkt naar de horizon om inspiratie op te doen. 'Ja. Sinds ik...' hoort hij zichzelf opnieuw zeggen. Dan zucht hij, hij laat zijn schouders hangen en gaat dichter bij haar staan. 'God, Stella,' zegt hij, nu op normale toon, 'ik heb je overal gezocht.'

'Echt?'

'Ja. Overal. In Londen en…'

'Ben je in Londen geweest?'

'Ja.'

'Maar daar was ik niet.'

'Dat weet ik,' zegt hij. 'Nu weet ik dat.'

Ze is even stil. Ze legt de steen in haar andere hand en hij ziet dat ze over zijn schouder ergens naar kijkt. Naar haar zus? Mogelijk. Jake draait zich niet om om het te controleren. 'Luister,' zegt hij, 'wil je een stukje met me wandelen langs de zee?'

Ze kijkt nog eens achter hem, een keer nog, en zegt dan: 'Goed.'

Ze lopen naast elkaar. Bij elke stap voelt hij haar mouw langs de zijne schuren. Hij vraagt zich af of zij dat ook merkt. Hij kan nog steeds nauwelijks bevatten dat ze naast hem loopt, dat hij haar heeft gevonden, dat ze hier samen over dit uitgestrekte strand lopen met boven zich de blauwe hemel.

'Hoe lang ben je in Londen geweest?' vraagt ze.

'Een paar dagen.'

'En vond je het leuker dan de eerste keer?' Ze kijkt hem van opzij aan.

Hij lacht. 'Niet echt. Ik zat in een hotel waar het rook naar ontlasting en urine, ik verdwaalde voortdurend, en had op het laatst geen geld meer. En de enige die ik wilde zien, bleek daar niet te zijn.'

Ze tilt haar hand op om haar haren uit haar gezicht te strijken. Maar die waaien meteen weer terug en ze draait haar gezicht naar de wind. Jake blijft staan en zij doet dat ook. Verwachtingsvol kijkt ze hem aan.

'Stella,' zegt hij en hij pakt haar bij haar arm, 'het is belachelijk dat wij niet samen zijn.'

Ze kijkt naar zijn gezicht met een nauwkeurige blik. 'Ik…' begint ze, en dan kijkt ze naar beneden. 'Ik denk dat ik wegga.'

'Weg?' Jake is verbijsterd. 'Waar naartoe?'

'Ik weet niet,' mompelt ze. 'Ik heb werk gevonden in Boston en…'

'Rot op met je Boston! Stella, alsjeblieft. Ik wil… ik wil gewoon…' Wat wil hij eigenlijk? Hij moet even nadenken. Dan weet hij het ineens. 'Ik wil dat je met me meegaat naar Hongkong.'

Ze begint te lachen. 'Wat?'

'Naar Hongkong,' herhaalt hij en langzaam wordt hem duidelijk wat hij wil gaan zeggen. 'Ik wil dat je bij me bent, in Hongkong.'

'Dat meen je niet.'

'Zeker wel,' zegt hij. 'Ik heb mijn leven lang iets nog nooit zo serieus gemeend.'

'En jij denkt dat ik zomaar met je naar Hongkong ga?'

'Waarom niet? Je zei net dat je toch van plan was om weg te gaan. Je zult het prachtig vinden. Het is heel anders dan je bent gewend. En je zult er alles vinden wat je wilt: een stad, bergen, prachtige stranden, nationale parken. Nou? Wat wil je nog meer? Het eten is lekkerder dan je ooit hebt geproefd. Het is er niet al te warm, en ook niet te nat. Kijk eens aan. Mijn beste vriend werkt bij een radiostation, en hem kunnen we vragen of er een baan voor je is.'

Stella kijkt naar hem en schudt haar hoofd.

'Heb ik je al overtuigd?' vraagt hij. 'Je kunt een uitstapje naar China maken. Er rijden geweldige trams. Je kunt een nachtrit maken, van de ene kant van het eiland naar de andere en alle neonreclames bekijken. Je zult het geweldig vinden,' zegt hij nog eens. 'En bovendien heb je de morele verplichting om met me mee te gaan.'

'Morele verplichting? Hoezo?'

Hij haalt zijn schouders op. 'Als ik binnen twee dagen niet terug ben, verlies ik mijn baan en word ik mijn flat uit getrapt, en ik kan niet weg zonder jou. Dus jij kunt ervoor zorgen dat ik niet arm word en... mijn eer verlies.'

Ze leunt tegen het hek en glijdt er met haar vingers overheen.

'Je moet meegaan,' zegt hij.

Ze draait zich om en kijkt hem aan. 'Moet dat?'

'Ja, want als je het niet doet...' Jake gaat dichter bij haar staan. Zonder na te denken slaat hij zijn armen om haar heen en tilt haar, hier op het strand van Portobello, op. 'Want als je het niet doet,' fluistert hij in haar oor, 'moet ik mijn leven lang blijven zoeken naar een tweede jij. En ik denk niet dat die bestaat.'

Ze beweegt haar armen, lacht en zegt zijn naam, ze zegt dat ze geen lucht kan krijgen, maar hij houdt zijn armen om haar heen, hij streelt haar met zijn vingers in haar nek, kust haar op haar wang, haar voorhoofd, haar oor, haar lippen, overal waar hij haar kan kussen. Hij heeft zijn mond vol haren en even denkt hij dat hij het voor elkaar heeft, dat alles toch nog goed komt.

Maar ze worstelt zich los, kijkt opzij en loopt een stukje achteruit. 'Er zijn nog dingen,' zegt ze, 'die ik moet doen.'

'Wat voor dingen? Er zijn geen dingen.'

'Ik heb het beloofd.' Ze drukt haar hand tegen haar wang. 'Ik heb mijn grootmoeder beloofd dat ik deze week zou werken.'

'Goed. Dan gaan we over een week.'

'Maar je zei dat je binnen twee dagen weg moest.'

'Een week, twee dagen, wat maakt dat uit? Beloof me nou maar dat je meegaat.'

Ze kijkt naar beneden en tekent met de punten van haar schoenen figuren in het zand. Ze schudt haar hoofd.

'Beloof het me,' dringt hij aan.

'Dat kan ik niet,' zegt ze met een zachte stem. Ze gaat op de pier zitten met haar hoofd in haar handen. 'Ik kan het niet.'

Jake leunt tegen het rechtopstaande houtwerk en legt zijn hand naast de hare. 'Waarom niet?'

'Ik kan het gewoon niet. Het spijt me,' fluistert ze en ze steekt haar hand naar hem uit. Ze legt haar hand in zijn nek en trekt hem naar zich toe. Zijn gezicht raakt het hare, haar voorhoofd ligt tegen zijn wang. Jake kan niets meer zeggen. Ze trillen allebei. Het voelt alsof het zand onder zijn voeten beweegt, alsof hij ieder moment kan wegzakken of uitglijden. Hij slaat zijn armen om haar heen en houdt haar stevig vast. Zo blijven ze even staan. Hij streelt haar over haar haren. Hij voelt haar hart door haar kleren heen bonzen.

'Het spijt me,' fluistert ze in zijn oor. 'Het spijt me. Wees niet boos op me.'

'Stella,' zegt hij en hij snuift haar geur op, 'vertel me waarom je het niet kunt. Het is... is het misschien zo...' Hij moet zichzelf dwingen om het te zeggen. 'Voel je gewoon niets voor me? Is dat het?'

'Nee!' ze trekt hem tegen zich aan. 'Dat moet je niet denken! Ik geloof alleen… dat ik er niet geschikt voor ben.'

'Dat ben je wel,' dringt hij aan. 'Dat ben je zeker.'

'Nee. Ik zou je diep ongelukkig maken.'

'Dat is niet waar.' Hij trekt zich los en neemt haar gezicht in zijn handen. 'Je ziet toch dat ik van je hou?'

Er springen tranen in haar ogen, die over haar wangen rollen. Hij veegt ze weg met zijn duim. 'Ik hou van je,' herhaalt hij. 'Echt waar.' Ineens herinnert Jake zich iets. 'Stella, heeft dit misschien iets te maken met… met wat je zus me heeft verteld? Over… wat er is gebeurd toen je nog klein was?'

Hij ziet dat haar wangen rood worden en haar ogen wijd opengaan. Hij kan het niet geloven. 'Als je ook maar een seconde denkt dat ik daardoor anders over je ga denken,' zegt hij en hij schudt haar heen en weer, 'dan heb je het goed mis.'

Ze snuift en met een paniekerig gezicht veegt ze haar wangen schoon. 'Echt waar?' zegt ze, bijna onhoorbaar.

'Echt waar!' schreeuwt hij bijna. 'Jezus, hoe kun je nu zoiets denken! Het is belachelijk, het is bijna een belediging.'

'Maar Jake…'

'Stel je eens voor dat het andersom was. Dat ik dat had gedaan. Zou dat enig effect hebben op wat je van mij vindt?'

Ze zegt niets.

'Nou?' dringt hij aan.

'Nee,' zegt ze met een dun stemmetje.

'Juist.' Hij legt zijn hand op het houten hek. 'Dank je. Ga je nu met me mee naar Hongkong?'

Ze schudt haar hoofd.

Jake slaakt een zucht en begint te tandenknarsen. 'Ga je met me mee naar Hongkong?'

Ze kijkt hem aan en richt dan haar blik omlaag. 'Nee.'

'Stella Gilmore, ik word gek van jou. Waarom niet?'

Ze zit ineengedoken met haar handen in haar schoot. Iets aan de manier waarop ze erbij zit maakt hem duidelijk dat ze een beslissing heeft genomen. Hij kent haar inmiddels goed genoeg om te weten dat ze niet meer op haar besluit zal terugkomen. Ze gaat niet mee. Jake gaat rechtop staan en loopt het strand op. De wind trekt aan zijn jas. Na een paar passen blijft hij staan. 'Ik weet niet meer wat ik tegen je moet zeggen,' schreeuwt hij. 'Ik begrijp het niet. Dus dit is wat je wilt? Dat ik naar Hongkong ga en jij hier blijft? Is dat het?'

Hij bukt zich, pakt een paar stenen uit het zand en gooit ze één voor één de lucht in. Overal liggen plasjes water, en daar gooit hij ze in. Hij ziet hoe het blauwe, gladde wateroppervlak verbrijzeld wordt.

Na een poosje komt Stella naast hem staan. 'Ik...' begint ze voorzichtig, 'ik zou je kunnen bellen. Als je dat wilt.'

Jake gooit woedend een volgende steen weg. 'In Hongkong?'

'Ja.'

'En wat heeft dat voor zin?'

Ze zegt niets meer, ze buigt haar hoofd. Jake laat de stenen van zijn ene in zijn andere hand glijden. Hij laat er een vallen, vangt hem op met zijn voet en schopt hem in een hoop zeewier.

'Is dat,' zegt hij en hij probeert rustig te blijven, 'het enige wat je me te bieden hebt?'

Ze knikt. 'Het spijt me.'

Jake staat in zijn flat en kijkt de straat in. Alles ziet er nog hetzelfde uit, het is alsof hij niet weg is geweest. Of erger: alsof hij een stap terug in de tijd heeft gezet. Toen hij terugkwam, vond hij in de keuken een zilveren armband van Mel en in de kast in de badkamer lag zijn opgevouwen mitella. Het lijkt wel alsof hij een hoek om kan lopen en dan tegen de persoon opbotsen die hij voor het Chinese nieuwjaar was.

Hij opent het raam en de brandende zomerhitte slaat in zijn gezicht. Jake lacht. Het is buiten vijfendertig graden, en hij vindt het heerlijk.

Hij is nu drie dagen terug. Vier als je vandaag meerekent. De jetlag is al bijna over, vannacht heeft hij zeven uur achter elkaar diep geslapen. Hij begint er langzaam aan te wennen dat hij weer hier is. Hij moet naar de markt om groenten te kopen en hij moet zijn flat nodig aanvegen. Later kan hij de veerboot naar Kowloon nemen om dim sum te eten met Hing Tai. Hing Tai zei dat Mui wilde gaan zwemmen en hij vroeg of Jake zin had om mee te gaan. Gisteren had hij een vergadering met Chen en de locatiemanager, over de plek waar ze de openingsscène van de film konden draaien, en Chen wilde hem een aantal screentests laten zien.

Het verbaast hem dat je je oude leventje zo gemakkelijk weer kunt oppakken. Mensen stellen een paar vragen over zijn 'uitstapje', zoals ze het noemen, en dat was het dan. Hing Tai wilde wel iets meer weten. Misschien had hij met Caroline gepraat. Hij vroeg naar Mel, had hem aangekeken en gevraagd: 'En verder?' Jake had zijn schouders opgehaald. Ze waren bij de moeder van Hing Tai op bezoek geweest. De kamer zat vol mensen: collega's en familieleden. Jake had geen zin om te praten.

Hij doet het raam dicht. Hij gaat eerst naar de markt en stapt dan op de veerboot. Ze heeft niet gebeld. Maar hij is nog maar drie dagen terug. Vier, als je vandaag meerekent. Maar dat doet Jake niet. Nog niet.

Stella zit met opgetrokken knieën bij de kassa. Achter haar staat haar grootmoeder met haar grootvader te praten. Ze hebben het erover dat de ijsmachine binnen vijf minuten moet worden bijgevuld, dat er een paar stoelen gerepareerd moeten worden en daartussendoor nog iets over een brief uit Italië.

Vanaf haar kruk kijkt ze de zaal in. Nina en Richard zitten in een hoekje, met de zaterdagkrant tussen zich in. Het café zit bomvol, zoals het hoort op een zomerse zaterdag. Stella vindt het soms verbazingwekkend dat al die mensen zitten te eten. Bij het raam, achterin en langs de muren staan tafels met mensen die hun eten in stukjes snijden, het naar hun mond brengen, hun lippen van elkaar bewegen, kauwen en de hap dan doorslikken, waarna die in hun maag verdwijnt. Ze stelt zich al die mensen voor die vandaag in het café zijn geweest en nu door Musselburgh, Edinburgh en Lothian wandelen, met het eten van Ianelli's in hun magen.

Er komt een vrouw naar de bar en Stella schrijft op wat ze wil hebben. Een geroosterd broodje en een cappuccino. Ze geeft een deel van de bestelling door aan haar oom en loopt zelf naar de koffiemachine om de cappuccino te maken.

Dan ziet ze dat de zon is doorgebroken. Ze hoort de deur dichtslaan en er komt iemand het café binnen. Nina duwt een sigaret tussen haar lippen en steekt hem aan. Richard roert suiker door zijn espresso. Een klein meisje loopt achterwaarts langs het raam. Ze lacht en houdt twee broden tegen haar borst geklemd.

Stella denkt: er zijn dingen in het leven die altijd onoplosbaar blijven en onverteerbaar zijn. Het meisje dat buiten loopt, botst tegen een man die een zadel in zijn handen heeft, het meisje laat een van de broden vallen. Ze blijft lachen. De rook van Nina's sigaret kringelt richting plafond.

Dagen later zit ze in Nina's auto. Haar tas ligt op de achterbank.

'Ik wil je wel vertellen dat ik dit alleen maar doe omdat ik je zus ben,' zegt Nina.

'Goed.'

'Ik wil je ook zeggen dat ik het er volstrekt niet mee eens ben.'

'Goed, goed.'

'Ik vind het een stom, belachelijk, idioot idee.'

'Goed Nina. Het is duidelijk.'

Nina rijdt de Royal Mile op. De banden piepen op de stenen en even later rijden ze over een bochtige straat de heuvel af, met uitzicht op de New Town. Stella slaakt een zucht. Het is jammer dat ze in deze stad haar draai niet kan vinden. Misschien later.

'Ik ben het niet eens met je beslissing,' gaat Nina verder. Ze kan nauwelijks sturen, want ze probeert het cellofaan van een pakje sigaretten te trekken.

'Je bent duidelijk.' Stella knippert met haar ogen als ze ternauwernood een verkeerszuil ontwijken. 'Zou je je stuur niet eens met twee handen vastpakken?'

Ze staan voor een rood stoplicht voor Princes Street te wachten.

'Het enige wat ik zeg is...'

'Je zegt heel veel,' mompelt Stella.

Nina negeert haar. 'Bel hem op.'

'Nee.'

'Bel hem gewoon op.'

'Nee.' Stella schudt haar hoofd.

'Waarom niet?'

'Ik...' Stella probeert een reden te verzinnen. Dan geeft ze het op. 'Ik kan het niet.'

'Dan bel ik hem.' Nina begint boosaardig te lachen. 'Ik kan doen alsof ik jou ben.'

'Dat doe je niet,' zegt Stella en ze kijkt naar haar zus.

Nina haalt haar schouders op en lacht.

'Nina, ik meen het,' zegt Stella kwaad. 'Dat moet je niet doen.'

'Misschien doe ik het wel. Het is voor je eigen bestwil.'

'Als je dat doet, dan... dan zal ik nooit meer een woord tegen je zeggen.'

'Jawel hoor.'

'Nee, niet dus.'

'Wel.' Ze blaast rook in Stella's gezicht.

Stella draait het raampje open. 'Niet. Je waagt het niet.'

Nina zucht en trommelt met haar vingers op het stuur. 'Alsjeblieft.' Ze verandert van tactiek en begint nu te smeken.

'Nee.'

'Alsjeblieft?'

Stella zucht. 'Nina, ophouden, ja?'

'Waarom doe je het niet?'

'Omdat ik ten eerste niet zou weten wat ik moest zeggen, ten tweede is hij waarschijnlijk nog steeds boos op me, en...'

'En ten derde weet je dat helemaal niet.'

'Nou, jij weet niet of hij niet boos is.'

'Dat weet ik wel.'

'Dat weet je niet.'

'Dat weet ik wel. Die man is dol op jou. Dat is duidelijk. Zusterlijke intuïtie.'

'Ja, dat zal wel.' Ze kijkt Nina doordringend aan. 'Laatst was je zusterlijke intuïtie ook al zo scherp.'

Nina drukt haar sigaret uit in de asbak. 'Ik dacht dat we het daar niet meer over zouden hebben.' Ze gooit de peuk het raam uit.

Stella steekt haar handen in de lucht. 'Dat doe ik ook niet. Luister. Ik zeg alleen: dit is mijn leven, dus laat me mijn gang gaan.'

'Dus ik moet je maar naar Amerika laten vluchten?'

'Laat me nou maar.'

Nina parkeert haar auto voor het reisbureau, op een dubbele gele lijn. 'Ik wacht wel hier. Kom snel terug. We moeten over twintig minuten bij mam zijn.'

Stella stapt de auto uit en rent over het trottoir. Ze kijkt naar de lijst met aanbiedingen in de etalage: Madrid, Barcelona, Sydney, Praag, Los Angeles, Miami, New York. Retourtje of enkeltje. Ze krijgt een licht gevoel in haar hoofd, iets wat ze ook altijd krijgt als ze een wereldkaart voor zich heeft en beseft wat er allemaal mogelijk is. Ze zou overal naartoe kunnen gaan, ze zou kunnen zijn wie ze zou willen zijn, ze zou een nieuw leven kunnen beginnen door gewoon op een vliegtuig te stappen. Het enige wat ze moet doen, is geld geven. Reizen beschouwt ze soms als een verdacht gemakkelijke truc: een nieuw leven in ruil voor geld. Daar zou toch iets faustiaans, iets dwingenders voor nodig moeten zijn. Hoe kan het zo gemakkelijk zijn?

Ze draait zich om en kijkt naar haar zus, die haar vanachter het raam met een chagrijnig gezicht zit aan te kijken. Er komt rook uit haar mond, alsof ze een draak is.

Wanneer ze terugkomt en de auto in stapt, legt ze het glanzende hoesje met het vliegtuigticket op het dashboard. 'Kijk maar eens,' zegt ze.

'Ik zou niet weten waarom.' Nina steekt de autosleutel in het contact. 'Ik heb je al gezegd dat ik het met deze actie totaal niet eens ben.'

'Kijk nou maar.' Stella legt het hoesje uitnodigend voor haar zus neer. 'Toe dan.'

Nina zucht, vouwt het hoesje open en bekijkt de kleine, getypte lettertjes. Stella ziet dat ze haar wenkbrauwen fronst, vooroverbuigt, nog eens fronst en haar ten slotte aankijkt.

'O, mijn god,' zegt Nina langzaam.

Jake heeft besloten dat werken het medicijn tegen verdriet en ellende is. Nog voor achten zit hij op kantoor en hij vertrekt niet voor elf uur 's avonds. Hij bemoeit zich overal mee: de locaties, het script, de screentests, de repetities en de kostuums. Hij heeft zelfs een vergadering bijgewoond met de mensen van de catering. Chen legde gisteren zijn hand op zijn schouder en zei: 'Doe het kalm aan. Zo direct stort je in.'

Hij heeft zijn telefoonlijn tweemaal getest. Hij heeft zijn moeder gevraagd hem terug te bellen, zodat hij zeker wist dat hij vanuit het buitenland zou kunnen worden gebeld. Hij heeft een nieuw antwoordapparaat gekocht, want je kunt nooit weten. Maar het duurt nu al twee weken. Iets langer, zelfs. Jake begint onder ogen te zien dat ze misschien niet belt.

En misschien is hij gek, maar dat dit zou gebeuren heeft hij nooit voorzien. Hij weet niet wat hij moet doen. Hij wil een vliegtuig nemen naar Groot-Brittannië, of naar Boston, of waar ze dan ook zit, zodat hij haar weer kan zien en opnieuw kan proberen haar te overtuigen. Maar daar heeft hij nu het geld niet voor, en Hing Tai heeft gezegd dat hij zijn paspoort zou verstoppen als hij nog langer zeurde over vliegtickets. Loop niet achter haar aan, had hij gezegd, laat haar maar naar jou toe komen. Maar wat als ze dat niet doet, had Jake gezegd, en daar had Hing Tai geen antwoord op.

Jake brengt een lepel *congee* naar zijn mond, maar legt hem weer neer. Hij zit te ontbijten in een café vlak bij het kantoor. Het is een langwerpige, helverlichte ruimte met rijen tafels achter elkaar. De ramen zijn ondoorzichtig door de condens, en voorin staat een lange rij te wachten voor de kassa. Overal zitten mensen te eten en thee te drinken. De man achter de kassa geeft de bestellingen door aan de keuken en roept iets naar een jochie dat met een grijze dweil de tegels schoonmaakt. Uit een radio klinkt muziek. Er zitten vier mannen bij Jake aan tafel, zodat hij tegen de muur wordt gedrukt. Een van hen zet uiteen wat voor een klootzak hun baas is, en de andere drie luisteren naar hem. In de hoek zit een oude vrouw aan haar gebit te plukken.

Jake luistert even naar het gesprek over de baas, en als hij daar genoeg van heeft, luistert hij naar het gesprek aan het tafeltje achter zich. Twee tieners hebben het over hun mobieltjes. Hij eet nog wat congee, maar eigenlijk heeft hij er geen zin in. Hij vraagt zich af wat hij op zaterdag op kantoor doet. Hij had tegen zichzelf gezegd dat er meer dan genoeg te doen was als hij er alleen zou zijn, maar nu hij er eenmaal is, kan hij zich niet meer herinneren wat.

Hij legt zijn handen op tafel. Er lopen mensen langs het raam, van wie sommige naar hem kijken. De jongen met de dweil strekt zijn hand uit, draait aan een knop van de radio en zoekt een ander station. Het verkeer op het viaduct komt langzaam in beweging.

De mannen naast hem schenken nog een kop thee in. Ze praten nog steeds. En ineens gaat Jake rechtop zitten.

Hij hoort Stella's stem.

Ongelovig tilt hij zijn hoofd op. Ze is het. Hij weet het zeker.

Hij schuift zijn stoel naar achteren en kijkt om. Niets. Alleen maar mensen die zitten te ontbijten. Hij springt op, waardoor zijn stoel op de grond valt. Ze is het. Ze praat. Alsof ze ergens in het restaurant zit, zich verstopt achter een muur, of zijn hoofd is binnengedrongen. Jake loopt eerst de ene kant op en dan de andere, in een poging erachter te komen waar het geluid vandaan komt.

De mensen kijken hem nu aan. Die rare gweilo die iets of iemand zoekt, zullen ze denken. Maar dat interesseert Jake niet. Waar is ze? Het idee dat ze bij hem in de buurt is, maar dat hij haar niet kan vinden, maakt hem bijna gek. Beeldt hij het zich maar in? Heeft ze hem eindelijk van zijn verstand beroofd? Hij kijkt naar buiten, naar de mensen op het trottoir. Dan draait hij zich om en loopt tussen de tafeltjes door.

'Drie verdachten zijn vandaag aangehouden,' zegt ze, 'maar de politie heeft nog geen verklaring afgegeven.'

Jake kijkt naar de radio die in de muur is ingebouwd, een klein, zwart toestel. Stella is aan het woord, ze vertelt hem iets over een drugszaak. Hij moet zichzelf ervan weerhouden het toestel niet te kussen.

Jake loopt struikelend de zaak door naar de telefoon, die bij de kassa hangt. Even kan hij zich het nummer niet herinneren. Dan weet hij het weer. De telefoon wordt vrijwel meteen opgenomen.

'Wai-ee?'

'Ik ben het. Luister...'

'Jik-ah?'

'Ja, ja. Zeg...'

'Ik ben blij dat je belt,' zegt Hing Tai op een babbeltoon, 'want ik heb gisteravond ruzie gekregen met mijn broer en...'

'Luister, ik kan nu niet met je praten, ik...'

'Nou, dank je. Je belt me op en zegt vervolgens dat je niet met me kunt praten. Ik bedoel, dat is echt leuk. Als ik jou zou opbellen en...'

'Houd je mond, houd nu eens even je mond. Dit is echt belang-rijk.'

'Wat? Wat is er nu belangrijker dan...'

'Hing Tai. Ik meen het. Als je nu je mond niet houdt en naar me luistert, stort mijn hele leven in.'

'God,' zegt Hing Tai onbewogen. 'Dan kun je het maar beter vertellen.'

'Goed.' Jake haalt diep adem. 'Ergens in dat gebouw waar jij zit, leest iemand het nieuws voor.'

Hing Tai snuift ongeduldig. 'Bel je om me dat te vertellen?' zegt hij. 'Lijd je aan een hersenverweking of...'

'Ik wil,' zegt Jake zonder naar hem te luisteren, 'dat je iets voor me doet.'

Als Stella met de nieuwsberichten in haar hand de studio verlaat en de gecapitonneerde, geluiddichte deur achter zich dichttrekt, ziet ze een man achter de producer staan. Hij draagt een spijker-broek en een hemd met een brede kraag, en de punten van zijn haar zijn gebleekt. Stella vraagt zich af hoe hij dat voor elkaar heeft gekregen, en beseft ineens dat hij tegen haar praat. 'Ben jij Stella?' vraagt hij.

'Ja.'

'Kom maar mee,' zegt hij, 'kom maar.'

Verbaasd volgt ze hem. Ze lopen de studio uit, wandelen een lange gang door, lopen langs de liften en dalen een trap af. Af en toe draait hij zich om... om te zien of ze er nog wel is? Stella weet het niet zeker. Hij lijkt haar te beoordelen, bekijkt haar van top tot teen.

'Mag ik vragen waar dit over gaat?' vraagt Stella.

'Kom nou maar,' antwoordt hij. 'Volg me maar.'

Ze wandelen door het gebouw. Ze heeft geen idee waar ze is, ze kan zich niet oriënteren. Maar dat gevoel heeft ze eigenlijk in de hele stad. Ze komen in een zaal waar honderden mensen zitten, elk in een eigen, door wanden afgeschermd hokje. De man wenkt haar opnieuw en loopt naar een van de hokjes. Ze blijven staan en hij geeft haar de hoorn van een telefoon.

'Er is iemand voor je,' zegt hij.

'Voor mij?' Stella neemt de hoorn niet aan. 'Wie dan?'

De man brengt grinnikend de hoorn naar zijn oor en zegt iets in het Chinees. Dan strekt hij zijn arm weer uit, met de hoorn in zijn hand. 'Hij zegt dat je niet zo koppig moet doen en de hoorn moet aannemen.'

Stella is zo geschokt dat ze doet wat hij zegt. 'Hallo?'

'Ik heb weken bij de telefoon zitten wachten.' Ze hoort Jakes stem, vlak bij haar oor.

'Is dat zo?' zegt ze en even is ze bang dat ze zijn antwoord niet zal kunnen verstaan, zo luid klopt het bloed door haar aderen.

'Ik kan het niet geloven,' zegt hij. 'Ik kan niet geloven dat je me niet hebt gebeld, en ook niet dat je nu hier bent.'

'Nou,' zegt ze, 'toch is het zo.'

'Ik heb je op de radio gehoord.'

'Echt?'

'Je was goed. Denk ik. Hoewel ik dat op dit moment misschien niet erg goed kan beoordelen. Maar ik wilde dat ding zoenen, misschien krijg je dan een idee…'

'Je wilde het ding zoenen?' lacht ze. 'De radio?'

De man in het hokje doet alsof hij niet luistert en zit te typen, maar hij lacht wel en schudt zijn hoofd.

'Luister, ik kom je halen. Jij komt vanaf nu niet meer van je plaats, begrepen?'

'Jake, je hoeft niet hiernaartoe te komen. Ik kan…'

'Nee, nee. Jij blijft precies waar je nu bent. Hing Tai heeft instructies gekregen en zal je geen seconde uit het oog verliezen. Blijf staan, beweeg je niet en ga nergens heen.'

Jake rent het restaurant uit. Het is net begonnen te regenen, zodat er donkere spatten op het trottoir verschijnen. Hij rent over het trottoir, zijn sportschoenen kletsen op het beton. Als hij de hoek om rent, begint het tweemaal zo hard te regenen, waardoor de hele straat in een mum van tijd glanst als een zeehond. Marktkooplieden trekken zeilen over hun kramen, mannen houden ter bescherming een krant boven hun hoofd en iedereen probeert zo snel mogelijk te schuilen onder een afdak of een boom, sommigen vluchten een metrostation in.

Jake rent. Zijn beenspieren branden en de regen sijpelt over zijn haar en gezicht. Hij hapt naar adem en er vallen regendruppels in zijn mond. Hij rent langs mannen in pakken, langs een vrouw die een winkelwagentje voortduwt, langs een heel gezin dat de andere kant op rent, langs een man met een emmer vol schelpdieren en langs twee meisjes die hun haren uitwringen en elkaar uitlachen.

Terwijl hij voortrent, ziet hij hoe de stad het regenwater verwerkt. Het water stroomt uit goten en pijpen, kabbelt over de trottoirs de straat op, waar het in de riolen verdwijnt, die onder de straten zijn aangelegd. Bussen en taxi's rijden door de plassen die aan de zijkanten van de straat zijn ontstaan en vloedgolven veroorzaken die op het trottoir terechtkomen en over de benen van de mensen gutsen.

De regen slaat in zijn gezicht en hij zet zichzelf ertoe aan nog harder te lopen. Hij rent de straat op terwijl het water in zijn schoenen sijpelt. Zijn sokken en zijn broek zijn inmiddels doorweekt. Hij rent onder een hoge brug door, waar talloze mensen staan te schuilen, en als hij eronder vandaan komt en het licht in loopt, ziet hij het gebouw van het radiostation voor zich oprijzen. Voor de deur staat Hing Tai, Stella staat daarachter. Hing Tai kijkt de verkeerde kant op, maar Stella ziet hem. Ze loopt de straat op, de regen in, en steekt haar hand op, als iemand die haar ogen beschermt tegen het zonlicht, als iemand die een vraag beantwoordt.

Woord van dank

Mijn dank gaat uit naar: William Sutcliffe, Victoria Hobbs, Mary-Anne Harrington, Ruth Metzstein, Kate Jones, Beatrice Monti della Corte, de Santa Maddalena Foundation, Bill Swainson, Alessandra Gnecchi-Ruscone, Mary Lewis, Adam Sutcliffe, Dewi Davies, Elizabeth Ingrams en mijn familie – Patrick, Susan, Catherine en Bridget.

Ik heb de volgende boeken geraadpleegd: *Emigration in a South Italian Town: An Anthropological History* van William A. Douglas (Rutgers University Press, New Jersey, 1984) en *Multiculturalism in Practice: Irish, Jewish, Italian and Pakistani Migration to Scotland* van Suzanne Audrey (Ashgate, 2000). Ook maakte ik gebruik van *Memoirs of a Highland Lady* (Canongate, Edinburgh, 1988) van Elizabeth Grant. Met dank aan mijn moeder, die me de boeken gaf.